*Uma utopia militante*

*Três ensaios sobre o socialismo*

PAUL SINGER

# *Uma utopia militante*

## *Três ensaios sobre o socialismo*

*Uma utopia militante: repensando o socialismo*

*O que é socialismo*

*Economia socialista (com João Machado)*

ORGANIZAÇÃO André Singer, Suzana Singer e Helena Singer

COLEÇÃO PAUL SINGER VOLUME 1

Direitos de publicação reservados à:
Fundação Editora da Unesp (FEU)
Praça da Sé, 108
01001-900 – São Paulo – SP
Tel.: (0xx11) 3242-7171
Fax: (0xx11) 3242-7172
www.editoraunesp.com.br
www.livrariaunesp.com.br
atendimento.editora@unesp.br

DADOS INTERNACIONAIS DE CATALOGAÇÃO NA PUBLICAÇÃO (CIP) DE ACORDO COM ISBD
Elaborado por Odilio Hilario Moreira Junior – CRB-8/9949

---

S617u

Singer, Paul
Uma utopia militante: três ensaios sobre o socialismo / Paul Singer; organizado por André Singer, Suzana Singer, Helena Singer. – São Paulo: Editora Unesp; Fundação Perseu Abramo, 2022.

Inclui bibliografia.
ISBN: 978-65-5711-106-2 (Editora Unesp)
ISBN: 978-65-5626-035-8 (Fundação Perseu Abramo)

1. Socialismo. I. Singer, André. II. Singer, Suzana. III. Singer, Helena. IV. Título.

---

2022-361 CDD: 320.531
CDU: 330.84

---

Editora afiliada

# Sumário

**O QUE É SOCIALISMO, HOJE**



**ECONOMIA SOCIALISTA**

# Coleção Paul Singer

Paul Singer nasceu em Viena, Áustria, em 1932. Em 1940, fugiu do nazismo levado pela mãe, viúva, para São Paulo. No Brasil, completou a escolaridade fundamental, tornando-se eletrotécnico no ensino médio. Antes de ingressar na Universidade de São Paulo (USP), em 1956, para estudar economia, foi operário e tornou-se militante socialista, condição que manteria para o resto da vida, tendo intensa participação partidária até a morte, em 2018.

Diplomado pela Faculdade de Economia e Administração (FEA) da USP, fez carreira acadêmica, a qual passou por doutorado em Sociologia, livre-docência em Demografia e titularidade na própria FEA, onde se aposentou em 2002. A segunda metade de sua existência foi marcada pela gestão pública, na qual exerceu os cargos de secretário do Planejamento do município de São Paulo (1989-1992) e secretário nacional de Economia Solidária do governo federal (2003-2016). Neles teve oportunidade de implementar ideias e propostas que havia desenvolvido desde a juventude.

O legado dessa trajetória inclui 24 livros próprios e seis em coautoria, algumas dezenas de artigos científicos publicados em diversos países, várias centenas de textos e entrevistas a jornais, além de relatórios e comunicações orais, hoje no acervo do Instituto de Estudos Brasileiros (IEB) da USP. A Coleção Paul Singer, coedição da Fundação Editora da Unesp e da Fundação Perseu Abramo, visa disponibilizar ao público uma seleção de trabalhos do autor, cuja obra se estendeu não somente a assuntos econômicos, mas relacionados à política, urbanismo, demografia, saúde e história, entre outros.

*André Singer*, *Suzana Singer* e *Helena Singer*

# Um professor socialista democrático na periferia do capitalismo

*André Singer**

Paul Singer passou a frequentar o Partido Socialista Brasileiro (PSB), na praça da Sé, marco zero de São Paulo, meio por acaso. Adolescente, trabalhava como auxiliar de escritório no centro da cidade. No fim do dia, antes de voltar para a casa da mãe, com quem tinha fugido de Viena em 1940, fazia hora na sede partidária, onde ficava lendo o material disponível.

Estamos falando, provavelmente, de 1948, quando o autor em pauta era adolescente. O PSB havia obtido reconhecimento do Tribunal Superior Eleitoral (TSE) em agosto do ano anterior e acabaria dissolvido pelo Ato Institucional n.2, da ditadura militar, em 1965. Então, Singer, 33 anos, já tendo sido dirigente da agremiação na capital paulistana, ficou por algum tempo sem partido. O PSB ressurgiria, em 1985, mas, então, Singer pertencia às fileiras do Partido dos Trabalhadores (PT), que ajudara a fundar em 1980, e no qual ficou até o fim da vida, em 2018. Portanto, a militância socialista, ainda que nunca de

---

* Professor titular do Departamento de Ciência Política da Universidade de São Paulo. Autor de *Os sentidos do lulismo* e *O lulismo em crise*, entre outros livros.

tipo profissional, esteve no seu cotidiano desde cedo, dotando-o de um espírito igualitário que se expressava até na delicadeza dos pequenos gestos.

O velho PSB defendia a tese de Karl Kautsky, segundo a qual não poderia haver socialismo sem democracia.[1] O programa afirmava que "o Partido tem como patrimônio inalienável da humanidade as conquistas democrático-liberais, mas as considera insuficientes, como forma política, para se chegar à eliminação de um regime econômico de exploração do homem pelo homem". Quanto à propriedade, o caderno programático de dezesseis páginas que, amarelado, estava entre os pertences deixados por Singer rezava: "a socialização realizar-se-á gradativamente, até a transferência, ao domínio social, de todos os bens passíveis de criar riqueza, mantida a propriedade privada nos limites da possibilidade de sua utilização pessoal sem prejuízo do interesse coletivo".[2]

O crítico literário Antonio Candido pertencia à ala radical do PSB, de que Singer se aproximou, tornando-se amigo daquele gigante das letras apesar da diferença de idade (Candido era de 1918; Singer, de 1932). Candido escreveu que "a rejeição crítica do stalinismo e o esforço para usar o marxismo, não como cartilha, mas como instrumento flexível", eram duas das características mais vivas da legenda.[3]

A influência sobre o rapaz que lia com avidez apareceria logo. Aos 19, Singer redigiu para a revista *Dror*, da juventude judaica, um artigo denominado "Socialismo e democracia".[4] Nele, realiza uma precoce análise da situação moderna. Vale lembrar que só ingressaria na Universidade de São Paulo (USP) para estudar economia em 1956, depois de se empregar em fábrica e atuar no Sindicato dos Metalúrgicos. Quando chegou ao ensino superior, era um intelectual formado na militância. Autodidata, a relação entre socialismo e democracia, so-

---

1 Ver Kautsky, A ditadura do proletariado (1918). Disponível em: https://www.marxists.org/portugues/kautsky/1918/mes/ditadura.htm. Acesso em: 30 out. 2021.

2 São Paulo, *Programa do Partido Socialista Brasileiro*, p.4 e 6.

3 Mello e Souza, Prefácio, em Gustin; Vieira, *Semeando democracia*, p.10.

4 *Dror*, Órgão da Juventude Judaica, ano 2, n.6, p.24-5, fev. 1951. Disponível em: https://dror-br-il.org/wp-content/uploads/2017/01/014_03_0005.pdf. Acesso em: 21 dez. 2021.

bre a qual ofereceria as reflexões aqui constantes, restou como item prioritário.

No texto de *Dror*, o diagnóstico era que "a trágica experiência" da Europa fascista havia mostrado que, "quando o capitalismo entra em decadência", a democracia burguesa acaba "derrubada pela dinâmica da luta de classes". O movimento operário europeu teria falhado em perceber que, em situações assim, era preciso usar a democracia para *destruir* o capitalismo, transformando a democracia burguesa numa democracia socialista, mas sem esquecer a liberdade de expressão e "a igualdade de oportunidades de exprimir-se". Apostava em algo que poderíamos chamar de "socialismo democrático revolucionário", opção rara, talvez cogitada, de fato, apenas na Espanha da Guerra Civil (1936-1939) e no Chile de Allende (1971-1973).

A longa caminhada modificou certas convicções juvenis, sem alterar a essência que as constituía: a necessidade de superar a exploração do homem pelo homem. Conforme registro do economista João Machado no final dos anos 1990, Singer, "dentro do PT", era o mais empenhado em "manter a questão do socialismo sempre atual".[5]

Mas os meios mudaram. No último livro que publicou, em 2018, Singer afirma que o Chile allendista, cuja experiência "foi uma espécie de reedição da Guerra Civil Espanhola" na América Latina, deixava lição valiosa, porém para *não* ser repetida. A Unidade Popular expropriara grandes empresas, mas, em lugar de torná-las autogestionárias, as estatizou,[6] e a estatização *não* levaria ao socialismo, concluíra, após examinar com cuidado a experiência do bloco soviético.

A reedição dos três trabalhos enfeixados neste volume, que abre a Coleção Paul Singer, permite à leitora e ao leitor tomar (ou retomar) contato com essa trajetória intelectual coerente e construtiva. O volume abre com *Uma utopia militante: repensando o socialismo*, publicado em 1998, quando o então professor titular da Faculdade de Economia e Administração da USP se aproximava da aposentadoria universitária (embora houvesse labutado ainda por quase duas décadas, animando a economia solidária). Em seguida, vem *Economia socialista*,

5 Singer; Machado, *Economia socialista*, p.299 desta edição.

6 Singer, *Ensaios sobre economia solidária*, p.75-6.

conferência pronunciada em ciclo do PT coordenado, a pedido de Lula, pelo correligionário Antonio Candido, Francisco de Oliveira, amigo e ex-colega do Centro Brasileiro de Análise e Planejamento (Cebrap), e Singer. Lido na sessão de 24 de abril de 2000 do simpósio, o texto traz, entre outras contribuições, uma análise brilhante sobre problemas do planejamento centralizado.

Fecha a edição *O que é socialismo, hoje*, pequeno livro redigido de uma sentada, em Nova Délhi, Índia, no fim de 1978, durante curioso recolhimento sanitário forçado. Escrito antes que a avalanche neoliberal mudasse por completo as perspectivas da esquerda, apareceu quando a reorganização partidária promovida pelo regime militar ocasionou o surgimento do PT. Os princípios do socialismo democrático migraram do antigo PSB para a nova sigla, onde tiveram, tirante melhor juízo, razoável influência. *O que é socialismo, hoje* (agora, já ontem) retrata aquele interessante momento de transição.

Nas quase duas décadas posteriores ao que será encontrado aqui, Singer continuou atuando, pensando e escrevendo sobre o socialismo. Em geral, produziu textos curtos a respeito do assunto, sendo parte dos mesmos encontráveis em *Ensaios sobre economia solidária*, editado em Portugal pouco antes de sua morte.[7] Alguns dos *Ensaios* serão republicados no segundo volume desta coleção, ainda em 2022, o qual versará exatamente sobre a economia solidária.

## *Uma política para o socialismo democrático*

O lançamento desta coleção quando o autor completaria 90 anos, além de homenagem, permite o início de balanço crítico do conjunto da obra, o que seria, sem dúvida, o maior interesse dele próprio. Singer foi um mestre do diálogo aberto e sem censura. Tinha paixão pela verdade científica, que colocava acima da vaidade acadêmica.

Como não caberia, sobretudo nos limites de breve apresentação, tentar tarefa tão ousada, limito-me a destacar um tema que talvez

---

7 Singer, op. cit.

mereça a atenção de futuros estudiosos. Tal como o sociólogo T. H. Marshall (1893-1981), nas conferências de 1949 destinadas a dialogar com o legado do economista Alfred Marshall (1842-1924), cumpro a tarefa do ângulo que conheço, isto é, o da ciência política. Caberá aos colegas da grei econômica avaliar questões disciplinares que escapam a leigos como eu.

No *Manifesto comunista*, Karl Marx e Friedrich Engels apresentam a luta socialista como a busca do poder por parte do proletariado com a finalidade de superar o capitalismo. Segundo a lendária redação de 1848, "a primeira fase da revolução operária" seria "a elevação do proletariado a classe dominante". Em seguida, caberia "centralizar todos os instrumentos de produção nas mãos do Estado", para mais tarde, quando "no curso do desenvolvimento, desaparecerem os antagonismos de classes e toda a produção for concentrada nas mãos dos indivíduos associados", o poder público vir a perder "o seu caráter político".[8]

Em outro momento, na *Crítica do Programa de Gotha* (1875), Marx faz a polêmica afirmação de que, entre um e outro estágio – a centralização e o desaparecimento estatal –, o Estado teria que funcionar como "ditadura revolucionária do proletariado".[9] Singer, que gostava de citar a *boutade* segundo a qual Marx não se considerava marxista,[10] contestou a sequência inteira. Para ele, a conquista do poder político não deveria ser o objetivo maior dos socialistas, a estatização dos meios de produção, um erro, e a ditadura do proletariado, desvio fatal.

Sobre o último ponto, cuja concepção quiçá não estivesse clara sequer para Marx, sendo Lênin o verdadeiro formulador do recurso

---

8 Marx; Engels, *Manifesto comunista*, p.58-9.

9 Marx, Critique of the Gotha Programme, em *Selected Works*, v.2, tradução livre.

10 A suposta frase de Marx consta de uma carta de Engels a Eduard Bernstein em 2-3 nov. 1882, citada em Derfler, Paul Lafargue and the Beggininngs of Marxism in France, *Biography*, v.14, n.1, inverno 1991. Não obstante a brincadeira iconoclasta, o vínculo de Singer com a obra de Marx e Engels foi intenso. Cumpre recordar, entre muitos outros fatos, que ele fez parte do seminário sobre *O capital*, liderado por professores da Faculdade de Filosofia, Ciências e Letras da USP, entre mais ou menos 1958 e 1964, tendo, depois, coordenado a tradução do livro para a Editora Abril (1983).

ditatorial, Singer nunca teve dúvidas. No texto de 1980, afirma que, após atingir o poder, devia-se construir um Estado de transição, mas que preservasse o livre debate, o confronto de pontos de vista opostos e consultas eleitorais livres, isto é, a moderna democracia representativa. Seria o único meio de "impedir que a camada dirigente se una e se feche num conjunto de instâncias inacessíveis, que Orwell chamou de 'Partido Interno' (*1984*)".[11] Caso a democracia fosse suprimida, tenderia a haver "uma ditadura *sobre* a classe trabalhadora" e não *da* classe trabalhadora.[12]

Mas Singer, creio, permanecia na chave do "socialismo democrático revolucionário", retomando a crítica de Kautsky e Rosa Luxemburgo, entre outros, aos bolcheviques quando estes decidiram suprimir a Assembleia Constituinte russa em janeiro de 1918.[13] Com o passar do tempo, no entanto, Singer terminou questionando não só a ditadura, mas a estatização. Concluiu que a "tentativa de alcançar – ou 'construir'" uma nova sociedade por meio da "estatização" e do "planejamento centralizado" tinha resultado em um "fracasso".[14] "A experiência histórica da União Soviética demonstrou que o capitalismo não pode ser destruído apenas pela ação política", escreveu.[15]

Em decorrência, a chegada ao poder, mesmo democrática, deixava de ter a centralidade que costuma adquirir sempre que a bandeira do socialismo é empunhada por partidos, cuja função, afinal de contas, é disputar governos e mandatos. Mas, sem o poder, como atingir o socialismo? A resposta exige uma redefinição do que seja o socialismo, sobre a qual os clássicos (Marx e Engels), aliás, teriam uma "visão científica" que "deixa muito a desejar".[16] Aqui começa, até onde consigo alcançar, uma reflexão cujas consequências aguardam consideração detida.

---

11 Singer, *O que é socialismo, hoje*, p.238 desta edição. A referência entre parênteses é ao romance *1984*, de George Orwell.

12 Idem, p.38.

13 Ver, a respeito, Kautsky (1918), op. cit.; e Luxemburgo, A revolução russa (1918), em Loureiro (org.), *Rosa Luxemburgo*: textos escolhidos, p.101-8.

14 Singer, *Uma utopia militante*, p.31 desta edição.

15 Id., *Ensaios sobre economia solidária*, p.219.

16 Singer; Machado, *Economia socialista*, p.261 desta edição.

Singer sugerira, em *O que é socialismo, hoje*, um raciocínio dialético segundo o qual, como o projeto socialista correspondia à aspiração por uma sociedade que superasse o capitalismo, precisava mudar conforme avançava a ordem que desejava transformar. Em *Uma utopia militante*, dá um passo para a frente, percebendo que o socialismo não era apenas um *projeto* cambiante, mas um *modo de produção cambiante*, que corresponde às várias reações *práticas* da classe trabalhadora ao avanço capitalista.

Numa lição de materialismo histórico, Singer busca o socialismo não na "imaginação utópica", mas na experiência real,[17] dando concretude à elaboração, do contrário excessivamente insuflada pelos ventos da pura vontade. Propõe que o socialismo, na verdade, começou há dois séculos, vivendo nos recessos do capitalismo. Em cada formação, como Marx sublinha nos *Grundrisse*, existe uma "combinação modal"[18] que mescla diferentes jeitos de produzir, sendo um deles dominante.

Desde o século XIX, teria havido duas ondas de construção socialista. Uma decorrente da primitiva revolução industrial. O emblema foi a comunidade autogestionária estabelecida em Rochdale, perto de Manchester, Inglaterra, em 1844, "a matriz de todas as cooperativas modernas".[19] Rochdale, onde, entre outras regras, cada sócio tinha um voto, independente do capital investido, e a sociedade permanecia aberta a qualquer um que pudesse integralizar a quota mínima de 1 libra, era de início uma associação de consumo. Começou a produzir em 1850, com sucesso, registrando-se atividade do seu moinho ainda em 1906.

Mas o caráter socialista da experiência terminou em 1862, quando, na prática, a produção passou a ser dirigida pelos acionistas, que não eram os operários, transformando-se numa espécie de sociedade

17 Singer, *Uma utopia militante*, p.121 desta edição.

18 A expressão "combinação modal" é de Burns, The Concept of a Social Formation in the Writings of E. P. Thompson and Ellen Meiksins Wood, *Capital & Class*, 27 jul. 2021. Disponível em: https://journals.sagepub.com/doi/10.1177/03098168211029000. Acesso em: 1º nov. 2021.

19 Singer, *Uma utopia militante*, p.112 desta edição.

anônima.[20] Não obstante, o movimento cooperativista se espalhou pelo planeta, e em alguns casos no molde autogestionário originário de Rochdale, conducente ao socialismo.

A segunda onda correspondeu à segunda revolução industrial (cerca de 1850-1950) e se inspirou no marxismo. Referindo-se a *Do socialismo utópico ao socialismo científico*, escrito por Engels em 1875, Singer mostra que não havia qualquer indicação do que seria, na prática, o regime emanado da apropriação pelo Estado dos meios de produção. Engels diz que, ao estatizar as forças produtivas, as classes seriam *automaticamente* abolidas, uma vez que a divisão entre detentores e não detentores de capital desapareceria. Em seguida, o Estado começaria a sumir, não tendo mais a função de exercer o domínio de classe. Faltava, porém, explicar de que maneira funcionaria o "regime de propriedade coletiva" e o "sistema de planejamento".

Na realidade, em lugar de provocar o sumiço do Estado, a tomada do poder, na experiência efetiva, ocasionou um "crescimento monstruoso" deste.[21] Em cerca de vinte páginas de *Economia socialista*, Singer mostrou, por meio da linguagem cristalina que lhe rendeu a fama de docente vocacionado, que na mecânica estatizada se estabelece uma "economia de vendedor", isto é, na qual há demanda forte e permanente, combinada com escassez crônica de oferta. Em consequência, os burocratas que controlam os insumos de produção ganham força e o trabalhador, embora tenha emprego e renda garantidos (o que é positivo), vive a intensa frustração de não conseguir o acesso ao consumo farto detido pelos pares das nações capitalistas. Nessa configuração, até bens cotidianos, como material de limpeza ou lâminas de barbear, tornavam-se objeto de desejo.

Sem me imiscuir no debate especializado, que envolve a negociação de metas entre unidades produtivas e burocracias centrais, pressão por importações, falta de divisas, necessidade de exportar, baixa inovação tecnológica e tendência à ineficiência do investimento, cinjo-me a sublinhar que, apesar de incontornáveis problemas, Singer

---

20 Ibid., p.119 desta edição.

21 Ibid., p.267 desta edição.

reconhece na planificação a virtude de evitar a montanha-russa destrutiva dos ciclos capitalistas. Daí a fórmula *política* sugerida por ele: a constituição de um *parlamento econômico*,[22] onde os planos de firmas, famílias e governos pudessem ser confrontados, negociados e conciliados ou decididos por maioria, *substituindo o caos do mercado por uma regulação democrática*.

Salvo engano, a ideia de que, no socialismo, as aspirações econômicas de todas as instâncias devessem ser levadas ao primeiro plano da política democrática por meio de um parlamento específico ficou obscurecida pelo ambiente inteiramente avesso à experimentação progressista que se vivia – e ainda vigora – no final do século XX. A proposta lembrava vagamente a experiência brasileira da câmara setorial automotiva, que funcionou por volta de 1991 a 1994, das quais Singer e Oliveira haviam sido entusiastas.[23] O experimento, abandonado pelo governo do Partido da Social Democracia Brasileira (PSDB), procurava criar um espaço de negociação entre diferentes setores da cadeia, de modo a combater democraticamente o processo hiperinflacionário da época.

Singer ampliou o espírito da câmara para o conjunto da sociedade, dando-lhe o caráter de invenção institucional. Mas o tempo era de retrocesso conservador e a proposta supunha revolver tanto a concepção da economia socialista quanto o modo liberal de encarar a democracia. Aos socialistas, caberia assumir que os mercados não poderiam ser abolidos, embora fosse necessário um mecanismo coordenador para evitar a roleta capitalista. "Precisamos de mercados porque é a forma de interação que conhecemos, que permite manter as diversas burocracias separadas, evitando que um poder total se aposse da economia", refletia Singer.[24] Do ponto de vista democrático, a proposta, sem que Singer soubesse (até onde acompanhei), ia ao encontro do que cientistas políticos como o decano Robert Dahl

---

22 Singer; Machado, op. cit., p.288 desta edição.

23 Ver, a respeito dessa experiência, Martin, As câmaras setoriais e o meso-corporativismo, *Lua Nova*, v.37, 1996. Disponível em: https://www.scielo.br/j/ln/a/tLSqBXqWyKHv9XsgK9r5GgD/?lang=pt. Acesso em: 5 nov. 2021.

24 Singer; Machado, op. cit., p.287 desta edição.

e o britânico Paul Hirst estavam propondo no hemisfério norte, antes que a onda neoliberal fechasse os espaços de progresso.

Em *lectures* pronunciadas na Universidade de Berkeley (1981), Dahl, talvez o mais importante teórico da democracia nos Estados Unidos, desenvolveu o argumento de que era preciso estender "o processo democrático às unidades econômicas", de modo a equacionar o problema da desigualdade de recursos na política.[25] Hirst, por seu turno, dizia que os socialismos associativos, cooperativo e sindicalista tinham se tornado "mais importantes do que nunca, porque suscitam questões ligadas à organização democrática da sociedade que agora são vitais".[26]

Pensava-se, enfim, numa convergência entre socialismo e democracia, impulsionada pelo Estado de bem-estar, a derrubada da cortina de ferro e a democratização de países como o Brasil, entre outros. Nesse clima, ainda otimista, a sugestão de um parlamento econômico abria uma senda que ficou soterrada pela avalanche neoliberal. A possível expansão socialista da democracia explica por que o neoliberalismo se apressou em blindar as decisões econômicas ao escrutínio popular. Autonomia do Banco Central, teto de gastos, livre flutuação do câmbio etc. foram implantados para evitar que as maiorias pudessem governar a economia. Ao estabelecer tais restrições, a democracia foi sendo esvaziada, tornando marginais as reflexões socialistas que propunham, ao contrário, o seu adensamento.

## *A política da resistência solidária*

Indicado o aspecto teórico que creio merecer investimento de pesquisa, à guisa de conclusão arrisco uma leitura política do assunto que entusiasmou o professor na fase conclusiva da existência. Diante da encruzilhada neoliberal, Singer, à época secretário de Planejamento da cidade de São Paulo, na administração petista de Luiza

25 Dahl, *Um prefácio à democracia econômica*, p.55.
26 Hirst, *A democracia representativa e seus limites*, p.82.

Erundina, teve a intuição que marcaria a última etapa da práxis que começara em volta da praça da Sé. A economia solidária, pensou, poderia "driblar" o avanço capitalista, tocando a bola socialista no espaço vazio deixado pelo adversário. À medida que a terceira (e talvez, sobretudo, a quarta) revolução industrial implica absorção cada vez menor de trabalho humano, que vai sendo trocado pela automação, as cooperativas autogestionárias inventadas no século XIX poderiam readquirir o papel de alternativa, abrindo às multidões desempregadas um caminho socialista.

Entrou, então, outra vez, em campo, o materialista histórico: "o capitalismo levou séculos desenvolvendo-se não como projeto consciente, mas como uma maneira semiclandestina de aproveitar o potencial produtivo dos *agrupamentos marginalizados pelo modo de produção dominante*" (grifos meus).[27] Nos séculos XVI e XVII, as relações capitalistas estavam proibidas nas grandes cidades, onde as corporações de ofício eram fortes, tal como hoje o socialismo não penetra no universo das empresas globalizadas. Foi por meio da desimportante tecelagem do algodão, efetuada à base de encomendas domésticas a fiadores do interior, que a produção capitalista cresceu, margeando o centro. A virada definitiva veio só no século XVIII, com a máquina a vapor.[28]

Por que o socialismo não poderia fazer o mesmo? "A cooperativa operária realiza em alto grau todas as condições para a desalienação do trabalho e, portanto, para a realização do socialismo no plano da produção", afirmou Singer.[29] Ela consuma, aqui e agora, o objetivo final do *Manifesto*: ver "a produção concentrada nas mãos dos indivíduos associados".[30] A potencialidade do cooperativismo autogestionário como transição para o socialismo é reconhecida por Marx, sobretudo na medida em que, juntamente com a normatização legal e jurídica das relações de trabalho, a seguridade e a desmercantilização de áreas como saúde, educação, moradia, energia, comunicações,

27 Singer, *Uma utopia militante*, p.142 desta edição.
28 Ibid., p.66 desta edição.
29 Ibid., p.138 desta edição.
30 Marx; Engels, op. cit., p.59.

transportes, lazer e tantas outras, aponta para uma revolução social em que a mercadoria deixe de dar as cartas.

Mas, no contexto posterior a 1980, foi o neoliberalismo como "razão global" que se espraiou pelo planeta, incentivando a competição generalizada, desregulamentando, privatizando e mercantilizando todo e qualquer espaço disponível. Do futebol à fé, passando pela política, a educação, a saúde, o lazer, a moradia, a alimentação, o ambiente e até a arte, último consolo, a submissão ao dinheiro aumentou. Como observaram Dardot e Laval, ocorreu uma "individualização das relações sociais em detrimento das solidariedades coletivas".[31]

O *crash* de 2008, ao contrário do que se esperava, intensificou o processo. Numa intervenção realizada em 2013, Singer revelaria, com a habitual franqueza: "Eu me enganei totalmente, não tenho vergonha de dizer isso. Os bancos obrigam os países a fazer a maldita austeridade, que é o contrário da política keynesiana".[32] Para completar o quadro sombrio, em 2016, a vitória de Trump trouxe à tona uma nova extrema direita planetária, com traços fascistas, ameaçando as instituições democráticas.

Num momento como este, a economia solidária funciona, também, penso, como opção de resistência. Aos partidos socialistas cabe transformar a solidariedade resistente em programa de Estado, na esperança de que tempos melhores abram os caminhos temporariamente bloqueados. Mesmo descartada a estatização dos meios de produção, é pouco provável que a política deixe de ser o lugar no qual o futuro será decidido. O próprio Singer relata que apenas "graças aos efeitos da Revolução Inglesa, que culminou na 'Gloriosa Revolução' de 1688, a Inglaterra, em meados do século XVIII", se tornou a nação mais capitalista da Europa.[33]

Na prática, que é sempre o critério da verdade, talvez Singer concordasse. Na última página de *Uma utopia militante*, escreveu que "as cooperativas carecem de capital. É o seu calcanhar de aquiles. Se o

31 Dardot; Laval, *La Nouvelle raison du monde*, p.5.

32 Singer, Crise induzida pelo neoliberalismo *versus* invenções democráticas, em Rocha; Calderoni; Justo (org.), *Construções da felicidade*, p.16.

33 Singer, *Uma utopia militante*, p.51 desta edição.

movimento operário, que partilha o poder estatal com o capital, quiser alavancar o financiamento público da economia solidária, a cara da formação vai mudar". Em resposta, o governo Lula criou a Secretaria Nacional de Economia Solidária (Senaes) em 2003, tendo Singer assumido a direção e nela permanecido até a interrupção do mandato de Dilma Rousseff, em 11 de maio de 2016.

No levantamento da Senaes entre 2003 e 2007, foram contabilizados cerca de 22 mil empreendimentos solidários, envolvendo perto de 1,7 milhão de trabalhadores. No segundo censo, entre 2009 e 2013, registraram-se cerca de 20 mil empreendimentos, com 1,4 milhão de trabalhadores (o Instituto de Pesquisa Econômica Aplicada (Ipea) nota que a queda foi pequena se considerada a forte diminuição do desemprego entre 2003 e 2013). Na média, cada empreendimento tinha 73 associados e o faturamento mensal médio era de 28 mil reais, sendo que 60% não chegava a 5 mil reais.[34] Poder-se-ia dizer que o setor socialista da economia envolvia cerca de 2% do total da força de trabalho, voltando-se para os pobres. Distava de ser o centro da produção nacional, mas demonstrava vitalidade em circunstâncias mundiais tão desfavoráveis.

O deputado dinamarquês pelo Partido Vermelho Pelle Dragsted, autor de *Nordic Socialism* (2021), defendeu recentemente a relevância de se considerar o setor público e o cooperativo, que inclui a segunda maior rede de supermercados da Dinamarca, como implantes socialistas, cabendo aos partidos de esquerda valorizá-los e ampliá-los.[35] Conforme se vê, o pensamento de Singer está em linha com certo debate internacional, como aliás atesta a inclusão, *post-mortem*, de artigo seu na coletânea *Reflections on Socialism in the Twenty-First Century*,

34 Silva; Pereira, *Os novos dados de mapeamento de economia solidária no Brasil*. Disponível em: http://repositorio.ipea.gov.br/bitstream/11058/7410/1/RP_Os%20Novos%20dados%20do%20mapeamento%20de%20economia%20solid%C3%A1ria%20no%20Brasil_2016.pdf. Acesso em: 6 nov. 2021.

35 Stahl; Mulvad, Socialism Isn't just about State Ownership: It's about Redistribution of Power, *Jacobin*, 13 out. 2021. Disponível em: https://jacobinmag.com/2021/10/socialism-state-ownership-redistribution-power-cooperatives-neoliberalism-social-democracy. Acesso em: 30 out. 2021.

organizado pelo sueco Claes Brundenius.[36] No centro e na periferia do capitalismo, tenta-se manter acesa a chama socialista democrática em meio ao nevoeiro que se avoluma.

Enquanto o sistema global produtor de mercadorias, movido pela matriz de engrenagens das corporações (para usar expressão de Adam Tooze), parece ir levando a humanidade, de crise em crise (sendo a pandemia do coronavírus a mais recente), para o vazio de sociabilidade, os implantes solidários resistem em nome de um porvir civilizado. Teoria engajada, os elementos condensados neste volume da Editora Unesp tornam-se, desta feita, úteis e urgentes.

*São Paulo, primavera de 2021*

## *Referências*

BURNS, Tony. The Concept of a Social Formation in the Writings of E. P. Thompson and Ellen Meiksins Wood. *Capital & Class*, 27 jul. 2021. Disponível em: https://journals.sagepub.com/doi/10.1177/03098168211029000. Acesso em: 1º nov. 2021.

COMISSÃO ESTADUAL DE SÃO PAULO DO PSB. *Programa do Partido Socialista Brasileiro*. São Paulo: [s.n.], 1948.

DAHL, Robert. *Um prefácio à democracia econômica*. Rio de Janeiro: Zahar, 1990.

DARDOT, Pierre; LAVAL, Christian. *La Nouvelle raison du monde*: essai sur la société néolibérale. Paris: La Découverte, 2009.

DERFLER, Leslie. Paul Lafargue and the Begginings of Marxism in France. *Biography*, v.14, n.1, inverno 1991.

HIRST, Paul. *A democracia representativa e seus limites*. Rio de Janeiro: Zahar, 1992.

KAUTSKY, Karl. A ditadura do proletariado (1918). Disponível em: https://www.marxists.org/portugues/kautsky/1918/mes/ditadura.htm. Acesso em: 30 out. 2021.

LUXEMBURGO, Rosa. A revolução russa (1918). In: LOUREIRO, Isabel (org.). *Rosa Luxemburgo*: textos escolhidos. São Paulo: Expressão Popular, 2009.

MARTIN, Scott. As câmaras setoriais e o meso-corporativismo. *Lua Nova*, v.37, 1996. Disponível em: https://www.scielo.br/j/ln/a/tLSqBXqWyKHv9XsgK9r5GgD/?lang=pt. Acesso em: 5 nov. 2021.

---

36 Singer, Reflections on Socialism, em Brundenius (ed.), *Reflections on Socialism in the Twenty-First Century*.

MARX, Karl. Critique of the Gotha Programme. In: *Selected Works*. v.2. Londres: Lawrence and Wishhart, 1942.

______; ENGELS, Friedrich. *Manifesto comunista*. São Paulo: Boitempo, 2010.

MELLO E SOUZA, Antonio Candido de. Prefácio. In: GUSTIN, Miracy Barbosa de Sousa; VIEIRA, Margarida Luiza de Matos. *Semeando democracia*: a trajetória do socialismo democrático no Brasil. Contagem, MG: Palesa, 1995.

ORWELL, George. *1984*. São Paulo: Companhia das Letras, 2009.

SILVA, Sandro Pereira; PEREIRA, Leandro Marcondes. *Os novos dados de mapeamento de economia solidária no Brasil*: nota metodológica e análise estrutural dos empreendimentos. Brasília: Ipea, 2016. Disponível em: http://repositorio.ipea.gov.br/bitstream/11058/7410/1/RP_Os%20Novos%20dados%20do%20mapeamento%20de%20economia%20solid%C3%A1ria%20no%20Brasil_2016.pdf. Acesso em: 6 nov. 2021.

SINGER, André. *O lulismo em crise*. São Paulo: Companhia das Letras, 2018.

______. *Os sentidos do lulismo*. São Paulo: Companhia das Letras, 2012.

SINGER, Paul. Reflections on Socialism. In: BRUNDENIUS, C. (Ed.). *Reflections on Socialism in the Twenty-First Century*. Cham, Suíça: Springer, 2020.

______. *Ensaios sobre economia solidária*. Coimbra: Almedina, 2018.

______. Crise induzida pelo neoliberalismo *versus* invenções democráticas. In: ROCHA, A.; CALDERONI, D.; JUSTO, M. (org.). *Construções da felicidade*. Belo Horizonte: Autêntica, 2015.

______. *Uma utopia militante*. Petrópolis, RJ: Vozes, 1998.

______. *O que é socialismo, hoje*. Petrópolis, RJ: Vozes, 1980.

______. Socialismo e democracia. *Dror*, Órgão da Juventude Judaica, ano 2, n.6, p.24-5, fev. 1951. Disponível em: https://dror-br-il.org/wp-content/uploads/2017/01/014_03_0005.pdf. Acesso em: 21 dez. 2021.

______; MACHADO, João. *Economia socialista*. São Paulo: Fundação Perseu Abramo, 2000.

STAHL, Rune Moller; MULVAD, Andreas Moller. Socialism Isn't just about State Ownership: It's about Redistribution of Power. *Jacobin*, 13 out. 2021. Disponível em: https://jacobinmag.com/2021/10/socialism-state-ownership-redistribution-power-cooperatives-neoliberalism-social-democracy. Acesso em: 30 out. 2021.

# *Uma utopia militante*

## ***Repensando o socialismo***

*Para Fernando Haddad, Leda Paulani, Isabel Loureiro, Ricardo Musse e demais companheiros que, com sua crítica perspicaz e amiga, ajudaram a tornar este livro mais inteligível.*

# Introdução

Este livro surgiu da preocupação de reconceituar a revolução social socialista e de reavaliar suas perspectivas e possibilidades, diante das vicissitudes do capitalismo e do movimento operário nos anos finais do século e do milênio. A preocupação se origina do fracasso histórico da tentativa de alcançar – ou "construir" – o socialismo através da estatização dos meios de produção e da instituição do planejamento centralizado da economia.

A experiência fracassada revitalizou a hipótese de que o socialismo, enquanto modo de produção, teria de ser desenvolvido ainda sob hegemonia do capitalismo, ou seja, como um modo de produção subordinado, integrando a formação social capitalista (o esquema conceitual a respeito das formações sociais como complexos articulados de modos de produção, dos quais um é hegemônico e por isso determina o caráter da formação social, está exposto no início da Parte IV deste volume). O fracasso do "socialismo realmente existente" revelou que o socialismo sem aspas terá de ser construído pela livre iniciativa dos trabalhadores em competição e contraposição ao modo de produção capitalista *dentro da mesma formação social.*

A essência do socialismo, enquanto modo de produção, é a organização democrática de produção e consumo, em que produtores e consumidores livremente associados repartem de maneira igualitária os ônus e os ganhos do trabalho e da inversão, os deveres e direitos enquanto membros de cooperativas de produção e/ou de consumo ou o nome que venham a ter essas organizações. Organizações como essas não podem ser formadas de cima para baixo, por decretos de algum poder pseudossocialista, desconhecendo os anseios e propósitos dos produtores/consumidores. Mesmo na Iugoslávia, onde o regime presidido por Tito foi muito menos autoritário do que os regimes stalinistas em geral, as cooperativas tiveram seu livre desenvolvimento travado pelo fato de terem sido instituídas pelo governo, que lhes prescrevia as regras de funcionamento.

O desenvolvimento de modos de produção socialistas em formações sociais capitalistas já está ocorrendo há mais de duzentos anos. A investigação histórica, desenvolvida neste volume, tem por objetivo reexaminar algumas dessas experiências na Grã-Bretanha, no século XIX, do ângulo específico dessa hipótese. Mas, para poder fazer isso, tornou-se necessário reelaborar primeiro o conceito de *revolução social*. Revolução social designa o processo de passagem de um sistema socioeconômico (ou formação social) a outro. Como se verá a seguir, a noção de revolução política ofuscou a de revolução social, por causa da tese (até há pouco predominante nos meios de esquerda) de que a condição necessária e suficiente para a conquista do socialismo seria a conquista do poder estatal por forças empenhadas naquele objetivo.

Continua sendo verdadeiro que o socialismo pressupõe a transferência do controle efetivo dos meios de produção dos capitalistas aos trabalhadores. Mas, essa transferência requer muito mais do que um ato jurídico-político de transferência formal de propriedade ou posse. Ela requer, antes de mais nada, que os trabalhadores estejam desejosos de assumir coletivamente tal controle e que se possam habilitar para exercê-lo em nível aceitável de eficiência. Nas várias experiências stalinistas, o desejo dos trabalhadores estava meramente pressuposto e o controle efetivo ficou com prepostos do poder estatal, que jamais permitiram aos trabalhadores que se habilitassem a exercê-lo.

E isso não constituiu, como muitos de nós acreditávamos, um desvio totalitário de revoluções políticas que, de outro modo, desembocariam no socialismo, mas uma exigência, como ficou amplamente demonstrado sobretudo na época da *glasnost*, na União Soviética, do próprio planejamento centralizado. O plano, para preservar sua consistência e exequibilidade, tinha de impor a cada unidade metas detalhadas de produção e de uso de matérias-primas, energia, mão de obra de diferentes qualificações e especialidades etc. etc. A concentração do poder de decisão das empresas nas mãos de diretores era apenas a contrapartida inevitável da concentração do poder de decisão macro e microeconômico nas mãos do comitê do plano.

Evidentemente, a transferência do controle dos meios de produção aos trabalhadores, para ser autêntica, não pode ser decretada de cima para baixo, mas tem de ser conquistada de baixo para cima, dentro do capitalismo. E essa conquista não pode deixar de levar muito tempo, pois implica verdadeira revolução cultural protagonizada pelos trabalhadores que se transformam, por sua própria iniciativa, de dependentes assalariados – ou ex-assalariados desempregados – em empreendedores coletivos. *É por isso que se tornou necessário separar o conceito de revolução social do de revolução política.*

A preocupação teórica fundamental deste livro está em analisar o papel da revolução social, como processo multissecular de passagem de uma formação social a outra, e o papel da revolução política, como episódio de transformação institucional das relações de poder. Como se verá, a revolução social tem sua marcha condicionada, em certas circunstâncias, pelo desenrolar de revoluções políticas. Mas cada revolução social tem sua dinâmica própria, produzida por amplas mudanças históricas na infraestrutura econômica e outras tantas na supraestrutura ideológica e institucional. Foi um erro dos movimentos operários de inspiração marxista terem adotado, no fim do século passado, a tese de que a revolução social socialista seria consumada mediante uma única revolução política e que a efetiva construção do socialismo só começaria a partir do êxito dessa revolução, consubstanciada na "tomada do poder".

Começamos, neste livro, por estudar a revolução social capitalista, que está em curso há cerca de quatro séculos. É a revolução social que está se desenvolvendo há mais tempo e já atingiu, em diversos países, a sua culminância, ao tornar o modo de produção capitalista hegemônico. Examinamos, na Parte II deste volume, o desenrolar da revolução industrial, na Grã-Bretanha, cujo resultado, no fim do século XVIII, foi tornar aquele país a primeira economia capitalista da história. O tema desta parte do livro é o condicionamento recíproco entre o revolucionamento das forças produtivas e a transformação das instituições políticas, jurídicas e ideológicas.

Na Parte III do volume submetemos à análise a revolução social socialista, que, de acordo com a hipótese formulada anteriormente, se inicia pela reação das classes trabalhadoras à implantação do capitalismo industrial na Grã-Bretanha, sobretudo a partir do começo do século passado. O exame histórico se limita ao caso inglês, porque, além de ser o primeiro, é o caso nacional mais puro. A difusão do capitalismo industrial a outros países e as reações que provoca entre os trabalhadores são profundamente influenciadas pela experiência inglesa e posteriormente também pela experiência alemã e dos Estados Unidos.

Como estamos longe de ter no mundo formações sociais em que o modo de produção socialista seja hegemônico, a implantação de cooperativas e outras instituições de cunho socialista é um processo que poderá ou não desembocar numa revolução social socialista. Trata-se, portanto, de *uma revolução social em potencial, cuja culminação ou "vitória" é uma possibilidade futura.* A hipótese desenvolvida a esse respeito, na Parte III do volume, é que a luta do movimento operário tem logrado conquistas, sob a forma de instituições que contradizem a lógica intrínseca ao capitalismo. As mais importantes dessas instituições são os sindicatos, o sufrágio universal (de que decorre a democracia política), a legislação do trabalho e a seguridade social (que configuram o Estado de bem-estar social), além do movimento cooperativista, em suas diversas manifestações.

Na Parte IV, que forma um ensaio escrito depois e independentemente das três anteriores, a análise do desenvolvimento da formação social capitalista é retomada e conduzida até o presente. As vicissitudes da revolução social socialista são analisadas a partir dos efeitos das revoluções industriais, que transformam a empresa capitalista e as relações sociais de produção que ela engendra. Da mesma forma, discutem-se as grandes transformações supraestruturais, que tomam a forma de revoluções ideológicas, como a ascensão do keynesianismo após a Segunda Guerra Mundial e a contrarrevolução monetarista e neoliberal, que se torna hegemônica a partir dos 1980.

No exame da conjuntura presente – anos 1990 – emerge a contradição entre uma difusão inédita da democracia, que se consolida no primeiro mundo e se expande no segundo e no terceiro, e um domínio crescente do capital privado global sobre a economia de todos os países. A marcha democrática, encetada com a vitória sobre o nazifascismo, esbarra na crescente incapacidade dos governos nacionais de praticar políticas econômicas e sociais outras que não as ditadas pelo mercado financeiro. Começa a ficar claro que o destino da revolução social socialista, uma virtualidade provável, depende, nesta quadra da história, de como essa contradição vai ser resolvida.

# Parte I

# Reelaboração conceitual

## *As revoluções sociais e as outras revoluções*

Este livro é sobre revoluções sociais. A palavra "revolução" tem numerosas acepções. O *Dicionário Aurélio* registra nada menos de dez. Destas são relevantes para o nosso tema as seguintes: "2. Rebelião armada; revolta, conflagração, sublevação; 3. Transformação radical e, por via de regra, violenta, de uma estrutura política, econômica e social; 4. *P. Ext.* Qualquer transformação violenta da forma de um governo; 5. Transformação radical dos conceitos artísticos ou científicos dominantes numa determinada época".

É curioso que as acepções de revolução política e social estejam sempre associadas ao emprego da violência. Nenhuma delas cobre a noção de revolução social como transformação sistêmica das estruturas econômicas, sociais e supraestruturais – política, jurídica, cultural – de um país ou de vários. No entanto, o uso do vocábulo "revolução" nesse sentido é muito comum. O conceito de "revolução industrial" é imprescindível para analisar ou até mesmo descrever o que vem acontecendo no mundo nos últimos duzentos e tantos anos. Revolução industrial e outros termos que designam processos de mudança de longo prazo simplesmente não cabem em qualquer uma das acepções do *Dicionário Aurélio*. Poderiam estar na acepção 3, não fosse a ideia de que transformações de estruturas são, "por via de regra, violentas". Obviamente, nenhum processo de transformação estrutural que dura séculos pode ser "violento", por mais que esteja pontilhado por episódios violentos.

Neste livro, o tema são as duas grandes revoluções sociais em curso: a revolução capitalista e a revolução socialista. É preciso distingui-las das revoluções políticas comumente designadas como "burguesas" e "proletárias". Estas últimas são episódios bem delimitados no tempo, em que é possível reconhecer o emprego genérico da violência, embora ele estivesse longe de ser essencial ao processo. As mais importantes revoluções burguesas foram a Revolução Inglesa, do século XVII, a Revolução Americana e a Francesa, quase concomitantes, no fim do século XVIII. No mesmo sentido, as principais revoluções proletárias foram a Comuna de Paris, de 1871, a Revolução Russa, de 1917, e a Revolução Chinesa, de 1949.

O que essas revoluções políticas têm em comum é a mudança não só do governo, mas da forma de governar, das relações de poder entre autoridades e cidadãos. A importância histórica dessas revoluções políticas está na introdução de inovações institucionais que continuaram em vigor por longos períodos e se difundiram por outros países, definindo novos padrões de Estado. A Revolução Inglesa, por exemplo, foi a primeira que subordinou o soberano, cujo poder era hereditário, a um parlamento, cujo poder era oriundo de eleições, portanto delegado pelos cidadãos comuns. A Revolução Americana e a Francesa foram mais longe no mesmo caminho ao proclamar "Direitos do Homem", limitando o poder do Estado em interferir na vida dos súditos, que, dessa maneira revolucionária, foram elevados ao *status* de cidadãos.

A Comuna de Paris foi efêmera (durou poucos meses), mas foi o primeiro ensaio de poder proletário no que era talvez, na época, a mais importante metrópole do mundo. Politicamente, a Comuna inaugurou a democracia direta e formas de representação que atribuíam grande parte do poder de decisão às assembleias gerais de cidadãos. Marx, logo a seguir, e Lênin, algumas décadas mais tarde, proclamaram a Comuna como modelo das revoluções proletárias que se seguiriam.

A Revolução Russa e, depois, a Revolução Chinesa fundaram novos sistemas políticos e socioeconômicos. Apesar do prometido por Lênin, em vez de democracia direta implantaram ditaduras que pretendiam ser proletárias. Pretendiam ainda ser o início da revolução social socialista nesses países. *Hoje, só os adversários do socialismo aceitam essa pretensão como verdadeira.* Mas, até 1956 (ano do Relatório Kruschov e da Revolução Húngara) era muito ampla a crença, inclusive na esquerda, de que esses regimes efetivamente se encontravam em alguma espécie de transição ao socialismo. Sua influência política, militar e sobretudo ideológica sobre os movimentos que protagonizaram a emancipação das colônias, a partir de 1945, foi bastante significativa. Atualmente, sua herança sobrevive em países como a China, Cuba, Vietnã e Coreia do Norte.

O que nos importa aqui é desfazer a confusão entre as revoluções políticas e as revoluções sociais. Estas últimas constituem processos de mudança entre formações sociais, cada uma das quais é caracterizada pela hegemonia de um modo de produção que lhe empresta o nome. Assim, a revolução social capitalista, como veremos, abarca, na Inglaterra, o período que vai da implantação do capitalismo como modo de produção subordinado até sua transformação em dominante, a partir da revolução industrial. Analogamente, a revolução social socialista começa com a implantação de instituições anticapitalistas resultantes das lutas do movimento operário contra certas tendências imanentes do capitalismo, como a concentração da renda e da propriedade, a exclusão social (que toma a forma predominante do desemprego) e a "destruição criadora" de empresas e postos de trabalho.

Devemos a Marx a teorização fundamental do conceito de revolução social, que ele expôs despretensiosamente no prefácio de *Contribuição à crítica da economia política*:

> O modo de produção da vida material condiciona o processo da vida social, política e espiritual em geral. Não é a consciência dos homens que

determina sua existência, mas, pelo contrário, é sua existência social que determina sua consciência. A um certo nível de seu desenvolvimento, as forças produtivas materiais da sociedade entram em contradição com as relações de produção em vigor, ou – o que não passa de uma expressão jurídica das mesmas – com as relações de propriedade, no seio das quais elas se moviam até então. De formas de desenvolvimento das forças produtivas, essas relações se transformam em grilhões das mesmas. Começa então uma época de *revolução social* [grifado por mim]. *Com a mudança da infraestrutura econômica toda a imensa supraestrutura se revoluciona mais rápida ou mais vagarosamente* (Marx, [1859] 1947, p.13).

De acordo com essa teoria, a revolução social é a transformação supraestrutural, condicionada e exigida pela evolução das forças produtivas. Como veremos adiante, a teoria revela com extraordinária perspicácia a dinâmica da revolução capitalista. A revogação das restrições corporativas à livre concorrência nos mercados, a instituição do padrão-ouro, do livre-câmbio e da S. A. (sociedade anônima) com responsabilidade limitada foram algumas das mudanças jurídicas, monetárias, financeiras e de regulamentação comercial que se mostraram essenciais à marcha ascendente da acumulação do capital na Grã-Bretanha na primeira metade do século passado. Sem esquecer as mudanças políticas, como a extensão dos direitos políticos à burguesia e a reforma parlamentar.

No que se refere à revolução socialista, a transformação supraestrutural é muito clara – desde a legalização dos sindicatos, a regulamentação das cooperativas, a instituição de uma previdência pública até a conquista do sufrágio universal. Mas ela não foi condicionada pelo desenvolvimento das forças produtivas. Essa questão será esmiuçada adiante. Basta adiantar aqui que a revolução socialista resulta basicamente de lutas reativas do movimento operário e aliados contra os prejuízos econômicos acarretados pela dinâmica cega da acumulação. A hipótese sugerida pelos dados históricos é que a relação entre desenvolvimento das forças produtivas e as mudanças supraestruturais na revolução socialista é bem diferente da que se verifica na capitalista.

Finalmente, uma palavra sobre o papel das revoluções políticas para as revoluções sociais. No caso da revolução social capitalista, não há dúvida de que as três grandes revoluções burguesas foram cruciais para o desenvolvimento das novas relações de produção e seu rebatimento jurídico, político e cultural. O que não quer dizer que as revoluções sociais possam ser consideradas como meros desdobramentos históricos das revoluções políticas. Estas últimas foram marcos numa jornada muito mais longa, que em muitos países ainda não se completou. A importância das revoluções políticas para as revoluções sociais é que as primeiras romperam impasses e detonaram torrentes de inovações institucionais, submergindo resistências que tinham paralisado as revoluções sociais por longos períodos. Não obstante, em muitos países, a revolução capitalista avançou sem que tenha havido qualquer revolução burguesa enquanto episódio histórico delimitado no tempo. São exemplos: os domínios britânicos, os países escandinavos, ibéricos etc.

No caso da revolução socialista, o papel das revoluções proletárias é bastante controverso. A tentativa de instituir o socialismo pelo alto, mediante a criação de uma supraestrutura imposta ditatorialmente aos súditos, fracassou. Para alguns, o maior mérito dessa experiência malograda é o saldo de ensinamentos – valiosos, embora negativos – que ela deixou. Para outros, o peso político-militar do chamado "bloco socialista" durante a guerra fria foi decisivo para muitas conquistas institucionais do movimento operário nos países capitalistas. Se isso foi assim (do que eu duvido muito), então as revoluções proletárias teriam de fato contribuído, embora sem querer, para o avanço da revolução socialista nos países não dominados pelo "socialismo real".

# Parte II

# A revolução social capitalista

## *Primórdios da revolução capitalista*

No caso da revolução capitalista, a sequência proposta por Marx não pode ser deduzida dos eventos históricos com toda a nitidez. Com o desaparecimento do Império Romano, a elaborada divisão internacional do trabalho que tinha o Mediterrâneo como meio de intercâmbio foi por água abaixo. A Idade Média viveu, em consequência, um retrocesso das forças produtivas. A economia foi segmentada nos feudos quase autossuficientes e o comércio foi drasticamente reduzido.

A nova ascensão das forças produtivas, que marca o fim da Idade Média, se deveu à ruptura da autossuficiência feudal e ao renascimento do comércio de longa distância, entre Ocidente e Oriente. O renascimento comercial implicou o crescimento das cidades, em cujo seio começou a se desenvolver uma nova classe social, a burguesia, constituída inicialmente por mercadores e cambistas. Ressurgiu a divisão internacional do trabalho, que suscitou o desenvolvimento das forças produtivas tanto na agricultura quanto na manufatura. Mas esse desenvolvimento não se deu, como o esquema de Marx faria prever, no seio das relações sociais de produção servis.

No caso da revolução capitalista, parece não haver dúvida que o desenvolvimento das forças produtivas, que se tornaria genuinamente revolucionário a partir da revolução industrial, começada no século XVIII, foi estimulado e nutrido pelas relações sociais de produção assalariadas, em forma pura ou na forma do sistema de *putting-out* (produção por encomenda).

É o que relata um dos melhores estudiosos da questão:

> "Quando examinamos a história do capitalismo concebida dessa maneira, torna-se claro que devemos situar sua fase inicial na Inglaterra, não no século XII como faz Pirenne (que pensa principalmente na Holanda), nem mesmo no século XIV, com seu comércio urbano e ligas artesanais, como têm feito outros, mas na segunda metade do século XVI e início do século XVII, *quando o capital começou a penetrar na produção em escala considerável, seja na forma de uma relação bem amadurecida entre capitalistas e assalariados, seja na forma menos desenvolvida da subordinação dos artesãos domésticos, que trabalhavam em seus próprios lares, a um capitalista, própria do assim chamado "sistema de encomendas domiciliar"* (Dobb, [1946] 1983, p.15, grifos meus).

A citação de Dobb deixa claro que há um extenso período de transição entre o renascimento comercial, que se origina com as Cruzadas, e o início da revolução social capitalista. Mas a expansão do comércio traz consigo necessariamente o desenvolvimento da produção de mercadorias, sob a forma inicial de produção simples de mercadorias por artesãos e camponeses. Dobb, nadando contra a corrente, timbra em mostrar que as relações de produção servis não eram incompatíveis com o comércio e que a nobreza feudal se empenhou ferozmente em ampliar a exploração dos servos a partir do momento em que o excedente assim obtido podia ser vendido em vez de ter de ser consumido no castelo senhorial.

A crescente transformação dos produtos em mercadorias provocava a monetização das relações de produção. As obrigações dos servos de fornecer tempo de trabalho nos campos do senhor eram frequentemente comutadas por pagamentos em dinheiro. O que transformava os servos em assalariados ou em arrendatários. Desse modo, as forças produtivas se desenvolviam mediante a monetização das relações de produção, que acabava por desembocar, em certos casos, em relações de produção capitalistas.

Há boas razões para crer que houve possivelmente *duas revoluções sociais* na Inglaterra (e talvez também em outras regiões da Europa): uma primeira, que produziu a passagem *da servidão à produção simples de mercadorias*, e que ocorreu entre os séculos XII e XVI ou XVII; e uma segunda, que levou a economia inglesa da *produção simples de mercadorias* ao capitalismo e que teve lugar entre os séculos XVIII e XIX.

Mas, quando precisamente começou "a época de revolução social" capitalista? A resposta que a análise detalhada de Dobb oferece é que ela se iniciou em cada lugar em algum momento diferente. É provável que o fim do século XVI e o início do século seguinte seja a data certa para a Inglaterra e que (com a possível exceção dos Países Baixos) na Europa continental ela esteja colocada de um a dois séculos depois. A revolução capitalista se processou em espaços nacionais, constituindo-os em sua marcha. A atual Grã-Bretanha ou Reino Unido constituiu-se, entre Elizabeth I e a Gloriosa Revolução, em grande medida em função do avanço do capitalismo manufatureiro e da luta vitoriosa que travou contra a hegemonia holandesa sobre a economia mundial.

Processos semelhantes se verificam na França ao longo do século XVIII, culminando na Revolução Francesa e no império napoleônico; na Alemanha e na Itália, ao longo do século XIX, culminando na unificação nacional desses dois países. Nos Estados Unidos, a revolução capitalista recebe seu impulso inicial com a independência (1776) e culmina com a vitória da União na Guerra da Secessão (1864), a qual coincide no tempo com a abolição da servidão, na Rússia, e a Revolução Meiji, no Japão. Todos esses eventos políticos devem ser entendidos como revoluções burguesas, já que originaram mudanças institucionais indispensáveis ao avanço das relações de produção capitalistas nos diversos países.

Mas, o que importa é o que se passou *antes dessas revoluções*. Em todos esses países, relações de produção capitalistas foram se expandindo paulatinamente, nos poros do modo de produção precedente. No caso pioneiro da Inglaterra, essa expansão se alimentou da decadência do feudalismo. Servos que fugiam às cidades passavam a gozar da proteção que o "ar citadino" proporcionava, transformando-se em aprendizes de mestres artesãos ou em assalariados de manufaturas. Ao mesmo tempo, mercadores forneciam fio a famílias camponesas para que o tecessem, no período de entressafra, em troca de paga monetária. O trabalho manufatureiro podia se especializar crescentemente, o que proporcionava seguidos aumentos de produtividade.

Em cada país, o desenvolvimento das relações capitalistas de produção seguiu uma trajetória diferente, mas em todos eles esse desenvolvimento se fazia nos interstícios de outras relações de produção – servis na Europa e no Japão, escravistas nas Américas, tributárias na Ásia – que durante todo um período foram as relações dominantes. As empresas capitalistas competiam nos mercados em que conseguiam penetrar contra mercadorias produzidas por servos, escravos e camponeses explorados tributariamente. Ou, então, por camponeses ou artesãos produzindo por conta própria.

Essa competição estava longe de ser puramente econômica. Os empreendimentos da classe dominante ou os mercadores que lhe distribuíam os produtos tinham frequentemente privilégios monopolistas. Nas cidades europeias, a produção era dominada por corporações de mestres que praticavam abertamente o monopólio: restringiam a oferta de mercadorias, opondo todo tipo de limitações e exigências ao surgimento de novos mestres, até que essa condição se tornasse hereditária. Ao mesmo tempo, restringia-se também o número de aprendizes por mestre, para impedir que os mestres existentes pudessem expandir o volume de mercadorias postas à venda. O resultado foi *um crescente número de pobres, marginalizados da produção, cuja única opção era trabalhar clandestinamente como assalariados.*

> O resultado foi, nos tempos dos Tudor, uma tendência crescente, por parte dos jornaleiros incapazes de pagar as despesas de mestrado, a trabalhar secretamente em águas-furtadas de ruas pouco movimentadas, ou a retirarem-se para os subúrbios, numa tentativa de fugir à jurisdição da guilda: práticas contra as quais as guildas, por sua vez, declararam guer-

ra, tentando ao mesmo tempo ampliar a área de sua jurisdição e aumentar a eficiência das "buscas" oficiais, por meio das quais as portarias das guildas aplicavam castigo aos transgressores (Dobb, [1946] 1983, p.85).

É importante notar que o desenvolvimento do capitalismo, no período anterior à revolução burguesa, *se apoia na exclusão social do modo de produção dominante*. Este pode ser caracterizado, sobretudo na Europa ocidental, após o fim da servidão, como produção simples de mercadorias, dominada por oligarquias de mestres e mercadores, cuja riqueza tinha por fonte a exploração de monopólios. A burguesia capitalista aproveitava as falhas na imposição do monopólio para competir secreta e ilegalmente, contando evidentemente com a cumplicidade interessada dos compradores e intermediários prejudicados pelo monopólio.

Portanto, não é que as forças produtivas se expandiram no seio do modo de produção servil (ou escravocrata, ou tributário) até que a continuidade de sua expansão exigiu a mudança do modo de produção. Esses modos de produção já eram crescentemente mercantis, mas contrários à livre competição; os mercados eram organizados e dominados pelos vendedores, que de forma geral sabiam que a competição só lhes reduziria os ganhos. Portanto, a regra geral era unir todos os vendedores em corporações e repartir entre eles o mercado e os lucros, excluindo competidores "externos", de fora do país, de fora da cidade ou simplesmente de fora da corporação.

A burguesia capitalista pôde acumular capital e expandir sua produção, ocupando parcelas cada vez maiores dos mercados em detrimento dos monopolistas tradicionais porque, de um lado, oferecia vantagens aos consumidores e, do outro, *oferecia uma via de integração à produção social aos excluídos pelas políticas restritivas das classes dominantes*. A expansão da burguesia capitalista solapava a dominação de classe ao unificar ao seu redor o conjunto dos interesses prejudicados ou excluídos por aquela dominação.

Foi só com o passar do tempo que o número de prejudicados pelos monopólios passou a constituir uma parcela significativa, potencialmente majoritária, da sociedade. Nessa situação se chegou à véspera da Revolução Inglesa:

> O regime Stuart de concessões reais de monopólio substituiu isso (venda de cartas patentes reais) por um sistema no qual a influência na corte determinava a distribuição de direitos econômicos. O sistema não só era custoso para os industriais em potencial – acarretando tanto um pagamento ao erário quanto as acidentais despesas para a obtenção da influência necessária na corte – como também, por sua própria natureza, era muito desfavorável ao homem de origem social humilde, o provinciano, em contraste com o londrino, e contra o *parvenu*. [...] Os interesses burgueses nas províncias foram acerbamente ofendidos por essa política Stuart de dar privilégios a corporações com número pequeno e exclusivo de membros e com poder de controlar uma indústria em todo o país no interesse de um círculo reduzido situado na metrópole. O círculo de interesses prejudicados pelo sistema era bem amplo. A patente do vidro, concedida a *Sir* R. Mansell, acarretava a supressão das oficinas rivais [...]. O monopólio do sal instigou a ira dos portos pesqueiros porque estes declararam que isso resultara na duplicação do preço daquele artigo. O monopólio concedido à Sociedade de Saboeiros de Westminster [...] prejudicou a indústria da lã (Dobb, [1946] 1983, p.118-9).

E assim por diante.

Evidentemente, os que passaram a se rebelar contra o regime dos monopólios não eram todos empresários capitalistas; junto a eles encontravam-se artesãos, mercadores, camponeses, terratenentes e trabalhadores assalariados e por conta própria. Mas a burguesia capitalista tinha uma vantagem decisiva sobre as demais forças oposicionistas. Ela possuía uma proposta que, em princípio, atendia os interesses de todos os contrariados. Era a proposta da livre competição, da liberdade de iniciativa, da retirada da intervenção estatal nos mercados, que deveriam se auto-organizar tendo por prioridade a defesa do interesse dos compradores (e não dos vendedores).

O liberalismo passou a ser a bandeira da burguesia capitalista a partir da publicação de *A riqueza das nações*, de Adam Smith, em 1776. Nessa altura provavelmente ela já tinha conquistado considerável superioridade competitiva sobre a produção servil e artesanal. Não estando sujeita às restrições da *guilda*, as empresas manufatureiras capitalistas podiam explorar a fundo tanto as vantagens de escala (que se tornaram decisivas a partir da revolução industrial) como as vantagens decorrentes da especialização inter e intraempresas. As unidades organizadas nas corporações de ofício estavam proibidas de adotar inovações técnicas, pois estas induziriam a competição entre mestres. O que proporcionava uma vantagem competitiva adicional às manufaturas capitalistas, que, evidentemente, inovavam sem qualquer restrição.

Convém lembrar, no entanto, que a burguesia capitalista teve de enfrentar, praticamente desde o seu início, a resistência, quando não insubordinação, da outra classe – a classe operária – que também era filha da revolução capitalista.

> Um relato das disputas entre capital e trabalho oferece a melhor das ilustrações da evolução econômica que precedeu a vinda do sistema fabril. Estas lutas eram frequentes e violentas antes que a maquinaria e as fábricas, e mesmo as "manufaturas", viessem a existir. Tão logo os meios de produção deixaram de pertencer ao produtor e se forma uma classe de homens que compra trabalho de outra classe, uma oposição de interesses tem de se manifestar. O fato dominante, que não pode ser enfatizado demais, é o divórcio do produtor dos meios de produção. A concentração de trabalhadores em fábricas e o crescimento de grandes centros industriais mais tarde deu a este fato vital todas suas consequências sociais e toda sua significação histórica. Mas o fato em si apareceu em uma data anterior e seus primeiros efeitos se fizeram sentir muito antes de ter alcançado maturidade como resultado da revolução técnica (Mantoux, [1927] 1961, p.74).

A empresa capitalista, à medida que foi ampliando o espaço que ocupava na economia, tinha de combater em duas frentes: contra a oligarquia detentora de privilégios monopolistas e contra o proletariado nascente. À medida que este era constituído por faccionistas, que trabalhavam em suas casas, utilizando os instrumentos de trabalho e a matéria-prima fornecidos pelo empregador, as suas lutas frequentemente assumiam a forma de oposição à concorrência externa.

Mantoux (ibid., p.78-9) relata, por exemplo, a luta dos penteadores de lã (*wool combers*), que eram trabalhadores altamente qualificados, muito difíceis de substituir. Eles iam, de cidade em cidade, à procura de trabalho e obtinham salários relativamente elevados. Em 1700, os penteadores de lã formaram uma sociedade, que rapidamente se expandiu pela Inglaterra. Resolveram que ninguém pentearia lã por menos de 2 xelins a dúzia, que nenhum mestre deveria empregar penteadores que não pertencessem ao clube; boicotavam os mestres que não se submetiam, chegando a agredir penteadores não membros e quebrar seus instrumentos. Em 1720, os mercadores de pano de Tiverton importaram lã penteada da Irlanda, o que levou os penteadores a assaltar os seus estabelecimentos, apossando-se da lã irlandesa, uma parte da qual queimaram e a outra penduraram sobre os postes como troféus. O conflito resultou numa batalha sangrenta em que mosquetes foram empregados na defesa da "lei e ordem".

No século XVIII, na Inglaterra, a produção já se dirigia predominantemente a mercados, tanto dos servos, arrendatários e artesãos mais ou menos independentes, quanto de trabalhadores dependentes de mercadores ou manufatureiros capitalistas. Mas, como vimos, esses mercados eram regulados pelas autoridades de modo a preservar interesses estabelecidos. Entre estes estavam o direito dos consumidores de obter produtos de qualidade a preços razoáveis, mas também o direito das várias categorias de produtores de preservar suas parcelas costumeiras do mercado. A livre concorrência e a consequente ruína e eliminação dos produtores menos competitivos não eram moralmente aceitáveis e nem politicamente viáveis. Por isso, a oposição às empresas capitalistas provinha tanto das *guildas* artesanais como dos trabalhadores que dependiam do capital para tomar parte na produção social.

No período que precedeu a revolução industrial, mesmo na Inglaterra, o modo de produção capitalista estava ainda pouco desenvolvido e tinha de enfrentar conflitos tanto com concorrentes quanto com uniões trabalhistas. Convém notar que, no que se refere a estas últimas, o capital pôde contar quase sempre com o apoio do governo real e das autoridades locais. As uniões foram banidas por lei e fortemente reprimidas.

Enquanto a revolução industrial não alterou basicamente os processos de produção e de trabalho, as empresas capitalistas representavam uma parcela importante mas limitada da economia inglesa. Suas possibilidades de expansão não dependiam apenas delas mesmas – de sua capacidade de acumular capital e mobilizar recursos humanos a seu serviço –, mas também da capacidade dos pequenos produtores de mercadorias de preservar suas frações dos mercados por meios econômicos e sobretudo políticos. Foi preciso que a revolução industrial desse à empresa capitalista uma vantagem decisiva para que a revolução capitalista se completasse, com o estabelecimento da hegemonia indisputada do capital sobre a economia do país.

## *A revolução industrial se iniciou num elo débil da manufatura*

Graças aos efeitos da Revolução Inglesa, que culminou na "Gloriosa Revolução" de 1688, a Inglaterra, em meados do século XVIII, era a nação mais capitalista da Europa e portanto do mundo. Foi isso que a predestinou a realizar a revolução industrial. A esse respeito, vale a pena invocar o testemunho de Mantoux ([1927] 1961, p.94):

> 1688 assistiu ao fim da longa luta travada por sessenta anos pelo povo inglês. Foi uma luta benéfica, pois através dela a Inglaterra ganhou o que nenhuma grande nação europeia possuía então – um governo livre. Essa liberdade, obtida a um preço tão alto, fortalecida pelos esforços que custou, tornou-se a melhor garantia possível da prosperidade pública e os ingleses, uma vez superadas as dificuldades inseparáveis de um novo sistema político, logo o descobriram. O autor de uma famosa descrição da Grã-Bretanha (Chamberlayne, *Magnae Britanniae Notitia*, I, 42) escreveu em 1708: "Nosso comércio é o mais considerável do mundo todo e, na verdade, a Grã-Bretanha é, de todos os países, o mais apropriado para o comércio, tanto pela sua situação de ilha como pela liberdade e excelência de sua Constituição...".

A resposta à pergunta "por que a revolução industrial originou-se na Inglaterra?" lança luz sobre aspectos essenciais da revolução capitalista. Landes (1969) oferece as seguintes razões:

1. Maior liberdade empresarial. Antes que nos outros países, grande parte das restrições e regulamentos que limitavam a produção artesanal e manufatureira tinha sido revogada ou deixara de vigorar. O que favorecia particularmente os empresários capitalistas.

> E a manufatura rural, em grande medida desembaraçada de restrições corporativas ou regulamentos governamentais, estava em condições de aproveitar ao máximo essa vantagem de recurso (oferta abundante de lã crua, particularmente a lã longa exigida por tecidos mais leves, duros, feitos de lã penteada (*worsted*)) para adaptar seu produto à demanda e a mudanças da demanda (p.45).

2. A unificação econômica do território, proporcionando um mercado interno maior ao conjunto das atividades de produção de mercadorias.

> A ausência de barreiras aduaneiras internas ou de pedágios feudais criou, na Grã-Bretanha, o maior e mais coerente mercado na Europa. [...] Por contraste, um país como a França, com mais do triplo de população, estava cortado por barreiras aduaneiras internas em três áreas comerciais principais e por aduanas informais, pedágios e encargos obsoletos e, acima de tudo, por comunicações deficientes num mosaico de células semiautárquicas (p.46).

3.

> Dentro do mercado britânico, o poder aquisitivo *per capita* e o padrão de vida eram significativamente mais altos do que no continente. [...] O trabalhador inglês não só comia melhor; ele gastava menos de seu rendimento com alimentação que sua contraparte continental e na maioria das áreas essa porção estava diminuindo, enquanto do outro lado do Canal ela pode ter muito bem aumentado durante grande parte do século XVII. Resultava daí que ele tinha mais renda para adquirir outras coisas, inclusive manufaturas (p.47-8).

Tudo leva a crer que a superioridade do padrão de vida inglês, em comparação com o resto da Europa, se devia à produtividade mais alta, que resultava, em parte pelo menos, do maior avanço das relações capitalistas de produção.

4.

> [...] um aspecto final do mercado interno britânico era um padrão de consumo favorável ao crescimento de manufaturas. Mais do que qualquer outra na Europa, a sociedade britânica era aberta. Não somente a renda era repartida mais igualmente do que do outro lado do Canal, mas as barreiras à mobilidade eram menores, as definições de *status* mais soltas (p.48).

No continente, muitas manufaturas (roupas, armas) eram símbolos de *status* e seu uso pelas classes subordinadas era interditado. Mas, na Grã-Bretanha, essa interdição não vigorava mais, o que permitiu o surgimento de um mercado de massas para tais produtos.

5.

> Uma difusão mais igual da riqueza, no entanto, é o resultado de trabalho mais custoso. Este era, de fato, o caso da Grã-Bretanha, onde os salários – abstraindo a incerteza e a incomparabilidade parcial das estimativas – eram o dobro dos da França e mais altos ainda em relação aos pagos a leste do Reno (p.49).

É provável que o diferencial de salários entre a Inglaterra e o continente fosse semelhante ao diferencial da produtividade do trabalho. E, como já foi mencionado, a produtividade maior provavelmente era devida ao maior peso das empresas capitalistas na economia inglesa do que no resto da Europa. Além de contribuírem para a criação de mercados de massa para manufaturas, os salários relativamente altos constituíam forte estímulo à adoção de técnicas que permitissem elevar a produtividade do trabalho mediante a substituição de mão de obra por máquinas.

Das cinco razões aventadas por Landes, a mais importante sem dúvida era a primeira. A Revolução Inglesa deve ter enfraquecido os setores privilegiados que exploravam monopólios e procuravam de todos os modos restringir a competição. O que abriu ao capital um vasto espaço de acumulação, a ponto de a maior parte da produção manufatureira se dar no campo e não mais nas cidades. Mantoux ([1927] 1961, p.49-56) faz uma extensa descrição da atividade manufatureira inglesa para salientar sua dispersão pelas zonas rurais. "Para começar, observemos a indústria do exterior, como um viajante poderia inquirir sobre os produtos de cada distrito e as ocupações de seus habitantes. Uma coisa nos chama a atenção imediatamente – a saber, o grande número de centros industriais e sua dispersão, ou melhor, sua difusão em todo país" (p.49). E Mantoux mostra que essa dispersão se deve ao fato de a produção ser realizada nas casas dos artesãos, grande parte dos quais também era possuidora de terra e praticante da agricultura.

Mantoux descreve, em seguida, a crescente penetração do capital mercantil na produção: os comerciantes financiavam a aquisição de matéria-prima pelos artesãos, que empenhavam os instrumentos de produção como garantia da dívida. Sendo pobres, frequentemente não conseguiam honrar a dívida, o que os obrigava a entregar seu instrumental ao credor, que assim se transformava em empregador deles. Dessa maneira, o produtor era separado dos meios de produção e o capitalista comercial transformava-se em produtivo. Nas cidades, a organização corporativa protegia os artesãos enquanto restringia o seu número e o montante de sua produção, mas, no campo, o artesão *doublé* de agricultor dependia do mercador, que o financiava e lhe comprava os produtos. Por isso, a ruralização da atividade manufatureira constituía um índice de sua crescente submissão ao capital.

A unificação física e tributária do mercado interno foi outro resultado da hegemonia burguesa que se impôs pela Revolução. A unificação do mercado interno era uma das políticas centrais preconizadas pelo mercantilismo e implementadas, com maior ou menor sucesso, pelos déspotas esclarecidos que reinavam na Europa. Mas, conforme mostrou Landes, apenas na Inglaterra essa unificação tinha se completado, em grande medida, já em meados do século XVIII. O que deve ter ajudado o avanço da revolução capitalista, ao permitir ampliar a escala de produção, proporcionando ganhos aos estabelecimentos que reuniam maior número de trabalhadores.

O mesmo efeito amplificador sobre o mercado interno devem ter tido as outras três razões oferecidas por Landes: o maior consumo de manufaturas devido ao padrão mais alto de vida e o menor custo da alimentação; a menor diferenciação social na Inglaterra, acarretando uma aproximação dos padrões de consumo das diferentes camadas sociais; e o elevado nível dos salários pagos na Inglaterra, muito acima dos do continente.

Em suma, durante o século XVII e primeira metade do século XVIII, a revolução capitalista avançou na Inglaterra bem mais do que no continente, com a possível exceção da Holanda, onde aquela revolução começou antes. Mas, nesse período, a Inglaterra travou sucessivas guerras contra espanhóis, holandeses e franceses para dominar o comércio intercontinental e sobrepujar seus rivais no terreno da produção. E o conseguiu. Os holandeses continuaram, no século XVII, dominando o transporte marítimo e a alta finança internacional, mas os ingleses assumiram a primazia no principal ramo manufatureiro da época, o de tecidos.

* * *

A revolução industrial começou na manufatura têxtil, mas não na de lã, que era a mais tradicional e a mais importante da Inglaterra. As inovações técnicas que revolucionaram os processos produtivos foram inicialmente introduzidas na manufatura algodoeira, que se desenvolvera muito mais recentemente. No fim do século XVII, tecidos de algodão importados da Índia tornaram-se moda na Inglaterra, a ponto de ameaçar o monopólio dos produtores e mercadores de lã. Uma descrição sardônica devida a Defoe (1708, citada por Mantoux, [1927] 1961, p.199) cabe:

> Vimos nossa elite vestida de carpetes indianos que, poucos anos antes, suas criadas teriam rejeitado como sendo ordinárias demais; os *chintzes* foram elevados dos assoalhos para suas costas, do chinelo à saia e mesmo a rainha, naquela época, comprazia-se em aparecer em China e Japão, quero dizer, sedas chinesas e calicós. E isso não era tudo, mas arrastou-se às nossas casas, nossos guarda-roupas e dormitórios; cortinas, travesseiros, cadeiras e, por fim, as próprias camas nada mais eram que calicós ou coisas da Índia.

Como era típico da época, levantou-se uma tempestade de protestos por parte do comércio e manufatura de lã, que conseguiu que o parlamento aprovasse, em 1700, uma lei proibindo a importação de tecidos estampados da Índia, China e Pérsia. Mas a proibição legal foi superada pelo interesse econômico e a importação de tecidos de algodão continuou, o mesmo acontecendo com os protestos dos interesses feridos. "E eles não se limitaram a palavras. Conflitos irromperam em vários lugares. Tecelões, exasperados por contínuo desemprego, começaram a atacar, nas ruas, pessoas vestindo algodão, rasgando e queimando suas roupas. Mesmo casas eram arrombadas e saqueadas" (Mantoux, [1927] 1961, p.200). Nova lei foi passada, em 1721, ampliando a proibição à compra e venda e ao uso e à posse de tecidos de algodão por parte dos residentes na Inglaterra, sob pena de multas de 5 libras para pessoas físicas e 20 libras para mercadores.

O caso é emblemático da hegemonia dos produtores sobre os consumidores. Os primeiros estavam organizados e tinham a seu favor os valores tradicionais, de defesa dos interesses estabelecidos. Os últimos, embora pertencentes à elite, só tinham a seu favor os importadores e comerciantes que os supriam. A vitória da manufatura lanígera mostra o poderio do que, na época, constituía o mais importante conjunto de interesses econômicos do país.

A suspensão das importações dos artigos acabados ofereceu ótima oportunidade à substituição destes por produtos locais. Desenvolveu-se, portanto, uma manufatura inglesa de tecidos de algodão, a partir de matéria-prima importada tanto da Índia como das Antilhas e do Brasil. O produto era inferior ao original indiano, mas preenchia o vácuo produzido pela cessação do suprimento externo. Como a manufatura de lã, também a de algodão funcionava no sistema doméstico: a produção era realizada, em grande parte, em *cottages* de pequenos agricultores, as mulheres e os filhos cardando e fiando, os homens tecendo.

Os interesses lanígeros também tentaram suprimir a manufatura local de tecidos de algodão, mas nisso fracassaram. Dessa vez estavam em jogo os interesses não só de consumidores e comerciantes, mas de uma certa massa de produtores. Em 1735, o parlamento aprovou lei isentando da proibição anterior (de 1721) artigos mistos de linho e de algodão, que eram os produzidos na Inglaterra por insuficiência técnica.[1] Os artigos puros de algodão – que só os hindus sabiam produzir – continuavam proibidos. Essa proibição só seria levantada em 1774, a pedido do grande industrial têxtil Richard Arkwright.

Essa história permite entender por que foi a manufatura algodoeira e não a lanígera o palco da revolução industrial. É que a primeira surgiu como desafio à regulação conservadora dos mercados.

> Uma nova indústria sem tradições tinha, em vez de privilégios, todas as vantagens da liberdade. O fato de não estar presa à tradição e se encontrar fora de regulações que freavam, ou no mínimo dificultavam, o desenvolvimento técnico tornou-a por assim dizer um campo para invenções e para toda espécie de iniciativas. Assim se preparou terreno favorável à construção da maquinofatura (*machine industry*) (Mantoux, [1927] 1961, p.204).

A revolução industrial só poderia ter nascido em atividades que – por serem novas, marginais, pouco importantes – não estavam dominadas pelos interesses estabelecidos. É isso o que quer dizer a tese de que o capitalismo se desenvolveu nos *interstícios do "velho sistema"*. A cada passo da revolução, como se verá, os interesses estabelecidos nem por isso deixam de se manifestar, procurando por todas as formas obstar um progresso que os feria de morte.

## *Inovações artesanais e inovações industriais na fiação e tecelagem*

A primeira inovação que abre a série é a lançadeira volante (*fly shuttle*), inventada em 1733 por John Kay. Até então, a lançadeira tinha de ser passada pelo tecelão de uma mão a outra, o que limitava a largura do tecido ao comprimento dos braços do trabalhador. Kay fixou

1 Os fiandeiros ingleses não conseguiam produzir fios de algodão suficientemente finos e resistentes. Por isso, para formar a urdidura, utilizava-se fio de linho e a trama era de fio de algodão.

rodinhas na lançadeira e a colocou numa espécie de ranhura de madeira. A lançadeira volante podia ser jogada automaticamente de um lado ao outro, o que possibilitava a fabricação de tecidos de qualquer largura e com maior produtividade.

Exatamente por aumentar a produtividade, a invenção foi hostilizada pelos tecelões, que acusaram Kay de privá-los do seu pão de cada dia. Ele tentou licenciar sua patente em vários lugares, que foi bem recebida pelos manufatureiros, mas estes resistiam em pagar-lhe os devidos *royalties*. Litígios jurídicos seguidos acabaram arruinando o inventor. Além disso, os trabalhadores prejudicados não deixavam de atacá-lo. Em Bury, em 1753, a multidão arrombou e saqueou sua casa. Kay teve de fugir para Manchester, que ele teria deixado escondido num saco de lã. Apesar de tudo, o uso da lançadeira volante se generalizou. Em 1767, registrou-se violento conflito entre "tecelões estreitos" e "tecelões de máquina" (Mantoux, [1927] 1961, p.208).

O temor dos tecelões tinha razão de ser, pois o tear provido de lançadeira volante aumentou de tal modo a sua produtividade que passou a haver falta de fio para tecer. O equilíbrio entre fiação e tecelagem fora rompido, com o ritmo de produção da primeira sendo insuficiente para garantir o pleno emprego na última. Parte dos tecelões ficou sem trabalho.

Além disso, o preço do fio subiu como resultado da insuficiência da oferta. Como o tecelão recebia a matéria-prima do mercador e pagava a fiação, recebendo uma paga total pela manufatura, o que ele desembolsava a mais era subtraído de sua própria remuneração. Em outras palavras, o aumento da produtividade da tecelagem transferiu valor à fiação, cuja produtividade não fora afetada.

A mudança dos preços relativos dos produtos e dos trabalhos estimulou esforços para mecanizar a fiação. Essa ideia não era nova. Já em 1738, Lewis Paul patenteou uma máquina de fiar, inventada por John Wyatt. A máquina funcionava, embora estivesse longe de ser perfeita. Mas os dois sócios nunca conseguiram ganhar dinheiro com ela. Em 1740, montaram uma pequena fábrica, em Birmingham, operada por dez mulheres e movida por dois burros. Em 1742, eles faliram e a patente foi vendida a Paul Cave, que montou uma fábrica maior em Northampton, com cinco máquinas movidas por rodas hidráulicas em que trabalhavam cinquenta pessoas. Ela também nunca foi lucrativa, sendo vendida a Arkwright em 1764. A experiência mostrou quão difícil era transformar uma invenção numa empresa capitalista exitosa.

É provável que o fracasso tanto de Paul e Wyatt como de Caves tenha sido provocado pelo fato de suas tentativas terem sido prematuras. Antes de 1760, os efeitos do emprego da lançadeira volante ainda não tinham se feito sentir: o aumento da produtividade na tecelagem ainda não tinha tornado escasso o fio, nem tinha elevado o seu preço.

Mas, a partir desse momento, o estrangulamento da oferta de fio se tornou indubitável, o que levou a Society for the Encouragement of Arts and Manufactures a oferecer, em 1761, dois prêmios pela invenção de uma máquina de fiar. Em 1767, surgiu a invenção não de uma máquina, mas de um aparelho mais aperfeiçoado que a roca de fiar: o filatório (*jenny*), patenteado por Hargreaves. Era relativamente simples e, apesar de permitir a produção de vários fios ao mesmo tempo, podia ser operado por um trabalhador. O número de fusos podia ser aumentado até o limite da força motriz que acionava o filatório. Ainda em vida de Hargreaves, filatórios com oitenta ou mais fusos foram construídos.

Hargreaves sofreu os mesmos dissabores que os outros inventores. Teve sua casa invadida e suas máquinas destruídas. Mudou-se para Nottingham; em 1770 patenteou a invenção e começou a vender *jennies*. Também teve de recorrer aos tribunais para cobrar os *royalties*, mas morreu rico em 1778. "Dez anos depois de sua morte estimou-se que havia não menos que 20 mil dessas máquinas na Inglaterra, das quais a menor podia fazer o trabalho de seis a oito fiadores" (Mantoux, [1927] 1961, p.218).

Devido à simplicidade do filatório e ao seu preço modesto, ele foi bem empregado pela produção doméstica, que reviveu sob sua influência. À primeira vista, a revolução industrial estava revigorando a manufatura algodoeira, melhorando a qualidade de seus produtos e a produtividade de sua mão de obra, sem alterar-lhe a organização. Mas essa impressão é errônea. As invenções seguintes teriam efeitos completamente diferentes.

Em 1769, Richard Arkwright patenteou uma máquina de fiar em tudo parecida com a de Paul e Wyatt. Arkwright era barbeiro de profissão e se dedicava também ao comércio de cabelo humano para a confecção de perucas. Era um hábil comerciante, mas de mecânico e inventor nada tinha. Processos jurídicos posteriores revelaram que a invenção era provavelmente de Robert Highs, que teria feito um modelo para Arkwright em 1768, a pedido deste. Highs era um inventor consumado, tendo ganhado um prêmio de 200 guinéus, em 1772, pela construção de um filatório duplo de 56 fusos, na Bolsa de Manchester. Ele é tido também como o inventor original da *jenny*, que seria o nome de uma de suas filhas (ibid., p.230).

Mas, sem ser o inventor que pretendia ser, Richard Arkwright foi o primeiro grande industrial, o primeiro a tornar um invento mecânico matriz de um novo modo de organizar a produção, algo que se tornou conhecido como "sistema fabril". Arkwright tinha muito pouco dinheiro próprio, de modo que sempre precisou encontrar quem quisesse financiar seus empreendimentos. Dado o pioneirismo e, portanto, o alto risco implícito nesses empreendimentos, o fato de Arkwright sempre ter tido êxito em levantar o capital de que precisava é prova de sua grande habilidade.

Após patentear sua máquina, Arkwright mudou-se para Nottingham, onde se associou a dois ricos fabricantes de malhas, Need e Strutt. Eles empregavam produtores domésticos e também trabalhadores que tricotavam meias em oficinas por meios mecânicos. Arkwright construiu então, em 1771, em Cromford, à margem do rio Derwent, uma usina acionada por rodas hidráulicas. Submetida a expansões sucessivas, em 1779, ela empregava trezentos trabalhadores e utilizava vários milhares de fusos.

A máquina de Arkwright, chamada *water frame* (literalmente: armação de água), se distinguia do filatório por exigir tanta força motriz que tinha de ser movida por quedas de água ou por animais de tração. Além de grande, era cara, incompatível com a manufatura doméstica. Ela tinha de ser instalada em local próprio, com espaço apropriado e dotado de força motriz. Em suma, era uma máquina que exigia como ambiente a fábrica e como modo de produção o capitalismo.

A vantagem dos *water frames* não era apenas uma produtividade muito mais elevada do trabalho, mas também melhor qualidade do fio, que era fino e resistente. Tornava dispensável a urdidura de linho. Possibilitava a produção de calicós de puro algodão, tão perfeitos como os da Índia. Em 1773, Arkwright e seus sócios montaram uma tecelagem em que calicós puros eram produzidos.

Só que, ao fazer isso, eles incorriam na proibição de comprar e vender tecidos puros de algodão, pois a lei de 1735 só abria exceção aos tecidos mistos de algodão e linho. Em 1774, Arkwright compareceu perante o parlamento e defendeu sua indústria das denúncias de seus concorrentes artesanais, pedindo plena liberdade de produção e comércio de panos de algodão na Grã-Bretanha, contra uma taxação moderada de três dinheiros por jarda. Não levou muito tempo para sua proposta ser acatada. "Desse momento em diante, a indústria de algodão e a maquinofatura pôde se desenvolver sem impedimento" (ibid., p.225).

Arkwright continuou construindo fábricas, uma após a outra, de tamanhos cada vez maiores. A que ele levantou em Birkacre era supostamente a maior fábrica da Inglaterra, tendo sido saqueada e queimada em 1779, durante os levantes antimáquinas. Arkwright tomou outros sócios, pois Need e Strutt eram incapazes de financiar todos os seus empreendimentos.

Arkwright possuía as patentes não só da *water frame*, mas também da máquina de cardar e vários equipamentos complementares. Quando as patenteou, em 1775, Arkwright demonstrou que "o maquinário têxtil tinha se desenvolvido num sistema, cujas partes interdependentes eram capazes de realizar todas as operações sucessivas da indústria, exceto a última e a mais difícil, a de tecer" (ibid., p.227). Isso tornava todos os outros industriais têxteis dependentes de Arkwright, de cuja licença precisavam para montar as fábricas e ao qual deveriam pagar *royalties*.

Muitos não se conformavam e procuravam introduzir modificações em seu maquinário para deixar de depender de Arkwright, o qual, em 1781, abriu processo contra nove concorrentes, acusando-os de infringir as patentes dele. Esses concorrentes se defenderam alegando que as patentes eram tão obscuras que se tornava impossível saber com precisão o que estava patenteado e o que não estava. O tribunal lhes deu razão e suspendeu as patentes de Arkwright, o que afastou uma trava que limitava a expansão da indústria têxtil. Em poucos anos, o número de novas fábricas de fiação erguidas na Inglaterra foi tão grande que ocasionou uma crise de superprodução de fios.

Até hoje o instituto da patente tem efeitos contraditórios sobre o progresso industrial. Seu fim ostensivo é proteger o interesse do inventor, permitindo-lhe usufruir parte dos ganhos produzidos pela aplicação de seus inventos. Acontece frequentemente, como o ilustra o caso de Arkwright, que o inventor original poucas vezes é o possuidor da patente, que geralmente acaba sendo explorada por alguém que financiou o seu trabalho ou a obteve dele, por um valor limitado. A patente, na mão de capitalistas, sói ser instrumento poderoso de monopolização de mercados, permitindo o erguimento de barreiras à entrada de quem não se submete às exigências dos que detêm a exclusividade do uso de processos ou equipamentos.

A fiação mecânica atingiu o seu ápice, na época, com a invenção da "mula" (*mule*) por Samuel Crompton, no fim dos 1770. Esta era uma máquina composta, combinando os princípios do filatório com os do *water frame*. Ela reunia as vantagens das duas máquinas precedentes, pois o fio produzido pelo *water frame* era forte mas tosco, enquanto o do filatório era fino mas fraco. O fio produzido pela mula era ao mesmo tempo forte e muito fino.

Crompton não patenteou sua invenção, pois pretendia usá-la. Montou uma oficina em que trabalhava em segredo, mas a extrema finura e qualidade do fio que produzia atraiu a atenção. Começou a ser espionado por pessoas que trepavam em escadas e abriam buracos em suas paredes. Chegou à conclusão de que não conseguiria guardar segredo por muito tempo e que também não conseguiria patentear a mula porque ela era derivada em parte do *water frame*, cuja patente pertencia a Arkwright. Crompton tomou então uma decisão original: ofereceu sua invenção como presente ao público. Os manufatureiros prometeram-lhe como compensação abrir uma subscrição em seu favor, o que de fato fizeram. Foram subscritas 67 libras, 6 xelins e 6 dinheiros. "Mas alguns dos subscritores, depois de tomarem posse do modelo, não acharam necessário honrar a palavra" (ibid., p.236).[2]

2 Crompton decepcionou-se profundamente. Destruiu uma máquina de cardar que inventara "para que eles não a tivessem também". Fracassou em empreendimentos industriais. Em 1802, uma nova subscrição a favor dele arrecadou 500 libras. Finalmente, em 1812, o parlamento concedeu-lhe um donativo de 5 mil libras, que ele usou para pagar dívidas. Morreu pobre (Mantoux, 1927, p.236-7).

O efeito da aplicação de máquinas à fiação foi aumentar a produtividade do trabalho, expandir a oferta de fio e reduzir-lhe o valor. O desequilíbrio anterior entre tecelagem e fiação inverteu-se. Agora abundava o fio barato e faltava capacidade e mão de obra para tecê-lo. Nos anos 1790, os tecelões eram escassos e os seus salários atingiam alturas inéditas. "Davam-se grandes ares e podiam ser vistos em parada pelas ruas, rodando suas bengalas e com notas de cinco libras espetadas nas fitas dos seus chapéus. Vestiam-se como a classe média e não admitiam trabalhadores de outros ofícios nos locais públicos que patrocinavam" (ibid., p.239).

A solução era obviamente mecanizar a tecelagem. A invenção do tear mecânico vinha sendo tentada sem sucesso desde o século anterior. Edmund Cartwright, um vigário de uma localidade rural, que tinha antes sido professor em Oxford, tomou conhecimento da crise na indústria têxtil através de uma conversa casual, num feriado. Os seus interlocutores previam que a expiração das patentes de Arkwright provocaria tal aumento das fiações de algodão que jamais se encontrariam bastante tecelões para processar todo o fio produzido. Cartwright replicou que Arkwright deveria então inventar um tear mecânico. Ao que seus interlocutores responderam que isso não era praticável. Cartwright se sentiu desafiado e, embora lhe faltassem conhecimentos e prática, resolveu provar que o projeto era factível.

Com a ajuda de um carpinteiro e de um ferreiro, Cartwright conseguiu construir um tear mecânico que de algum modo funcionava. Patenteou-o em 1785. Em seguida, aperfeiçoou-o, tirando novas patentes em 1786, 1787 e 1788. Em 1787, Cartwright montou uma pequena fábrica com vinte teares, movida inicialmente por animais. Em 1789, ele instalou uma máquina a vapor. Mas, ao que parece, a empresa foi mal administrada e os teares ainda precisavam de aperfeiçoamento. Em 1791, Cartwright associou-se aos Grimshaw, fiadores de Manchester, para construir uma vasta planta com quatrocentos teares, movidos a vapor. Os sócios receberam cartas ameaçadoras e, um mês depois de inaugurada, a fábrica foi destruída por um incêndio. Todos os lucros foram perdidos e o pior é que ninguém mais se atrevia a renovar a experiência.

A partir de 1792, o tear mecânico começou a ser paulatinamente adotado, apesar da violenta oposição da corporação dos tecelões. Em 1800, finalmente a tentativa de montar uma grande tecelagem industrial com duzentos teares movidos a vapor foi levada a cabo por John Monteith. Em 1803, começaram a ser produzidos teares inteiramente de metal. Cartwright recebeu o reconhecimento público do grande mérito de sua invenção, em 1809, quando o parlamento lhe concedeu uma doação de 10 mil libras.

O crescimento do emprego do tear mecânico significou, ao mesmo tempo, o avanço do capital sobre o único segmento da produção têxtil que ainda não dominava. Os tecelões manuais não tinham alternativa. Para sobreviver enquanto tais, tiveram de aceitar sucessivas reduções de pagamento. Era uma luta desigual. Quanto mais fábricas eram erguidas e a produção mecânica de tecidos se expandia, tanto mais o preço dos tecidos caía, o que ocasionava a queda da paga dos tecelões manuais, punidos pelo enorme desnível de produtividade entre a proporcionada pela máquina e pelo instrumento manual. Em 1839, ainda havia tecelões manuais na Inglaterra, muitos morrendo de fome.

Com o desenvolvimento do tear mecânico, completou-se a conquista da principal atividade manufatureira pelo capital. Não se pode dizer que tenha sido uma conquista planejada. O que a possibilitou foi a *máquina automática*, cuja invenção e aplicação ao processo produtivo tornou imperativo o revolucionamento das relações sociais de produção.

Foi efetivamente um salto no desenvolvimento das forças produtivas. Até a segunda metade do século XVIII, as forças produtivas iam avançando mediante o aperfeiçoamento das ferramentas e instrumentos manuais, impulsionado pelo aumento da divisão social do trabalho e da especialização consequente. Daquele momento em diante, como se aquela linha de avanço estivesse esgotada, o desenvolvimento das forças produtivas enveredou em outra direção. Em lugar de se inventar novas ferramentas, *passou-se a inventar máquinas que substituíssem as mãos que empunhavam as ferramentas.*

Marx, a quem devemos a mais penetrante análise da máquina e seu papel na revolução capitalista, divide-a em três partes: o motor, o mecanismo de transmissão do movimento do motor e, finalmente, a máquina-ferramenta ou máquina de trabalho. As duas primeiras partes só existem para dar à terceira o movimento com que ela agarra o objeto do trabalho e o transforma.

> Esta parte do maquinário, *a máquina-ferramenta*, é de onde a revolução industrial do século XVIII parte. Ela continua sendo o ponto de partida de novo e sempre que a produção manual ou manufatureira se torna mecânica. [...] A máquina-ferramenta é portanto um mecanismo que, após a transmissão do movimento correspondente, realiza as mesmas operações que antes o trabalhador realizava com ferramentas semelhantes (Marx, [1867] 1959, v.I, p.390).

Essa mudança na direção do desenvolvimento das forças produtivas foi decisiva. Ela abriu possibilidades quase infinitas de substituição da pessoa humana por meios artificiais no processo produtivo. É interessante observar que a máquina, que chamamos de "automática", para lembrar que ela é um autômato, já vinha sendo objeto de pesquisas e experimentos muito antes de começar a ser inventada em condições de ser efetivamente utilizada com vantagem. Como vimos antes, por exemplo, a máquina de fiar foi inventada por Wyatt e Paul uns trinta anos antes de se tornar "viável". O mesmo aconteceu, como veremos a seguir, com a chamada "máquina a vapor" (que a rigor é um motor a vapor).

Era como se as nações mais avançadas na revolução capitalista pressentissem de alguma maneira que o desenvolvimento das forças produtivas deveria dar um salto e que esse salto consistiria na criação de autômatos, de escravos mecânicos, que deveriam liberar a pessoa humana da sujeição ao trabalho para a satisfação de necessidades materiais. A história da revolução industrial sugere que a maior dificuldade não estava na falta de conhecimentos teóricos ou práticos para que o referido salto fosse dado. A maior dificuldade era social e econômica.

O fato é que a máquina automática – seja a de fiar, de cardar, de tecer etc. – era muito mais cara que as ferramentas que ela vinha substituir. Por isso, ela estava fora do alcance das classes sociais que protagonizavam o processo produtivo até aquele momento. O *cottager*, o produtor artesanal típico inglês da época em que a revolução industrial começou, podia eventualmente financiar com suas economias a compra de uma *jenny*. Mas o *water frame* requeria um protagonista completamente diferente: alguém capaz de mobilizar capital em escala considerável, de reunir e comandar grande número de trabalhadores assalariados, tornando-os o que Marx chamou de "trabalhador coletivo"; e capaz de abrir mercados para volumes inéditos de produção.

A revolução industrial chamou o capital, que estava por assim dizer esperando nos bastidores, ao centro do palco industrial e lhe deu os meios e os motivos de revolucionar o modo de produção. Superados os primeiros obstáculos – que eram formidáveis –, a classe capitalista industrial começou a montar as instituições que poderiam lhe facilitar a tarefa. Essa montagem elimina a resistência ainda remanescente do antigo sistema e torna a acumulação de capital a forma quase universal de promover o crescimento da economia e o desenvolvimento das forças produtivas.

## *O auge da revolução industrial*

A inovação mais importante da revolução industrial foi sem dúvida a invenção da (impropriamente denominada) máquina a vapor. Tratava-se, na verdade, não de uma máquina a mais, mas da máquina das máquinas, que libertaria todas da necessidade de se localizar na proximidade de quedas naturais ou artificiais de água. Com a máquina a vapor começa a história da invenção e produção de energia artificial, energia presente na natureza mas libertada pelo homem e, por isso, domada pelo homem e posta a seu serviço.

Mas, antes de rever a invenção e o aperfeiçoamento da máquina a vapor, é preciso resumir a revolução industrial no campo da siderurgia e metalurgia. Nesses ramos, a Inglaterra estava longe de ser a mais adiantada, sendo superada pelos países bálticos e pela Alemanha. O ponto fraco da siderurgia inglesa era a questão do combustível. A redução do minério de ferro era feita mediante o uso de carvão vegetal, o que implicava grande consumo de madeira pela siderurgia. Os altos-fornos eram localizados em áreas florestais, mas, passadas algumas décadas, a derrubada da mata inviabilizava a continuidade da produção. Em meados do século XVIII, a Inglaterra dependia de ferro importado e sua política era estimular o desenvolvimento da siderurgia em territórios dependentes (Irlanda e América do Norte) e proibir neles a metalurgia, a ser monopolizada pelas corporações inglesas.

A solução seria substituir o carvão vegetal pelo mineral, que já vinha sendo usado na manufatura de vidro, tijolos, cerveja, bebidas destiladas, confeitos, sabão etc. (Mantoux, [1927] 1961, p.283). Infelizmente, para a redução do minério de ferro, ele não servia, porque os componentes sulfúricos que sua queima liberava tornava o ferro produzido de qualidade inaceitável. Era preciso descobrir um processo químico de redução que permitisse usar carvão mineral para produzir ferro de boa qualidade.

Desde 1612, diversos processos foram patenteados na Inglaterra, mas nenhum deles dava os resultados desejados. Até que Abraham Darby, o primeiro de uma dinastia de *iron masters* (mestres siderúrgicos), conseguiu, empregando coque em lugar de carvão, resolver o enigma. Isso ocorreu entre 1709 e 1713. Seu filho, que tomou a direção do estabelecimento em 1730, aperfeiçoou a descoberta. Os Darby utilizavam o processo e se tornaram grandes industriais siderúrgicos, mas a sua difusão levou muitos anos. Ainda em 1750, somente sua siderurgia, em Coalbrookdale, empregava carvão mineral.

Mas, em seguida, a produção de ferro-gusa, graças ao uso do coque, se expandiu muito e o produto ficou mais barato. Faltava, no entanto, o refinamento do ferro-gusa, para o qual continuava se usando carvão vegetal e a produtividade era muito baixa. Finalmente, esse problema também foi superado pela invenção do *puddling*, patenteado por Peter Onions em 7 de maio de 1783 e (independentemente) por Henry Cort em 13 de fevereiro de 1784. Foi este último que tornou o processo conhecido, permitindo um enorme salto adiante na produção de ferro forjado (ibid., p.293-4). Cort inventou o rolamento do ferro entre cilindros, o que permitiu encurtar o martelamento. Antes, martelar uma tonelada de ferro levava doze horas; depois, em doze horas, quinze toneladas de ferro podiam ser roladas, o que dá uma ideia do ganho de produtividade alcançado.

Esses revolucionamentos da técnica siderúrgica acentuavam o caráter capitalista do ramo. Mesmo antes, a exploração de minas de ferro e a redução do minério exigiam grandes somas de capital. Sua exploração era feita por companhias de ações desde 1561, quando a primeira foi formada em Northumberland. Eram dirigidas por "governadores" ou "capitães" e distribuíam anualmente dividendos aos acionistas (ibid., p.275-6). Mas a descoberta da produção de ferro-gusa por meio de coque tornou a indústria independente da proximidade de reservas de madeira, o que permitiu concentrar os altos-fornos geralmente em sítios próximos de cursos d'água, já que foles, martelos e cilindros eram acionados por rodas d'água.

Surgiram grandes indústrias siderúrgicas, capazes de explorar completamente os ganhos de escala. A engenharia se aperfeiçoou levando à construção de altos-fornos cada vez maiores e foles cada vez mais potentes. Ao mesmo tempo, grandes empreendedores foram patrocinando o uso de ferro em construções dos mais diferentes tipos. Em 1776, John Wilkinson e um Darby construíram a primeira ponte de ferro. E Wilkinson também foi o primeiro, em 1787, a lançar um barco inteiramente feito de chapas de ferro rebitadas.

Outros avanços técnicos ocorreram no processamento dos metais, com a invenção de máquinas de furar canhões e de tornos, estes aperfeiçoados pela invenção do carrinho por Maudslay, em 1797, o que permitiu à metalurgia atingir graus inéditos de exatidão, apresentando as peças formas quase idênticas, possibilitando a construção de máquinas de ferro cada vez mais complexas e refinadas. O motor a vapor de James Watt e Matthew Boulton foi sem dúvida a mais significativa delas.

A procura de um mecanismo que permitisse o uso da força expansiva do vapor como fonte de força motriz começou no século XVII, mas os vários modelos desenvolvidos não eram utilizáveis. Finalmente, em 1698, Thomas Savery construiu uma máquina a vapor funcionante, que começou a ser usada para bombear água de minas. Mas a máquina tinha pequena potência e, se a pressão era aumentada além de certo limiar, o caldeirão explodia.

Em 1705 ou 1706, Newcomen inventou uma outra máquina mais simples e que fez que a de Savery fosse rapidamente abandonada. A máquina de Newcomen era unicamente para bombear água e ela foi extensamente usada em minas e em redes de suprimento de água nas grandes cidades. Em 1717, H. Beighton inventou a válvula de segurança, o que eliminou o perigo de explosão. A partir de 1711, as máquinas de Newcomen passaram a ser usadas em grande número, inclusive para elevar água destinada a mover rodas hidráulicas.

Com a invenção de máquinas, como o *water frame*, o tear automático, a usina de rolamento de ferro etc., cresceu a demanda por força motriz. O uso de rodas hidráulicas aumentou rapidamente e o tamanho delas foi crescendo. As quedas naturais de água já não bastavam mais, o que levou ao emprego de máquinas a vapor para elevar a água necessária ao acionamento das rodas. O que, de certo modo, era um contrassenso, pois gastava-se mais energia elevando a água do que se obtinha pela sua queda posterior.

Mas a máquina de Newcomen era muito rudimentar, o seu rendimento era pequeno, de modo que o custo da energia assim produzida devia ser excessivo. Cumpria inventar uma máquina mais eficiente. James Watt, neto de professor de matemática e filho de arquiteto e construtor naval, ex-estudante e ex-empregado[3] da Universidade de Glasgow, passou a se dedicar ao problema a partir de 1761 ou 1762. Ele consertou uma máquina de Newcomen, que era usada no curso de física pela universidade, e ficou impressionado pela perda de energia que o mecanismo sofria. Procurou então a solução para o problema, a qual encontrou em teoria em 1764. Mas converter a solução teórica num modelo funcionante levou outros cinco anos, de modo que Watt somente patenteou seu primeiro motor em 1769.

Watt ainda teve de continuar aperfeiçoando o seu invento antes que ele pudesse competir e superar as máquinas de Newcomen. Além disso, uma indústria inteiramente nova tinha de ser criada para produzir o motor de Watt.

---

3 James Watt dedicava-se então à construção de instrumentos científicos. Aprendeu francês, italiano e alemão para poder ler livros científicos estrangeiros. Era autodidata por excelência e se envolveu em diversas descobertas científicas.

> Um corpo de trabalhadores altamente especializados, capazes de realizar trabalho difícil, que exigia força muscular, inteligência e grande firmeza de mão, tornava-se necessário para substituir os mecânicos ocasionais de antanho [...]. Cilindros geometricamente exatos, pistões propriamente ajustados, embreagens tão acuradas quanto as de um relógio tinham de substituir componentes grosseiros e muitas vezes mal montados, que formavam as máquinas anteriores e muitas vezes eram a causa de seu malogro (Mantoux, [1927] 1961, p.322).

Watt foi capaz de despertar o interesse de importantes líderes metalúrgicos, que se propuseram a se associar a ele e a financiar suas experiências. O primeiro foi John Roebuck, que o apoiou sem qualquer proveito próprio, até 1773, quando faliu. O segundo foi Matthew Boulton, um dos maiores industriais da época, além de inventor também, que adquiriu os direitos de Roebuck em troca de uma dívida de 1.200 libras. Boulton tinha erguido imensa fábrica metalúrgica em Soho, ao norte de Birmingham, com seiscentos trabalhadores. A força motriz era provida por um reservatório de água, no topo de um morro, cuja queda movia uma grande roda hidráulica, cujo movimento era transmitido a numerosas ferramentas diferentes.

> Boulton estava determinado a ter as máquinas mais modernas e ele se empenhava em adaptá-las às necessidades específicas de sua indústria. [...] Ele se propôs como tarefa apagar a má reputação de Birmingham e não economizava esforços para cumpri-la. Ele usava somente os melhores materiais e os trabalhadores mais qualificados e supervisionava pessoalmente o trabalho nas oficinas com o maior cuidado (ibid., p.326).

Boulton era, sem dúvida, o sócio ideal para Watt e os dois aperfeiçoaram, produziram e comercializaram em conjunto o motor a vapor. Graças à virtuosidade artesanal do pessoal de Boulton, o motor ganhou eficiência e viabilidade econômica.

Como a bomba hidráulica de Newcomen já estava em amplo uso, poder-se-ia pensar que a contribuição de Watt fosse apenas um aperfeiçoamento dela. Mas, na realidade, Watt (com a decidida ajuda de Boulton, a partir de 1773) inventou um novo aparelho, o primeiro a merecer a denominação de "motor a vapor".

> Ao construir um condensador separado (patenteado em 1769; primeira aplicação comercial em 1776), ele poupou a energia que antes era dissipada ao reaquecer o cilindro a cada batida. Esta foi a ruptura decisiva para uma "era do vapor", não só por causa da economia imediata de combustível (o consumo por produto era um quarto do da máquina de Newcomen), mas ainda mais porque esse aperfeiçoamento abriu caminho para avanços contínuos em eficiência que acabaram por tornar o motor a vapor acessível a todos os ramos da economia e o transformaram em fonte primária universal de força motriz. O próprio Watt foi autor de alguns desses melhoramentos ulteriores (patentes de 1782 e 1784): o motor de ação dupla, com o vapor trabalhando alternativamente de cada lado do pistão; o uso de vapor para acionar o pistão e, ao mesmo tempo, para criar um vácuo; a batida de corte (*cut-off stroke*), que aproveita a força expansiva do vapor para obter uma economia substancial de energia; e acima de tudo a embreagem sol-e-planeta,[4] que converteu a batida reciprocante do pistão em movimento rotatório, possibilitando-lhe acionar as rodas da indústria (Landes, 1969, p.102).

O motor a vapor teve inicialmente aplicação em bombas hidráulicas para drenar minas e abastecer cidades de água. Mas, graças à embreagem sol-e-planeta, o motor passou a ser usado para acionar diretamente todo tipo de máquinas, de *water frames* e teares automáticos a foles, rolamentos e martelos de usinas siderúrgicas. Aperfeiçoamentos ulteriores permitiram empregar o motor a vapor em veículos terrestres (a locomotiva) e aquáticos (o navio a vapor), libertando-os da dependência de fontes naturais de energia, como animais de tração ou o vento. Watt e Boulton ocupam lugar de destaque na ancestralidade do "automóvel", do qual a locomotiva e o vapor foram os primeiros exemplares.

Watt e Boulton exploravam suas patentes, propondo-se a montar o motor a vapor contra a cobertura da despesa e o pagamento de um terço da economia de combustível proporcionada pelo seu motor em comparação com uma máquina de Newcomen. Esses termos, tão favoráveis aos clientes, dão uma ideia da resistência à aceitação do

4 Segundo Mantoux ([1927] 1961, p.321), a invenção da embreagem sol-e-planeta foi devida a William Murdock, que era capataz na fábrica de Soho.

novo aparelho pelo mercado. Além do custo do mesmo, os compradores só passariam a pagar se obtivessem efetivamente economia de combustível, retendo dois terços dela. É que o custo do motor deveria ser bem alto, já que ele não era produzido em série, mas por encomenda. Watt projetava cada motor em função do seu emprego específico e supervisionava em pessoa sua construção e instalação.

Obviamente, os compradores dos produtos de Watt e Boulton eram companhias de mineração, municipalidades – o sistema de água de Paris adquiriu um que foi erguido em 1779 – e grandes indústrias têxteis e metalúrgicas. Wilkinson foi o primeiro, em 1775, a encomendar um motor não para bombear água mas para acionar os foles de seus altos-fornos. Apesar de serem os únicos fornecedores, Watt e Boulton passaram muitos anos sem lucros, acumulando dívidas crescentes. Em 1778 e 1780, Boulton teve de admitir sócios passivos, além de vender propriedades da mulher e suas, herdadas do pai, para cobrir as despesas com o desenvolvimento do motor. Somente a partir de 1786 ou 1787 os sócios conseguiram se livrar das dívidas e começaram a ter lucros (Mantoux, [1927] 1961, p.329).

A invenção e o aperfeiçoamento do motor a vapor representam o ápice do desenvolvimento das forças produtivas, constituído pela primeira revolução industrial. Embora contemporânea das outras grandes inovações técnicas da época, a invenção de Watt levou muito mais tempo para ser aperfeiçoada e teve de esperar determinados avanços da técnica metalúrgica para se viabilizar. Mas a sua dependência dos outros avanços não se restringia à área técnica. O mercado para o motor a vapor só atingiu dimensões que o viabilizaram economicamente quando a fome por força motriz das fábricas ultrapassou determinado limiar. Foi preciso que o sistema fabril atingisse tamanho suficiente para absorver um aparelho tão caro e inovador como o *fire-engine* (motor a fogo) em quantidade que viabilizasse sua produção lucrativa.

## *A revolução capitalista*

Antes da revolução industrial, a Inglaterra já era a nação mais capitalista do mundo, mas não era uma "economia capitalista". O capital mercantil era poderoso, mas explorava a produção de fora, intervindo na distribuição, sobretudo no comércio internacional. O capital produtivo "manufatureiro", no conceito de Marx, tinha se desenvolvido até certo ponto, mas sem alcançar posição dominante. Esta continuava sendo do modo de produção "antigo", a produção simples de mercadorias, que tomava a forma de produção camponesa familiar na agricultura e de produção artesanal corporativa nas cidades.

Depois da revolução industrial, a economia inglesa tornou-se ao mesmo tempo industrial e capitalista. Ela se tornou capitalista *porque* se industrializou. A indústria resultante das inovações, cujo histórico resumimos, não era compatível com a produção simples de mercadorias. As novas forças produtivas exigiam, na apta expressão de Marx, a "socialização" dos meios de produção (sem que deixassem de ser, evidentemente, propriedade privada). O sistema fabril, as linhas férreas, as linhas de navegação a vapor, os canais e a imensidade de obras públicas exigida pela urbanização jamais poderiam ser organizados nos limites e dentro das regras do "antigo regime". Era preciso arrancar o produtor de sua *cottage*, privá-lo do controle direto sobre os novos meios de produção, arregimentá-lo em coletivos disciplinados e harmoniosos, capazes de colaborar mutuamente, qual orquestra bem afinada, para operar os motores e máquinas automáticas que tomavam os lugares dos animais de tração, do vento, da água e das ferramentas manuais. E, sobretudo, dos braços, das mãos, dos dedos etc. dos produtores vivos.

Como vimos anteriormente, tudo isso se deveu a uma mudança de rumo da própria evolução das forças produtivas. A lançadeira volante e o filatório ainda eram compatíveis com o regime antigo, com a pequena produção de mercadorias. O *water frame*, o tear automático, a usina siderúrgica, e sobretudo o motor a vapor, não o eram mais. A revolução capitalista teria sido imposta pela evolução da técnica. Mas é preciso não levar o determinismo tecnológico longe demais. Como vimos, o progresso técnico era multiforme, o conhecimento e a prática trilhavam diversos caminhos para resolver os problemas que o desenvolvimento desigual e combinado dos diferentes ramos produtivos complementares acarretava.

O melhor a esse respeito é adotar uma atitude probabilística. A *jenny* e o *water frame* surgiram ao mesmo tempo, para resolver o mesmo problema. Um reforçava o antigo regime, canalizava o progresso para a pequena produção de mercadorias; o outro abria passo ao capitalismo, sua utilização requeria uma escala que só o capital podia organizar. Por que a alternativa técnica capitalista prevaleceu, superando a artesanal? A resposta óbvia parece ser: porque a opção industrial e capitalista era mais produtiva, tinha superioridade competitiva, mostrava-se capaz de produzir melhor e mais barato. Mas essa resposta pressupõe a liberdade de iniciativa, a livre competição nos mercados, o que naquela conjuntura histórica era falso. O modo dominante de produção não pressupunha a livre concorrência, mas a regulação tradicional das atividades produtivas, cada uma tendo direito a uma fração reconhecida do produto social.

A batalha decisiva da primeira revolução capitalista da história travou-se ao redor dessa questão. Relata Mantoux:

> De fato, os levantes de 1779 foram seguidos por tentativas de obter, por meios legais, a proibição das máquinas de fiar. Havia precedentes para isso. Em 1552, uma lei foi passada proibindo o uso da *gig mill*,[5] enquanto em 1623 uma proclamação real proibiu o uso de uma máquina de fazer agulhas. Essas medidas, tomadas no espírito da antiga legislação industrial, tinham por objetivo menos proteger o trabalhador do que assegurar a alta qualidade do artigo pronto, que estaria em risco se houvesse qualquer mudança nos métodos de manufatura ([1927] 1961, p.403).

O mesmo argumento foi usado, debalde, pelos fiandeiros de algodão na petição que apresentaram ao parlamento em 1780.

Não resta dúvida que a resistência oferecida à introdução das máquinas pelos produtores simples de mercadorias foi maior durante a revolução industrial do que no passado. A vitória do capitalismo foi tudo o que se queira, menos pacífica. Ela não pode ser atribuída a

5 Esse aparelho eliminava nós do tecido. Uma outra *gig mill*, contra a qual houve uma petição em 1794, levantava uma lanugem do pano (Mantoux, [1927] 1961, p.407).

uma mudança de mentalidade, embora esta indubitavelmente ocorreu. Ela foi magnificamente apresentada em *A riqueza das nações*, por Adam Smith, que veio a lume em 1776. Mas, por mais convincentes que fossem os argumentos de Smith, naquele momento eles eram novos e revolucionários. Sua rápida aceitação não pode ser atribuída aos seus próprios méritos, mesmo porque hoje em dia, mais de 220 anos depois, eles continuam controvertidos.

A vitória do capitalismo na questão crucial do uso das máquinas, que implica a liberdade de iniciativa e a concorrência livre nos mercados, foi devida provavelmente à crise social pela qual passava a Inglaterra, na segunda metade do século XVIII, da qual o desemprego causado pela mecanização era apenas uma parte. Na realidade, ao mesmo tempo que a revolução industrial estava atingindo a manufatura, ocorria uma transformação análoga na agricultura, com liberação maciça de mão de obra. Foi o que Marx, com sua fina ironia, chamou de "acumulação primitiva" ou originária (uma tradução melhor de *ursprünglich*), apontando para a expropriação em larga escala da população camponesa como sendo a verdadeira origem do capital industrial, enquanto relação social de produção.

No capítulo 24 de *O capital*, v.I, Marx resume o processo que eliminou o campesinato independente na Grã-Bretanha da seguinte forma:

> O roubo dos bens da Igreja, a entrega fraudulenta dos domínios estatais, o furto da propriedade comunitária, a transformação usurpatória, executada com terrorismo sem contemplação, da propriedade feudal e clânica em propriedade privada moderna, estes foram os *métodos* idílicos da *acumulação originária*. Eles conquistaram o campo para a agricultura capitalista, incorporaram a terra e o solo ao capital e ofereceram à indústria urbana o necessário suprimento de proletários livres como pássaros (p.772).

A revolução capitalista no campo foi conduzida não por pequenos fabricantes, mas pela própria nobreza latifundiária. Daí ela não ter enfrentado qualquer oposição séria por parte dos poderes estabelecidos, apesar da onda de indignação que despertou e da qual Marx dá testemunho:

> O século XVIII ainda não tinha compreendido, na mesma medida que o fez o século XIX, *a identidade entre riqueza nacional e pobreza popular*. Daí a polêmica mais intensa na literatura econômica da época sobre "*the inclosure of commons*" (o cercamento dos campos comunitários). Extraio do vasto material de que disponho alguns poucos trechos, porque por meio deles as circunstâncias podem ser visualizadas com vivacidade (p.764).

Convém observar que a expulsão maciça de camponeses parece ser um aspecto crucial de todas as revoluções capitalistas, do século XVIII na Inglaterra, do século XIX no continente europeu e na América do Norte e do século XX na América Latina e Ásia. Só que ela se deu, na primeira das revoluções, *antes que a indústria estivesse estabelecida para absorvê-los*. Segundo Marx, "ainda nos últimos decênios do século XVII era a *yeomanry* um campesinato independente, mais numerosa que a classe dos arrendatários. [...] Por volta de 1750, a *yeomanry* tinha desaparecido" (p.761). Mantoux contesta essa versão, argumentando que o desaparecimento da *yeomanry* completou-se mais tarde. Mas ele confirma que o processo de expropriação e expulsão foi muito intenso já na primeira metade do século XVIII ([1927] 1961, p.138-9).

Havia, portanto, por volta de 1770-1780, uma crise social de grandes proporções na Inglaterra: centenas de milhares de pessoas foram privadas de ocupação, moradia e subsistência e de alguma forma tinham de ser reabsorvidas pela produção social. Ora, o antigo regime de produção corporativa era absolutamente infenso à admissão de estranhos. Como vimos, a regulamentação das guildas tinha por eixo o *numerus clausus*, a limitação do número de mestres em cada ofício e do número de aprendizes que cada mestre podia empregar. Tudo isso para evitar a concorrência entre os produtores, a tentação de mudar os métodos tradicionais de trabalho etc.

Quando a revolução industrial propiciou a formação do sistema fabril, este passou a empregar não os artesãos que sua produção deslocava do mercado, mas a massa de ex-*yeomen* proletarizada pela revolução agrícola.

> Combinado aos protestos contra a maquinaria estava o ódio dos homens pela fábrica. O sentimento de repulsa que despertava é facilmente compreensível, pois para alguém acostumado a trabalhar em casa ou numa pequena oficina a disciplina fabril era intolerável. [...] Eis por que a primeira geração de industriais encontrou reais dificuldades em obter trabalhadores. Eles teriam tido ainda maior dificuldade se não fosse a população flutuante disponível, que as mudanças nas condições rurais estavam expulsando da agricultura para a indústria e do campo às cidades. [...] Assim, a origem do trabalho fabril encontra-se em parte numa classe de pessoas desenraizada pela força de seu emprego e em parte entre populações às quais a indústria oferecia melhores oportunidades que seu emprego anterior (Mantoux, [1927] 1961, p.409-10).

O fato era que não havia solução alternativa à indústria capitalista para a crise social. Como é sabido, o avanço tecnológico causa desemprego técnico, mas também gera considerável volume de emprego novo. Os enormes ganhos de produtividade eram traduzidos em baixas consideráveis dos preços dos produtos. Os tecidos tornaram-se mais baratos, o que possibilitou o aumento de seu consumo. Tanto no mercado interno como no externo. A marcha da indústria implicou forte expansão da produção e do emprego industrial.

As condições originárias do trabalho industrial eram terríveis. O trabalho infantil era empregado em grande escala. A expressão "capitalismo selvagem" originou-se das formas desumanas de exploração que eram usuais nas primeiras décadas do capitalismo industrial. Quando as classes dominantes e os estratos governantes da Inglaterra optam pelo capitalismo, entregando o antigo regime de produção ao seu destino, certamente não foram movidos por filantropia. A sua motivação provavelmente tinha a ver com a preocupação com "lei e ordem".

Se o parlamento britânico tivesse aceitado as inúmeras petições que artesãos lhe dirigiram, pedindo a proibição do maquinário, o que teria acontecido? Ou as proibições legais teriam sido amplamente desconhecidas, já que os capitalistas tinham todo o interesse em utilizar o maquinário e o proletariado "livre como um pássaro" tinha necessidade vital de trabalho remunerado, que só os fabricantes poderiam lhes proporcionar. Ou então capitalistas migrariam, tratando de estabelecer fábricas em países mais "livres", eventualmente nas colônias norte-americanas que estavam conquistando sua independência. Para onde migraria também grande parte do exército industrial de reserva que a revolução agrícola tinha inchado.

A indústria capitalista surge então, a partir do último quartel do século XVIII, como parte da causa e da solução da crise social. As decisões cruciais que foram então tomadas tinham um caráter de "fuga para a frente". De um lado, o capitalismo manufatureiro e o capitalismo agrícola demonstrando extraordinária vocação para multiplicar riquezas – não por acaso, Adam Smith chamou sua grande obra de *Investigação sobre a natureza e as causas da riqueza das nações* – o que deve ter aguçado apetites de um estrato governante educado no mercantilismo. De outro, grande massa de produtores artesanais, urbanos e rurais, exigindo respeito pelos seus direitos e prerrogativas tradicionais, que implicavam claramente a estagnação deliberada das forças produtivas. E, como pano de fundo, vasta população flutuante, sem eira nem beira, constituindo ameaça potencial a qualquer ordem instituída que não a reintegrasse à sociedade civil.

A partir do abandono das regras que protegiam o antigo regime de produção, o capitalismo teve o caminho livre para se tornar o modo hegemônico de produção. Era preciso, portanto, iniciar imediatamente a formulação de novas regras que protegessem a nova hegemonia. A base ideológica dessas novas regras só podia ser o *laissez-faire*. É aí que a revolução capitalista revela o seu aspecto mais revolucionário. Instituiu-se o individualismo, a supremacia da relação monetária (o *cash nexus*, como dizem os "americanos"), o predomínio do autointeresse, sendo a solidariedade social relegada ao âmbito privado e íntimo da religião. Mas, essas mudanças gigantescas são bem conhecidas e se alguém estiver interessado nas reações que provocaram em seus contemporâneos, basta ler o *Manifesto comunista* de Marx e Engels...

# Parte III

# A revolução social socialista

## *Reações da classe operária à revolução capitalista*

A revolução capitalista tem início com a revolução industrial inglesa, no último quartel do século XVIII, e se desdobra sem cessar nas décadas seguintes. Ela permite que a livre concorrência se imponha, estimulando o progresso técnico que toma a forma de criação de conjuntos produtivos cada vez mais vastos, complexos e caros. O seu principal efeito é a contínua substituição da produção artesanal e manufatureira pela maquinofatura e pelo trabalho assalariado em fábricas e grandes redes de transporte e comunicação, que o motor a vapor vai possibilitando, complementado pela invenção do telégrafo e do telefone.

Se nos concentrarmos no primeiro século da revolução capitalista, essa vasta mudança nas relações sociais de produção *é muito nítida mas relativamente vagarosa*. Tomemos o caso notório dos tecelões manuais como exemplo. A invenção do tear automático se dá ainda no século XVIII, mas o seu uso se difunde gradativamente, a partir de 1815. Os levantes ludditas de 1811-1812 efetivamente tinham por objeto a destruição de máquinas e fábricas, mas devem ser principalmente atribuídos aos sofrimentos resultantes das longas guerras com a França, numa situação de grande carência alimentar, em que os mais pobres estavam diretamente expostos à fome. Na realidade, o tear automático se difunde aos poucos, menos pelo medo de represálias do que pela sua incapacidade de produzir panos mais finos. Só aperfeiçoamentos posteriores superaram essa deficiência e tornaram a completa eliminação da tecelagem manual viável.

Até o último quartel do século XIX, a industrialização não tinha ainda eliminado para a maioria dos trabalhadores as relações tradicionais de trabalho.

> A sobrevivência da indústria doméstica e da manufatura simples, na segunda metade do século XIX, teve consequência importante para a vida e população industriais que raramente vemos serem examinadas. Ela significava que só no último quartel do século a classe trabalhadora começou a tomar o caráter homogêneo de um proletariado fabril. [...] A sobrevivência das tradições individualistas do artesão e mestre com ambição de se tornar pequeno empregador se mostrou, por muito tempo, um obstáculo a qualquer crescimento firme e geral do sindicalismo, quanto mais da consciência de classe (Dobb, [1946] 1983, p.190).

Convém acrescentar que, mesmo dentro das fábricas, as relações de trabalho continuaram, por muito tempo, sendo do molde tradicional.

> Até 1870, o empregador imediato de muitos trabalhadores não era o grande capitalista, mas o empreiteiro intermediário, ao mesmo tempo um empregado e, por sua vez, um pequeno empregador. [...] Até nos ofícios fabris o sistema de subempreitadas mostrava-se comum. Contra esse sistema e as oportunidades que criava para tirania sórdida e a desonestidade pelo pagamento em gêneros, dívidas e pagamentos de salários em hospedarias, o sindicalismo inicial travou dura e prolongada batalha. Nos altos-fornos havia os alimentadores e os retiradores, pagos pelos capitalistas conforme a produção em tonelagem do forno e que empregavam turmas de homens, mulheres, meninos e cavalos para encher o forno ou controlar a fundição (ibid., p.191).

Em continuação, Dobb arrola exemplos de subcontratação nas minas de carvão, nas usinas de laminação, nas fundições de bronze, fábricas de correntes e de botões.

> E mesmo em estabelecimentos bem grandes persistiram por algum tempo sobrevivências de situações mais antigas, tais como o desconto feito nos salários de somas representando o aluguel do espaço na oficina e o pagamento da força e luz. [...] Foi preciso chegar o motor a gás (tornando obsoleto o sistema antigo de alugar a força da máquina a vapor aos empreiteiros), o crescimento da padronização e a substituição do ferro trabalhado pelo aço (que se prestava à manipulação pelas prensas e máquinas-ferramentas) como material básico dos ofícios mecânicos para completar a transição para a indústria fabril propriamente dita... (ibid., p.191-2).

No primeiro século da revolução capitalista, a classe operária continuava muito heterogênea, principalmente nas relações intraclasse. A diferença entre trabalhadores qualificados e não qualificados persistia. Os qualificados tinham organizações de ofício – os *trade clubs* – e mantinham, na medida do possível, espírito de corpo, tentavam controlar o número de aprendizes e promoviam os que completavam o aprendizado a condições de oficiais. Muitos trabalhadores qualificados mantinham grande autonomia diante do empregador, porque continuavam dominando, em muitos casos, os segredos do ofício. Eram pagos por produção e assalariavam, por sua vez, trabalhadores não qualificados, inclusive para trabalhar nas fábricas.

Em contraposição, os trabalhadores não qualificados constituíam uma massa indiferenciada de miseráveis quase anônimos, sem identidade reconhecida, sem direitos profissionais ou sociais. A respeito da organização dos *trade clubs* no século XVIII, relatam Cole e Postgate ([1956] 1964, p.169): "Os membros desses *clubs* seriam jornaleiros que fizeram seu aprendizado; trabalhadores não qualificados, se tiveram tais sociedades, não deixaram traços dos mesmos à história". Por tudo isso, os trabalhadores não qualificados não foram abrangidos pelos sindicatos e ficaram um tanto à margem das primeiras grandes lutas da classe operária diante da revolução capitalista.

Esta tendeu, de forma geral, a afetar mais os trabalhadores qualificados, ao reduzi-los gradualmente ao *status* dos não qualificados. Cada desenvolvimento das forças produtivas, conduzido pelo capital, transferia a máquinas automáticas operações até então executadas por trabalhadores qualificados. Os exemplos da fiação e da tecelagem são bastante expressivos. O progresso tecnológico consistiu, em boa parte, exatamente na invenção desse tipo de máquina, cada uma das quais destruía um ofício manual, mecanizando-o. O antigo mestre ou oficial tornava-se, na melhor das hipóteses, um operador de máquina. Só que, nessa nova condição, ele perdia o controle sobre o instrumento de produção e o próprio conhecimento a respeito deste. Enquanto o artesão dominava, por suposto, todos os segredos do ofício, que abrangiam conhecimentos sobre instrumentos e objetos do trabalho, o operador da máquina não conhece os segredos do mecanismo que supervisiona e assiste.

A cada avanço da técnica, simplifica-se o papel do operador da máquina e aumenta a importância do "engenheiro" que projeta a máquina, que sabe programá-la, mantê-la, repará-la e aperfeiçoá-la. Não há dúvida que a revolução capitalista inaugurou um processo contínuo de *expropriação dos conhecimentos técnicos dos trabalhadores qualificados*, o que acabou resultando na homogeneização crescente da classe operária. Foi a isso que Dobb se referia, na citação à p.24, quando fala em "caráter homogêneo de um proletariado fabril".

Atingida em sua base existencial, a classe operária reage em três níveis distintos ao avanço do modo de produção capitalista: l. opondo-se ao industrialismo em si, em nome dos direitos adquiridos e dos fundamentos tradicionais do antigo regime; 2. somando-se à luta pela democracia, em grande medida impulsionada pela Revolução Francesa; e 3. desenvolvendo formas próprias, potencialmente anticapitalistas, de organização social – o sindicalismo – e de organização da produção e distribuição – o cooperativismo. É importante sublinhar que nesse período – 1780-1880 – as reações da classe operária são principalmente protagonizadas pelos trabalhadores qualificados, seus ideólogos, líderes políticos, sindicais e cooperadores.

Quanto à primeira reação, dela já tratamos nas seções sobre a revolução capitalista e pouco há a acrescentar. No plano nacional, a tentativa de fazer o parlamento frear e reverter a revolução industrial foi um fiasco. Os trabalhadores não conseguiram apoio em nenhum outro setor social para esse propósito, mesmo porque somente eles é que eram ameaçados pelo industrialismo. A aristocracia fundiária poderia ter sido uma aliada, pois seus privilégios baseavam-se igualmente em regulamentos tradicionais. Mas, como vimos, a nobreza britânica tinha se decidido a encabeçar o revolucionamento técnico e econômico da agricultura, e o fez com determinação e ferocidade. Tendo expulsado os pobres de seus domínios e transformado suas lavouras em pastos, os lordes preferiram ignorar as petições de fiandeiros e tecelões, deixando que as máquinas e os ex-*yeomen* tomassem o seu lugar.

Em nível local, a luta contra o uso das máquinas só podia tomar a forma de insurreições súbitas, a maior parte explosões de desespero diante da ameaça de fome e miséria. A luta de classe, na época, frequentemente descambava para a violência. Quando as *combinations* (sindicatos) estavam proibidas, as organizações operárias muitas vezes caíam na clandestinidade e recorriam a incêndios, ataques físicos e até ao assassinato de traidores, patrões cruéis e capatazes odiados. O único movimento que assumiu proporções regionais e características de organização foi o dos ludditas.

> Eles não eram um "movimento de massas" no sentido moderno – ou seja, os ludditas não constituíam a massa da população nos condados (Nottinghamshire, Yorkshire, Lancashire e Cheshire) em que principalmente operavam. Eles eram um seleto bando de homens ousados e desesperados que receberam o apoio e a aprovação de seus companheiros trabalhadores. Não é certo se foram apoiados pelos clubes ou sindicatos existentes ou não. Eles alegaram ser dirigidos por um Ned Ludd, cujo "escritório" dizia-se estar na Floresta de Sherwood. Se tal pessoa existiu, ao certo, não se sabe quem era. Certamente grande número de pessoas cria nele e os ludditas claramente tinham algum cérebro organizacional por detrás deles (Cole; Postgate, [1956] 1964, p.184-5).

A oposição operária ao industrialismo provavelmente acabou por desaparecer nos anos 20 do século XIX, quando grande parte do movimento operário se converteu ao "owenismo". Owen era, ele mesmo, grande industrial e propunha utilizar as forças produtivas proporcionadas pelas máquinas para acabar com a miséria e garantir a todos uma vida digna.

> Muito longe de ter uma perspectiva retrógrada, o owenismo foi a primeira das grandes doutrinas sociais a prender a imaginação das massas naquele período, que começava com a aceitação dos poderes produtivos ampliados da energia a vapor e da fábrica. O que estava em questão não era tanto a máquina e sim a motivação do lucro; não as dimensões da empresa industrial, mas o controle do capital social por detrás (Thompson, [1968] 1987, p.408).

Robert Owen (1770-1858) celebrizou-se primeiro como proprietário e condutor de New Lanark, a imensa empresa têxtil que adquiriu de David Dale em 1799. A usina se situava à margem do Clyde, cujas águas forneciam-lhe energia hidráulica. Como se encontrava longe da cidade de Lanark, os trabalhadores e suas famílias tinham de morar junto à fábrica, em casas também pertencentes a Owen. Ele adquiriu a casa e as terras em que viveu lorde Braxfield, abriu a área aos trabalhadores, construiu novas casas e reformou as velhas, abriu uma escola, inaugurou uma loja em que artigos não adulterados podiam ser adquiridos a preços baixos, reduziu a jornada de trabalho e aumentou os salários. Mesmo quando a produção teve de ser suspensa por causa da guerra, Owen, em vez de demitir os operários, pagou-lhes os salários.

Apesar de tudo que fez ou talvez por causa disso, Owen continuou realizando bons lucros, o que lhe granjeou grande fama de filantropo. Visitantes famosos vinham a New Lanark conhecer o novo experimento, inclusive um grande duque da Rússia. Owen proclamou que o capital investido só deveria ter um dividendo limitado e que todo lucro excedente deveria ser aplicado a favor dos trabalhadores. Com o que não concordaram seus sócios, o que obrigou Owen a achar outros, dispostos a comprar as parcelas dos primeiros. E de fato os encontrou, estando entre eles o famoso autor do utilitarismo Jeremy Bentham (Cole, 1944, p.15-6).

Em 1817, Owen apresentou seu "plano" de acabar com a pobreza mediante o emprego dos que não tinham proventos e eram sustentados pela beneficência das paróquias (de acordo com a Lei dos Pobres em vigor) em "Aldeias Cooperativas", onde poderiam viver em comunidade e produzir em comum, consumindo seus próprios produtos e trocando os excedentes com outras "Aldeias Cooperativas". Ele propunha que algumas aldeias fossem industriais e outras agrícolas etc. Assim, o Estado e as paróquias, em vez de desperdiçar dinheiro com a manutenção dos indigentes ociosos, deveriam fornecer capital para que eles se estabelecessem em aldeias e pudessem prover o seu próprio sustento.

"Mas, quanto mais Owen explicava o seu 'plano', mais claro se tornava que ele estava propondo não simplesmente um meio de baratear a subsistência dos pobres, mas uma mudança completa do sistema social e a abolição da empresa capitalista voltada ao lucro" (Cole, 1944, p.20). Além disso, Owen passou a atacar todas as religiões por ensinarem que os homens são responsáveis pelo mal que praticam. Para Owen, a origem do mal social estava no ambiente ruim a que os homens estavam submetidos. Caberia, pois, transformar o ambiente em vez de pregar, como faziam as igrejas, a reforma individual. Owen terminou por denunciar todas as religiões como sustentáculos do "velho mundo imoral".

A adesão ao comunismo e o ataque às igrejas estabelecidas fizeram Owen perder a maior parte do apoio e da simpatia que havia conquistado nas classes dominantes. Ele voltou-se, no entanto, a realizar suas ideias na prática, alternando suas atividades entre a chefia política de movimentos sindicalistas e cooperativistas e a fundação e direção de comunidades comunistas, modeladas de acordo com o ideal das "Aldeias Cooperativas".

Voltaremos a tratar de Owen adiante. Agora, é preciso encerrar a discussão da primeira reação da classe operária à revolução capitalista, qual seja, a oposição ao industrialismo enquanto tal. A oposição ao industrialismo representava uma oposição reacionária ao capitalismo, alicerçada no anelo de volta ao passado. Esse anelo só tinha sentido para os pequenos mestres arruinados ou quase e para os jornaleiros, que imaginavam o passado feudal como um mundo idílico de estabilidade e paz. Provavelmente, com o passar dos anos, o número de trabalhadores fabris "semiqualificados" (operadores de máquinas) deve ter crescido em detrimento do número de produtores artesanais. A mudança na composição interna da classe operária possivelmente contribuiu para o abandono das esperanças milenaristas de volta ao passado.

A ascensão do owenismo em meio à classe operária britânica, dos 1820 em diante, representou de certa forma a troca de esperanças milenaristas de volta ao passado por esperanças, não menos milenaristas, de avanço para o futuro. O milenarismo é inescapável para uma classe social que se encontra exposta a provações terríveis sem encontrar formas práticas e factíveis de afirmar e defender seus interesses.

Após o fim das guerras napoleônicas, a Grã-Bretanha foi vítima de crises econômicas sucessivas, que levaram grande parte do operariado a um misto de desespero e resignação. Após 1815, o valor das exportações britânicas caiu de 51 milhões de libras a 42 milhões nos dois anos seguintes e, após pequena recuperação em 1818, a 35 milhões em 1819. "O resultado dentro do país foi amplo desemprego e crise, acompanhados por diminuição ativa de salários – primeiro e sobretudo nos ramos fabris em expansão, mas depois, quando a demanda interna também caiu, em quase todo ramo de produção" (Cole; Postgate, [1956] 1964, p.192).

Nessa situação de desespero, que se prolongaria, com altos e baixos, nos anos 1830 e 1840, surgia Owen, com todo seu prestígio de grande industrial e filantropo, proclamando um "plano" racional e factível de superação do desemprego e da pobreza. E esse "plano" acabou inclusive ganhando apoio científico. Owen propunha, à base da teoria clássica do valor-trabalho, que o trabalhador tinha direito ao usufruto de todo o seu produto. Para tanto, ele propunha a substituição do dinheiro por uma moeda baseada no "tempo de trabalho" gasto na produção. "Esta ideia [...] foi o germe das teorias anticapitalistas do valor que passaram a ganhar ampla aceitação entre os trabalhadores mais bem-educados durante os anos de 1820." *Principles of the Distribution of Wealth* (1824), de William Thompson, e *Labour Defended* (1825), de Thomas Hodgskins, e numerosos outros livros e panfletos desenvolveram a ideia, baseando-se na doutrina de Ricardo que os valores relativos das mercadorias eram principalmente determinados pelas quantidades de trabalho humano incorporadas direta ou indiretamente nelas, de que, sendo o trabalhador a única fonte do valor, ele deveria ser também o único detentor legítimo do produto.

Marx, sem dúvida, se inspirou em Thompson e Hodgskin, embora não compartilhasse da tese de que o trabalhador teria "direito" à totalidade do produto. Em vez disso, desenvolveu o conceito de mais-valia e a teoria da exploração do trabalho pelo capital. Na *Crítica ao Programa de Gotha*, Marx lembrou que qualquer sociedade, mesmo a socialista, terá membros improdutivos (crianças, velhos e outros) que serão sustentados partilhando o resultado do trabalho produtivo. Marx elevou toda a discussão ao nível de interpretação histórica, tentando combinar indignação moral com compreensão das possibilidades reais de que possa haver uma revolução socialista.

Mas isso corresponde a outra etapa. A partir de 1820, a classe operária britânica, a primeira a se defrontar com uma revolução capitalista, abandona a luta contra o progresso técnico e passa a se engajar em outra utopia, a da construção de um novo mundo à base das novas forças produtivas, mas em que a cooperação e a igualdade tomem o lugar da competição e da exploração. Essa reviravolta ideológica terá amplas consequências. O comunismo, não por acaso, é o oposto simétrico do capitalismo. Ao individualismo deste último, que funciona como explicação e justificativa da competição enquanto valor e modo de comportamento universal, o comunismo opõe o coletivismo, apresentado como ambiente necessário para o surgimento de um "novo mundo moral" (na expressão de Owen) baseado na solidariedade, na cooperação e na fraternidade entre os homens. Não por acaso, todos os oponentes ao capitalismo, desde então, veem no socialismo ou comunismo a grande alternativa histórica ao capitalismo.

## *A luta política contra o capitalismo*

Frustrados pela recusa das instâncias políticas de impedir o progresso industrial, os trabalhadores passaram a engajar-se por uma legislação fabril que coibisse os abusos e estabelecesse claros limites ao grau de exploração a que o capital poderia submeter os trabalhadores.

> Tão logo acabou a guerra, "o filantrópico Mr. Owen de New Lanark", empregador modelar e proprietário da maior fábrica algodoeira da época, veio ao sul advogar a causa dos pobres. Ele pediu para eles a proteção de um *Factory Act* (lei fabril) efetivo – pois a lei fabril de 1802 do Peel mais velho,[1] considerada a primeira das leis fabris, se aplicaria, se tivesse sido obedecida, apenas à classe especial dos "pobres aprendizes" nas usinas algodoeiras; [...] Owen queria uma lei que proibisse todo trabalho para aqueles com menos de 10 anos, que limitasse a jornada de trabalho a 10,5 horas, inclusive intervalo para refeições, para todos os trabalhadores com menos de 18, e que determinasse o engajamento de inspetores pagos para assegurar a implementação dessas reformas.
>
> Sua cruzada não abortou inteiramente; pois, em grande medida, como resultado dela, o Peel mais velho conseguiu a aprovação do seu segundo *Factory Act* em 1819. Mas este estava muito aquém das demandas de Owen. Aplicava-se apenas a usinas algodoeiras; estabelecia a idade mínima de emprego em 9 anos em vez de 10; ele limitava a jornada a doze horas e somente para os menores até 16 anos; e, finalmente, a provisão vital da inspeção ficou de fora (Cole; Postgate, [1956] 1964, p.194-5).

Assim começou a longa luta da classe operária britânica pela regulamentação legal das relações de trabalho. Ela tinha – e continua tendo – uma clara orientação ideológica anticapitalista e, por isso, sofreu feroz oposição por parte dos liberais. Estes viam – e continuam vendo – na legislação do trabalho uma violação dos direitos individuais, ao proibir certos contratos entre pessoas que em princípio deveriam ser os únicos juízes de seus interesses. Tomemos por exemplo a jornada legal de trabalho. Argumentam os liberais que a extensão dela deveria ser determinada pelo livre encontro de vontades de empregados e empregadores. Proibir que a extensão da jornada ultrapasse certo limite fere os direitos de ambos.

A isso acrescentam que a legislação do trabalho impede que muitos contratos de trabalho que seriam desejados por compradores e

1 Robert Peel o mais velho era pai de Robert Peel o mais jovem, que se tornou célebre quando chefe do governo britânico ao revogar, em 1846, as Leis do Trigo (*Corn Laws*).

vendedores de força de trabalho possam se realizar, o que faz que o emprego legal seja menor que o emprego efetivo (no qual se inclui o emprego ilegal) e muito menor que o emprego potencial. Os liberais acusam a legislação trabalhista, que em geral encarece a força de trabalho para o empregador, de ser uma causa importante do desemprego involuntário, que não existiria se capitalistas e trabalhadores pudessem transacionar sem estar submetidos aos óbices legais.

Os defensores da legislação trabalhista tomam como ponto de partida a enorme desigualdade de poder econômico entre capitalista e trabalhador, a qual torna a propalada liberdade de contratação uma triste piada. O trabalhador depende de que alguém o empregue para a sobrevivência própria e de sua família. O capitalista precisa empregar trabalhadores para valorizar seu capital, mas sua necessidade é muito menos urgente e vital do que a do trabalhador. Em geral, o empresário pode operar com menos empregados do que o número por ele almejado, à espera de que apareçam candidatos em condições (para ele) propícias. Já o trabalhador não pode comer nem dar de comer à família se não tiver salário. Sua capacidade de esperar que surja o emprego em condições (para ele) propícias é portanto muito menor. Além disso, no mercado de trabalho a regra é o excesso de oferta, o que foi demonstrado por Marx ao assinalar a presença permanente nas economias capitalistas de um ponderável exército industrial de reserva.

Esse excesso de oferta inferioriza o trabalhador, ao obrigá-lo quase sempre a se submeter às condições "propostas" pelo capitalista. A legislação trabalhista – que na Grã-Bretanha, assim como nos demais países, é sempre conquista do movimento operário – eleva a barganha entre capital e trabalho do plano individual ao plano coletivo. As restrições da lei fortalecem o poder de barganha dos mais fracos, tornando as negociações coletivas entre capitalistas e trabalhadores menos desiguais. A proibição de empregar crianças, de trabalhar além dos limites de jornada legal, de ajustar salários abaixo do mínimo legal etc., fortalece a posição dos assalariados ao eliminar do mercado uma parte da oferta que se poderia considerar "desesperada". A legislação fabril protege a força de trabalho ao proibir que ela se venda em condições deletérias à sua própria reprodução.

Dentro de certos limites, a legislação fabril foi aceita e patrocinada por industriais esclarecidos, como Peel, que contavam com o apoio de outros, que eram socialistas, como Owen. Mas havia pouca esperança que um parlamento eleito por voto censitário pudesse algum dia votar uma legislação que efetivamente restringisse a exploração do trabalho pelo capital. Daí que a luta pela proteção legal ao trabalhador desembocasse naturalmente na luta pelo alargamento dos direitos políticos, que estava sendo conduzida pelos liberais mais radicais, na Inglaterra, desde os tempos da Revolução Americana e da Revolução Francesa.

Governo representativo, ampliação dos direitos políticos e liberdades civis eram objetivos de um amplo movimento político radical que sofreu forte impacto – positivo e negativo – da luta pela independência das colônias americanas e dos logros da Revolução Francesa. Ambas as revoluções burguesas vitoriosas contaram com a simpatia e o apoio do radicalismo britânico, ansioso por conquistar também em seu país avanços políticos análogos. Infelizmente, os radicais se encontravam, nos dois casos, do lado "errado" das trincheiras. A Revolução Americana se fez contra a Grã-Bretanha e qualquer manifestação de simpatia pelos insurretos equivalia a um ato de lesa-pátria.

Quanto à Revolução Francesa, gozou de início de intenso apoio por parte de diferentes setores da sociedade inglesa. Mas, a partir de 1793, a Grã-Bretanha entrou em guerra com a França revolucionária e, com pequenos intervalos, permaneceu em beligerância até Waterloo (1815). Durante essas duas décadas, qualquer agitação contra a coroa e a Igreja era imediatamente estigmatizada como traição e seus líderes sujeitos a penas de degredo na Oceania, aonde menos da metade chegava viva. A aristocracia e o clero viviam atormentados pelo temor de levantes revolucionários e era prática comum infiltrar agentes provocadores em círculos liberais e democráticos. A agitação subversiva que havia foi assim exterminada e muita pseudossubversão foi artificialmente fomentada pelos agentes. Culpados e inocentes foram igualmente vítimas da mão pesada da repressão (Cole; Postgate, [1956] 1964, cap.XIII).

Terminadas as guerras napoleônicas e superadas as crises pós-bélicas, o movimento pela reforma do parlamento voltou com ímpeto redobrado. Além dos liberais e democratas, predominantemente de classe média, o movimento contava com o apoio de setores das classes dominantes, particularmente da burguesia industrial, que se via prejudicada pela política econômica dos conservadores, particularmente pelas Leis do Trigo, que sustentavam os preços dos cereais em nível alto, o que elevava os salários de subsistência. A essa coligação foram se juntar os operários, que passaram a almejar a proteção legal de seus interesses.

> A classe ascendente de mercadores e empregadores industriais nos Midlands e no Norte começaram a expressar mais abertamente ressentimento contra uma política econômica projetada para favorecer os interesses dos proprietários fundiários, mas calculada para obstruir o crescimento da indústria e do comércio. [...] As classes médias começaram a exigir mudança de política e a agitar por uma reforma do parlamento como único meio de assegurá-la. Elas começaram a juntar forças com os radicais e os trabalhadores na demanda por reforma (ibid., p.244).

O envolvimento dos trabalhadores no movimento pela reforma foi a segunda das suas reações fundamentais à revolução capitalista. Os trabalhadores deram, por exemplo, total apoio à agitação pela revogação das Leis do Trigo, convictos de que a liberdade de comércio contribuiria para a melhoria do seu padrão de vida. A participação no movimento pela ampliação do sufrágio colocou para os trabalhadores a perspectiva de conquista de plena cidadania para eles próprios. Em poucos anos, passou-se da reivindicação de maior representatividade do parlamento à luta pelo sufrágio universal masculino (a luta pelo sufrágio feminino surgiria uma geração depois).

A aliança entre burguesia industrial, classes médias progressistas e operariado abriu para o último um canal de participação política de que carecia anteriormente. Durante o período de repressão a qualquer pedido de reforma, o parlamento aprovou, em 1799, os *Combination Acts*,

> que tornavam passível (para réus primários) a condenação por três meses de prisão ou dois meses de trabalho forçado de qualquer trabalha-

> dor que combinasse com outro para obter aumento de salário ou um decréscimo de horas ou solicitasse a qualquer outro a deixar o trabalho ou se recusasse a trabalhar com qualquer outro trabalhador. [...] Os *Acts* também proibiam nominalmente combinações de empregadores, sem a obrigação de testemunhar (contra companheiros) e sem penalidades de prisão. Mas essa proibição nunca foi implementada, embora combinações de empregadores fossem abertas e frequentes durante o quarto de século seguinte (ibid., p.173-4).

Os *Combination Acts* foram fartamente utilizados por patrões e Estado para esmagar os sindicatos de trabalhadores, que antes estavam se fortalecendo. Graças ao crescimento das lutas por reforma parlamentar, foi possível obter a revogação dos *Combination Acts*, em 1824. A revogação foi de certa forma uma surpresa para os sindicalistas, que não imaginavam que ela pudesse ser aprovada por um parlamento não reformado. Mas, graças à invulgar habilidade de dois deputados radicais, Francis Place e Joseph Hume, e ao apoio de uma restrita bancada de parlamentares, a revogação foi alcançada.

A revogação dos *Combination Acts* propiciou o ressurgimento com muito vigor dos sindicatos, muitos dos quais tinham sido esmagados pela repressão, enquanto outros haviam mergulhado na clandestinidade. Estes últimos, muitas vezes, mantinham uma fachada legal sob a forma de *Friendly Societies* (sociedades de ajuda mútua ou mutualistas). Com a revogação dos *Combination Acts*, muitos sindicatos voltaram a atuar abertamente, dando publicidade a seus objetivos e procurando recrutar mais membros. Além disso, em 1824, a economia britânica passava por um auge cíclico, com nível elevado de emprego e aumento do custo de vida. Nessas circunstâncias, eclodiu ampla onda de greves, com diversas categorias de trabalhadores conquistando aumentos salariais. Em 1825, a economia entrou em crise, o emprego caiu e os empregadores começaram a anular as concessões que haviam feito a seus trabalhadores. Os sindicatos resistiram às pretensões do patronato e desencadearam uma segunda onda de greves, em defesa de suas conquistas anteriores (ibid., p.233-4).

Os adversários do sindicalismo conseguiram que o parlamento aprovasse, em 1825, nova lei que restringia bastante a atividade sindical, sobretudo a realização de greves. Mas o *status* legal dos sindicatos foi mantido. A legislação sindical foi, desde então, um dos principais pomos de discórdia entre a classe operária e a burguesia. O que propiciou uma das justificativas mais importantes para a contínua participação dos trabalhadores na esfera política. O enquadramento institucional das lutas sindicais tornou-se cada vez mais importante como fator determinante de seus resultados. A participação dos assalariados nos ganhos de produtividade passou a depender, em boa medida, do espaço de atuação sindical que a legislação delimitava.

O primeiro grande movimento pela reforma parlamentar, na Grã-Bretanha, desenrolou-se na década dos anos 1820. Reunia um amplo arco de forças que iam desde a aristocracia *whig* e os *whigs* mais avançados, que queriam abrir o sistema político às classes médias – das quais a burguesia industrial era o principal componente –, até os "radicais filosóficos" (Bentham e seguidores), que almejavam o sufrágio universal masculino e, à esquerda destes, o movimento operário, exigindo o mesmo (ibid., p.246-7).

Em 1830, estourou uma revolução na França que levou ao trono Luís Felipe de Orleans e deu às classes burguesas acesso ao poder, até então monopolizado pela aristocracia bourbônica. Isso deu alento ao movimento reformista britânico, que logrou ampla mobilização de massas para obrigar a maioria parlamentar e o rei a promulgar a primeira das reformas políticas do século. Antes fora necessário sobrepujar inúmeras resistências, sobretudo na Câmara dos Lordes. Em 1831, ela rejeitara o projeto dos *whigs*.

> O perigo em que se encontrava o projeto em 1831 solidificou as forças populares em seu apoio. Seus oponentes da classe operária[2] ficaram reduzidos a uma pequena minoria e a massa de reformadores da classe operária se somou às *political unions* na luta pelo projeto. Quando os lordes o rejeitaram, a revolução, apoiada pelos reformadores de classe média assim como de classe operária, parecia plenamente possível. Todas as organizações reformadoras exigiam a criação de pares (adicionais)

2 Trata-se de oponentes ao projeto *whig*, que o recusavam por não instituir o sufrágio universal masculino.

> em número suficiente para assegurar sua aprovação. Os *whigs* tinham de avançar ou enfrentar uma revolução. Mas eles hesitavam em pedir ao rei que inundasse a Câmara dos Lordes fazendo novos pares; pois ele poderia muito bem recusar e aí a revolução seria inevitável. Grey apresentou o projeto com pequenas alterações, de novo ele passou pelos Comuns e o reenviou aos Lordes que, em abril de 1832, o aprovaram em segunda leitura por uma maioria de nove votos (ibid., p.253-4).

A Grã-Bretanha se encontrou à beira de uma revolução em 1830-1832, que só não aconteceu porque, no último momento, rei e aristocracia *tory* resolveram ceder e partilhar o exercício do poder governamental com novos grupos sociais emergentes, em especial com a burguesia industrial. Segundo Cole e Postgate ([1956] 1964, p.255), a mobilização popular que possibilitou a conquista da reforma de 1832 resultou, em parte, da gravidade da depressão em que se achava mergulhada a economia em 1831 e 1832. "As multidões que tomaram Bristol queimaram o castelo de Nottingham e promoveram desordens em muitas partes do país e foram impelidas pela fome tanto quanto pelo ardor pela reforma."

O proletariado, de certa forma, colocou-se na vanguarda de uma luta que ainda não era a sua. O avanço democrático possibilitado pela reforma de 1832 foi muito maior do que os reformadores de classe média esperavam, graças ao empenho desesperado das massas operárias, impelidas pela crise e pelo ódio à exclusão política. Mas o voto continuava censitário. Todos os grupos que ganharam a cidadania política eram possuidores de rendas. A classe operária continuava à margem.

> A revolução de 1832, consequentemente, transferiu o poder político da aristocracia à classe média. [...] Mas esses *whigs*, e depois os *tories*, que os sucederam no governo, respondiam diretamente à opinião e necessidades da classe média. Eles respondiam ainda menos que os governos antigos à opinião da classe operária, pois agora não precisavam temê-la. A classe operária foi mantida fora e a exclusão fora inteiramente exitosa (ibid., p.258).

Não obstante, o novo parlamento, eleito após a reforma, aprovou, em 1833, a primeira lei fabril que possuía efetividade, pois criava quatro cargos de inspetores de fábrica. Os relatórios desses inspetores, que Marx imortalizaria depois nas páginas de *O capital*, tiveram grande impacto sobre a opinião pública, a qual passou a exigir novos passos no que acabou se tornando, com o passar do tempo, ampla legislação industrial e do trabalho.

Embora o movimento operário se sentisse abandonado e traído, não tardou muito para voltar à liça, agora sob a forma de nova campanha por reforma, dessa vez de caráter nitidamente operário. Foi o movimento pela Carta do Povo ou cartismo, que começou em 1836, em Londres, com a formação da London Workingmen's Association for Benefiting Politically, Socially and Morally the Useful Classes – LWMA (Associação Londrina de Trabalhadores para Beneficiar Política, Social e Moralmente as Classes Úteis). A LWMA fez uma petição ao parlamento, em 1837, que incluiu todos os seis pontos que constituiriam depois a carta: *sufrágio universal masculino, distritos eleitorais iguais, parlamentos anuais, remuneração dos parlamentares, voto secreto e nenhuma exigência de propriedade para pertencer ao parlamento.*

É interessante notar que os seis pontos destinavam-se não apenas a estender o direito de voto aos operários desprovidos de renda e propriedade, mas a possibilitar a eleição de deputados operários. Para tanto, julgava-se essencial que os parlamentares fossem remunerados e que o direito de candidatar-se não fosse restringido por qualquer exigência de propriedade. Na quarta década do século passado, a classe operária britânica se deixou mobilizar para a conquista de poder político democrático. Já estava claro que a maioria da sociedade era formada por trabalhadores e que, portanto, a democracia implicava poder operário. Era também o entendimento do governo de sua majestade. "Lorde John Russel, em oposição pelo governo, declarou (no parlamento) que a carta significa o confisco de toda propriedade" (ibid., p.284).

O movimento cartista foi capaz de mobilizar a classe trabalhadora como nenhum outro o fizera até então. Sua direção era coligada, composta por uma vertente de homens razoáveis que queriam utilizar a persuasão (representando os artesãos mais qualificados) e outra vertente de exaltados, que achavam inescapável o uso da força e propunham a insurreição (e que representavam a massa miserável e superexplorada). A liderança inicial estava com os moderados, que desenvolveram o plano de organizar uma coleta nacional de assinaturas para uma petição ao parlamento, pedindo a aprovação da Carta do Povo. A petição seria apresentada por uma convenção, formada por delegados eleitos em todo o país. Se o parlamento rejeitasse a carta, convocar-se-ia uma greve geral por um mês, o chamado "mês sagrado".

O plano foi de fato posto em prática duas vezes. Na primeira, em 1839, a petição reuniu 1,28 milhão de assinaturas, o que não impediu que ela fosse rejeitada pelo parlamento. Mas a greve geral não saiu por falta de apoio organizado. Passou-se então à tentativa de insurreição, que deveria ser desencadeada pela tomada de Newport, tendo em vista a libertação de Henry Vincent, o melhor orador da LWMA. Em 4 de novembro daquele ano, cerca de 4 mil insurretos, liderados por John Frost, negociante de roupas, ex-prefeito e veterano político radical, atacaram o Westgate Hotel, em que cerca de trinta soldados resistiam entrincheirados. As tropas cartistas atacavam em massa, mas eram ceifadas pelas descargas dos legalistas, cujos tiros não podiam errar de alvo. Após algumas dezenas de baixas, os atacantes debandaram e a liderança cartista foi toda presa.

Assim terminou a primeira fase do movimento. Mas, em 1840, o cartismo se reorganizou e preparou um novo abaixo-assinado.

> (A petição) era mais direta e redigida com mais efetividade do que a precedente, era assinada por 3.317.702 pessoas e tinha mais de seis milhas de comprimento. Separada no plenário da Câmara (pois era longa demais para entrar inteira), ela fez o recinto parecer "como se tivesse nevado papel". Naturalmente, ela foi rejeitada por 287 votos a 49 (ibid., p.289).

A rejeição deixou o cartismo frustrado e furioso, pois estava no auge de sua força e ao mesmo tempo impotente, pois não tinha recursos nem organização para organizar uma insurreição ou uma greve geral. Esta acabou ocorrendo por acaso. Como uma fagulha num ambiente carregado de gases, uma greve, na segunda semana de agosto de 1842, em Ashton-under-Lyne foi transformada em luta pela carta e imediatamente começou a se alastrar para Manchester, de onde se irradiou para Lancashire, Yorkshire, Cheshire, The Potteries, Warwickshire e para Gales. Em seguida, aderiram os mineiros escoceses.

A Associação Cartista se dividiu perante o movimento, que ela não tinha convocado nem controlava. No final, deu seu apoio entusiástico. Mas Feargus O'Connor, o mais influente dos líderes cartistas, editor do *Northern Star*, sustentou publicamente que a greve fora provocada pela Anti-Corn Law League (Liga Anti-Lei do Trigo) e que ele se via obrigado a apoiá-la como fato consumado. Mas, em 27 de agosto, O'Connor mudou de posição e denunciou a greve como uma trama da Anti-Corn Law League e que ele (O'Connor) acabaria com ela. Isso abalou o movimento, que já estava se debilitando no centro e acabou em seguida. E o cartismo, enquanto movimento operário de massa, acabou junto (ibid., cap.XXIII).

É importante registrar que o cartismo recusou apoio à agitação contra a Lei do Trigo, apesar da aliança tradicional do movimento operário com a burguesia industrial nessa questão. A baixa do preço do trigo, que a revogação da Lei do Trigo provocaria, era do interesse tanto dos empregados como dos empregadores. Mas O'Connor opunha-se a qualquer aliança com um movimento organizado e financiado pelos industriais. Os cartistas argumentavam que, tão logo o preço do pão caísse, os patrões tratariam de reduzir os salários na mesma proporção. Diga-se de passagem que essa proposição decorria da melhor ortodoxia econômica da época, em cuja origem estava David Ricardo.

A revogação da Lei do Trigo, que afinal foi aprovada em 1846, de certa forma representou a culminância da revolução capitalista na Grã-Bretanha, pois ela instituiu o livre-câmbio e com ele o *laissez-faire*. A Grã-Bretanha foi o primeiro país a sacrificar a sua agricultura – apesar de o estrato governante ser composto quase inteiramente pela aristocracia terratenente – em prol da livre competição, o que significou entregar o destino da nação à classe capaz de produzir mais barato. Nos anos seguintes, a Grã-Bretanha foi imitada pela França, Alemanha e demais países europeus, além dos Estados Unidos. A voga do livre-câmbio durou apenas algumas décadas, mas sua hegemonia ideológica nunca foi totalmente abalada e ressurgiu desde os anos 1970 com toda a força.

O cartismo representou portanto não só o primeiro grande movimento político das massas operárias em prol da democracia, mas também o primeiro movimento declaradamente antiburguês. No momento em que a primeira revolução capitalista estava para atingir o seu auge, a reação da classe operária atravessava uma etapa crucial de sua evolução, deixando de ser sócio menor das "classes médias" para levantar suas próprias bandeiras, declarando sua independência de classe. Seria bonito poder acrescentar que desde então essa independência nunca foi contestada. Mas não seria verdadeiro. Como veremos, a luta anticapitalista da classe operária teve uma trajetória algo ziguezagueante, em que avanços foram abandonados apenas para serem refeitos passado algum tempo.

## *Sindicatos e cooperativas*

Vimos até aqui que a classe operária reagiu à revolução capitalista de duas maneiras opostas. De um lado, procurou opor-se ao capitalismo industrial em ascenso, primeiro tentando impedir o uso do maquinário e depois colocando-se como meta histórica a construção de uma outra sociedade, coletivista, em que os meios de produção seriam ou propriedade comum ou propriedade privada mas acessível a todos. De outro, a classe trabalhadora iniciou a busca do amparo institucional que o Estado poderia lhe oferecer, tanto mediante a legislação trabalhista como pela legalização dos sindicatos operários e da realização de greves. Como meio para conquistar esse amparo, o movimento operário se lançou por inteiro na luta pela reforma parlamentar, prosseguindo nela quando as "classes médias", tendo obtido os direitos políticos, abandonaram a luta.

E a terceira reação, estreitamente ligada às outras duas, mas analiticamente distinta, foi a ação direta no campo econômico. Enquanto vendedores de força de trabalho, os trabalhadores viam-se inferiorizados não apenas por serem pobres e, por isso, extremamente dependentes dessa venda, mas por estarem desunidos, entrando em concorrência entre si para o gáudio dos patrões. Ao contrário destes, que tendiam a gostar de concorrência,[3] os operários não tardaram a aprender que ela lhes era prejudicial. Na livre disputa entre empregados e desempregados pelo emprego, é fácil imaginar que o salário cai ao seu nível mínimo de subsistência e lá tenderá a ficar. Portanto, tornou-se vital para os operários evitar o confronto entre eles, organizando-se sob a forma de monopólio para compensar a superioridade econômica dos compradores de força de trabalho.

Na fase histórica sob exame – o primeiro século a partir da revolução industrial –, os sindicatos são formados exclusivamente por trabalhadores qualificados, sejam estes artesãos ou operadores de máquina. Os não qualificados eram principalmente mulheres e crianças e sua pobreza e desamparo eram, na época, obstáculos intransponíveis à sua organização sindical. Os trabalhadores qualificados tinham suas organizações de ofício, chamadas *trades*. Em cada local, havia uma *trade* ou *trade club* para cada ofício. Uma *trade union* era uma associação de clubes do mesmo ofício de um conjunto de cidades, abrangendo uma região ou várias e até mesmo o país.

> Esses clubes faziam encontros algumas vezes em cafés, mas mais frequentemente em tavernas – pois não havia outro lugar disponível. [...] Os objetivos do clube eram, para começar pelo mais importante, comprar cerveja e ter fins de tarde alegres; em segundo lugar, iniciar e aceitar aprendizes ao ofício depois que eles serviram seu tempo legal, com uma cerimônia solene e bastante ridícula, possivelmente copiada dos maçons; em terceiro lugar, manter fundos para enfermidade e para enterro; em quarto lugar, proporcionar um "endereço" para os mestres em que trabalhadores qualificados podiam normalmente ser encontrados – uma bolsa de trabalho primitiva; em quinto lugar, defender as regras de ofício existentes, tais como a limitação do número de aprendizes; nisso,

3 Ideologicamente, a burguesia tende a exaltar as virtudes da livre concorrência, o que não a impede de fundir seus capitais sempre que os ganhos de escala favoreçam essa opção. Não obstante, é preciso reconhecer que em todos os países a burguesia tolerou, quando não encorajou, o Estado a impedir que a crescente centralização de capitais acabe em monopólio nos diversos mercados.

> os membros tinham geralmente o apoio dos pequenos mestres que trabalhavam e que durante muitos anos frequentemente eram membros eles mesmos do clube. [...] Mas, dados esses objetivos, era apenas natural que a eles se somasse, de vez em quando, a defesa dos salários quando atacados ou mesmo o seu aumento quando o custo de vida subia (Cole; Postgate, [1956] 1964, p.170).

Esses clubes eram, entre outras coisas, sociedades mutualistas, como o terceiro objetivo deixa claro. A iniciação de aprendizes, apesar do ridículo da cerimônia, tinha a função essencial de manter a unidade dos trabalhadores: ninguém estava autorizado a exercer o ofício sem ter sido aprendiz e a promoção deste era feita pelo clube, que dessa forma se assegurava que todos os trabalhadores desse ofício pertenciam a ele. Sociedades mutualistas são tradicionais, embora os *trade clubs* do século XVIII e do seguinte fossem muito mais novos do que alegavam. Era grande o prestígio da tradição na época, de modo que é compreensível que os clubes de ofício procurassem amparar-se nela.

A defesa ocasional do salário é que requeria a união dos clubes da mesma região, em virtude do alargamento do mercado de trabalho produzido pela revolução capitalista. Esta não só começou a pôr em contato as diversas cidades, por canais e, em seguida, por ferrovias, como também promoveu a expulsão em massa de pessoas do campo, o que criava uma oferta itinerante de força de trabalho, não qualificada e desesperada. Além disso, as novas máquinas que os capitalistas estavam introduzindo eram movidas por motores hidráulicos ou motores a vapor, o que tornava a força física dos homens menos imprescindível. Se os clubes de ofício não se combinassem para resistir, as regras costumeiras que regulavam seu trabalho seriam rapidamente abolidas pelo avanço do sistema fabril.

No final do século XVIII, havia sindicatos – *trade unions* – relativamente fortes na Inglaterra e que ofereciam resistência à revolução capitalista em seus ofícios. Foi em reação a essa resistência que os *Combination Acts* foram adotados, como vimos anteriormente, pelo parlamento em 1799. Já antes, haviam sido aprovadas cerca de quarenta leis proibindo combinações de trabalhadores em ofícios específicos. Mas a implementação dessas leis deixava a desejar. Com a marcha cada vez mais ampla da industrialização, mais e mais ofícios eram atingidos, o que provocava a formação de *trade unions* para a sua defesa. Só que, a partir de 1799, a legislação dava toda a liberdade e incentivo aos juízes para condenar os sindicalistas, o que de fato acarretou a destruição de parte dos sindicatos.

A legislação britânica dava proteção aos trabalhadores, atribuindo aos juízes a fixação de salários quando patrões e empregados divergiam; além disso, a lei do aprendizado tornava legal limitar a oferta de força de trabalho. Impedidos pelos *Combination Acts* de agir diretamente, os sindicatos passaram a dirigir-se aos tribunais para solicitar que fixassem salários e garantissem os direitos de exclusividade aos que fizeram o aprendizado regular. Em cada caso, a legislação protetora dos trabalhadores foi suspensa pelo parlamento e finalmente revogada. "No fim da guerra (napoleônica) já não havia qualquer pretensão de proteção ao trabalhador" (ibid., p.176).

Dessa maneira, a organização econômica dos trabalhadores em defesa de seus direitos tradicionais contra a ameaça da industrialização foi tornada ilegal e efetivamente reprimida, até 1824. Como vimos, nesse ano, os *Combination Acts* foram revogados, o que permitiu aos sindicatos reemergir à luz pública e retomar suas atividades. Só que nesse quarto de século a revolução capitalista já havia avançado ramo após ramo, redefinindo os processos de trabalho com a exclusão dos trabalhadores qualificados para o trabalho artesanal ou manufatureiro.

O sindicalismo, que ressurgiu após o fim dos *Combination Acts*, passou a ser fortemente influenciado pelas ideias de Owen. Isso era lógico. Como a oposição ao industrialismo mostrava-se inviável, a única opção que restava aos trabalhadores era desenvolver um projeto de sociedade em que seus interesses pudessem ser realizados através do aproveitamento das forças produtivas desencadeadas pelas máquinas e pelos motores. O perfil de John Doherty, o mais importante líder operário dessa fase, esclarece a revolução ideológica sofrida pelo movimento operário.

> John Doherty, que veio a Lancashire de Ulster em 1817, era, nesse período, de longe, o líder do movimento sindical do Norte. Um owenista

> ardente, ele considerava o sindicalismo não só um meio de proteger as condições de vida da classe trabalhadora, mas também um instrumento para mudar a base da ordem econômica. Ele almejava não só criar uma poderosa e abrangente sociedade de fiandeiros de algodão, cobrindo todas as áreas da Grã-Bretanha, mas fundir toda classe operária num corpo fortemente unido para a proteção mútua e para a criação de um novo sistema social (ibid., p.236).

Em 1829, Doherty conseguiu reunir uma conferência na ilha de Man, que representava os fiandeiros da Inglaterra, Escócia e Irlanda e na qual foi fundada a Grand General Union of All the Spinners of the United Kingdom (Grande União Geral de Todos os Fiandeiros do Reino Unido). Logo em seguida, Doherty começou a preparar o que chamaríamos hoje de central sindical. Em março de 1830, ele fundou o *United Trades Co-operative Journal* e, em junho do mesmo ano, conseguiu lançar numa conferência bem representativa a Associação Nacional para a Proteção do Trabalho, que pretendia unir todos os sindicatos do país. No clima de agitação pela reforma parlamentar, a associação passou a crescer rapidamente, conseguindo a adesão de sindicatos de todos os ramos.

Nessa altura, é preciso introduzir as cooperativas, que tinham sua origem também em reações defensivas de trabalhadores, no caso contra preços altos de bens de primeira necessidade. A mais antiga cooperativa com existência documentada parece ter sido iniciativa de trabalhadores empregados nos estaleiros de Woolwich e Chatham, que em 1760 fundaram moinhos de cereais em base cooperativa para não ter de pagar os altos preços cobrados pelos moleiros, que dispunham de um monopólio local. No mesmo ano, o moinho de Woolwich foi incendiado e os padeiros da localidade foram acusados de serem os culpados. Graças ao incidente, a história registrou a existência dessas duas cooperativas de produção.

Moinhos e padarias cooperativas multiplicaram-se na Inglaterra, sobretudo depois que começaram as guerras contra a França (1793) e o preço do trigo disparou. A cooperativa de consumo mais antiga, registrada pela documentação, foi a da sociedade dos tecelões de Fenwick, iniciada em 1769. A segunda mais antiga foi outra cooperativa escocesa, a Govan Victualling Society, de 1777. A mais antiga cooperativa de consumo inglesa foi a Oldham Co-operatiue Supply Company, de 1795. E, como exemplo antigo de cooperativas de produção não destinadas a abastecer seus sócios, cita-se a formada pelos alfaiates de Birmingham, em 1777 (Cole, 1944, p.13-5).

É provável que as cooperativas tenham sido um desdobramento lógico das atividades dos *trade clubs* enquanto sociedades mutualistas. Trabalhadores que mantêm fundos comuns para atender emergências como doenças e óbitos têm facilidade para criar outros fundos destinados a compras em comum e até para projetos mais ambiciosos, como moinhos e padarias. Antes da generalização do vapor, as fábricas se localizavam à beira das correntes d'água, muitas vezes afastadas de qualquer centro urbano. Nessas condições, os empregadores alugavam moradias aos trabalhadores e montavam armazéns para abastecê-los.

Esses armazéns eram monopólios e poucos patrões resistiam à tentação de explorar seus empregados, vendendo-lhes artigos, algumas vezes adulterados, a preços muito altos. Além disso, os trabalhadores precisavam comprar fiado, quando o dinheiro acabava antes do próximo pagamento. O que dava lugar a novos abusos, pois o patrão acumulava os papéis de fornecedor monopolista e usurário, cobrando juros elevados pelo crédito concedido (no Brasil, o endividamento incessante dos colonos das fazendas de café no "barracão" era notório). A difusão das cooperativas de consumo foi causada pelo desejo de escapar dessa tripla exploração pelo capital, enquanto empregador, fornecedor e agiota.

A difusão inicial das cooperativas coincide com a revolução industrial, o que dificilmente terá sido por acaso. Como vimos na parte inicial, a revolução industrial ocorre numa conjuntura favorável à manufatura, em que inovações técnicas barateavam os produtos e permitiam expandir fortemente a produção. Nesse período, diferentes categorias de trabalhadores qualificados gozavam condições favoráveis no mercado de trabalho, o que deve lhes ter proporcionado meios para desdobrar atividades mutualistas, iniciando cooperativas de consumo e de produção para autoconsumo. A situação desses trabalhadores só vai piorar nitidamente após o fim das guerras napoleônicas, quando crises e depressões se sucedem com rapidez. Vale observar que, tal qual os sindicatos, também *as cooperativas foram sempre iniciativas de trabalhadores qualificados*.

Ao mesmo tempo que cooperativas iam sendo organizadas pelos clubes de ofícios, as ideias de Owen iam sendo aceitas e adaptadas.

> Em 1820, George Mudie, editor do jornal *Sun*, associado a um grupo composto principalmente por impressores londrinos, propôs um "plano" de uma comunidade. O "plano" de Mudie era apenas parcialmente derivado de Owen, cujos pontos de vista a respeito de religião ele não compartilhava. Propôs que ele e seus companheiros impressores e jornalistas se juntassem para adquirir acomodações em que pudessem viver em comunidade e exercer seus ofícios para seu benefício comum. No ano seguinte, a comunidade proposta foi efetivamente formada e Mudie com seus amigos imprimiram e publicaram, em 1821 e 1822, o primeiro jornal cooperativo intitulado *The Economist*. Sua sociedade, a Sociedade Cooperativa e Econômica de Londres, é a primeira iniciativa cooperativa conhecida na área de Londres e a primeira em qualquer lugar a incorporar um evangelho social definido. Ela rapidamente encontrou um sucessor menos ambicioso depois que desistiram do experimento de morar junto em comunidade. *The Economist* foi sucedido, em 1823, pelo *The Political Economist and Universal Philantropist*... (Cole, 1944, p.21).

Outros experimentos cooperativos, em escala ainda mais ambiciosa, foram realizados por essa época: centenas de owenistas se estabeleceram em Orbiston, em 1826, formando uma comunidade que parecia exitosa até o súbito falecimento de seu idealizador e principal financiador Abraham Combe, em 1827, o que acarretou a dissolução do empreendimento e a venda em hasta pública do imóvel; na Irlanda estabeleceu-se a Ralahine Co-operative Community, entre 1831 e 1833, numa propriedade rural cujo dono, John Scott Vandaleur, convenceu os arrendatários a formar uma comunidade e arrendá-la não mais individual, mas coletivamente. Durante dois anos a renda foi paga pontualmente e as condições de vida na comunidade melhoraram sensivelmente. Infelizmente, Vandaleur perdeu a propriedade no jogo e o novo dono encerrou a experiência.

E houve outras "aldeias cooperativas", inclusive duas dirigidas pessoalmente por Owen: uma, entre 1825 e 1829, denominada New Harmony, em Indiana, Estados Unidos; a outra foi Queenswood ou Harmony Hall, iniciada em 1839 e terminada em 1846. A comunidade era financeiramente insustentável, sendo mantida por generosas contribuições de ricos simpatizantes.

> Os grupos socialistas em todo o país estavam ficando cansados das repetidas solicitações de dinheiro para sustentar a comunidade de Queenswood quando eles queriam usar tudo o que conseguiam levantar para financiar suas próprias atividades locais. [...] muitos dos owenistas mais influentes renunciaram, inclusive os que tinham provido a maior parte do dinheiro. Em 1845, um congresso especial, realizado em Londres, decidiu encerrar o caso; e no ano seguinte o fim chegou quando, em junho de 1846, Finch, como um dos curadores, despejou o governador Buxton e vendeu Harmony Hall a George Edmondson, que depois, durante muitos anos, manteve ali com sucesso uma escola progressista (ibid., p.35-6).

Essa última experiência tinha por finalidade oferecer ao mundo um modelo de "aldeia cooperativa", para que o exemplo frutificasse numa quantidade crescente de novas aldeias na Grã-Bretanha e em outros países. E, de fato, durante alguns anos, Queenswood foi centro de peregrinação de simpatizantes e curiosos. Mas, fora a escola progressista de Edmondson, nada sobrou dessa tentativa. O que não impediu que, ao longo do tempo, variados movimentos socialistas, comunistas, anarquistas, alguns religiosos e outros não, iniciassem experiências comunitárias coletivistas em muitos países. Uma das tentativas que logrou mais êxito, inclusive econômico, tendo atravessado todo o século XX, foi a dos assentamentos coletivos judaicos na antiga Palestina e atual Israel.

Mais importante, do ponto de vista social, foi a proliferação de cooperativas ligadas mais ou menos diretamente a sindicatos de trabalhadores de ofício. Conhecem-se pelo nome mais de 250 sociedades cooperativas formadas entre 1826 e 1835, que é o período de máximo florescimento do cooperativismo owenista. Havia cooperativas em todas as áreas industriais do país, exceto no País de Gales (ibid., p.25).

A interconexão ideológica e organizacional de sindicatos e cooperativas operárias era muito forte.

> Tão logo o sindicalismo começou seu rápido crescimento, muitos trabalhadores começaram a perceber estreita afinidade entre os evangelhos sindical e owenista. Eles, tanto quanto Owen, estavam se revoltando contra os males da sociedade capitalista competitiva; eles, tanto quanto ele, estavam em busca de uma nova ordem social à base da ideia de fraternidade humana. Começaram a reinterpretar o owenismo em seus próprios termos, transformando as "aldeias de cooperação" propostas por ele de presentes oferecidos pelas classes governantes aos pobres em associações operárias autogovernadas a serem criadas pelos esforços dos próprios operários (Cole; Postgate, [1956] 1964, p.242).

As cooperativas formadas por sindicalistas integravam-se diretamente na luta de classes. Doherty, como vimos, organizou em 1830 a Associação Nacional para a Proteção do Trabalho em que tentou unificar todos os sindicatos de ofício da Grã-Bretanha. Esta era uma central puramente sindical,

> mas Doherty era um owenista ardente e difundiu a ideia do autoemprego cooperativo por todo lugar em que trabalhadores se organizavam. *Tornou-se comum que grevistas, em ofícios que podiam ser exercidos sem muito maquinário, em vez de cruzar os braços, se lançassem à competição com seus empregadores em esquemas de produção cooperativa.* [...] Muitas das numerosas sociedades cooperativas que foram formadas no fim dos 1820 ou no início dos 1830 eram dessa espécie, ou surgidas de greves ou criadas diretamente por grupos locais de sindicalistas que tinham salários rebaixados ou não conseguiam emprego. Algumas dessas cooperativas eram definitivamente patrocinadas por sociedades locais de ofício; e outras foram montadas com a ajuda de sociedades beneficentes cujos membros pertenciam ao mesmo ofício (Cole, 1944, p.24, grifos meu).

Essas cooperativas, embora socialistas em espírito (no sentido de se considerarem pioneiras de uma sociedade melhor, que no futuro substituiria o capitalismo), eram diferentes das comunidades cooperativas frequentemente formadas por gente de classe média e dependentes de contribuições filantrópicas para se estabelecer e, não poucas vezes, para subsistir. Essas cooperativas, que podemos chamar de "operárias", surgem da luta de classes e muitas vezes foram criadas para enfrentar e eliminar a empresa capitalista do mercado. A ideia era ingênua, mas empolgou os trabalhadores britânicos durante as jornadas quase revolucionárias dos 1820 e 1830. Ao contrário das cooperativas que chamaremos de "comunitárias", as operárias constituíram, nesse período, um genuíno movimento de massas, participando diretamente das lutas sindicais.

Ao lado das cooperativas operárias, desempenharam um papel importante as sociedades owenistas de propaganda cooperativa. Visando reunir fundos para estabelecer "aldeias de cooperação", essas sociedades costumavam organizar armazéns cooperativos que distribuíam os produtos das cooperativas operárias. Várias se transformaram em "bazares de escambo" ou "*equitable labour exchanges*" (bolsas de intercâmbio equitativo de trabalho), que promoviam o intercâmbio dos produtos de diferentes ofícios. As sociedades alugavam armazéns e aceitavam mercadorias produzidas individual ou coletivamente, para serem vendidas ou trocadas por outras. Daí desenvolviam-se cooperativas de consumo.

Foi dessa maneira que se deu o encontro histórico entre Owen e o movimento operário britânico. Em 1832, Owen criou o Labour Exchange, uma bolsa de intercâmbio de trabalho em escala nacional.

> Era um estabelecimento em Gray's Inn Road (com filiais ou armazéns satélites em Londres e províncias) em que "pessoas industriosas" ou cooperativas depositavam os produtos de sua atividade – roupas, batatas, portas, artefatos de metal e tudo o mais – que eram então avaliados em tempo de trabalho (seis dinheiros por hora; trabalho qualificado a uma taxa maior; os materiais eram avaliados a preços de mercado) e postos à venda por preços que incluíam uma comissão pelo uso do Exchange. O produtor recebia notas de "uma hora", "duas horas" e assim por diante, que eram usadas então para comprar outros bens do Exchange (Cole; Postgate, [1956] 1964, p.263-4).

Cumpre notar que a instituição era notavelmente engenhosa na maneira como combinava intermediação comercial e crédito. Os produtores não só tinham acesso a um mercado organizado, formado por eles próprios, como recebiam crédito imediato em notas de tempo de trabalho, o que permitia o giro rápido dos produtos sem uso de dinheiro externo. A avaliação em tempo de trabalho cumpria o que seria mais tarde codificado como um dos princípios do cooperativismo de consumo: a prática de preços justos. Em lugar de competição entre vendedores e barganha entre vendedor e comprador, o Exchange promovia intercâmbios a preços em que todos podiam confiar.

A bolsa de intercâmbio de trabalhos, criada por Owen, possivelmente com base na experiência dos *equitable labour exchanges*, teve enorme sucesso. O afluxo de mercadorias foi imenso e as lojas estavam lotadas de compradores. As "notas de trabalho" eram inclusive aceitas por comerciantes fora do Exchange. A administração da bolsa era feita por delegados das cooperativas operárias. Entre novembro de 1832 e novembro de 1833, a bolsa teve lucro. Mas, no ano seguinte, ela começou a decair, em parte por causa de problemas econômicos – produtos em maior demanda, como carne e alimentos, tiveram que ser vendidos em parte por dinheiro e em parte por notas de trabalho, enquanto havia produtos que encalhavam, mesmo podendo ser comprados só por notas de trabalho – e em parte por causa do declínio do movimento sindical como um todo, como será visto adiante. Em outubro de 1834, o Exchange foi fechado.

Essa experiência pôs Owen em contato direto com os sindicatos e o movimento operário e desse encontro ele extraiu a convicção de que os trabalhadores poderiam ser os sujeitos de sua emancipação. "Ele se convenceu rapidamente que os sindicatos em pouco tempo – cinco anos – transformariam a sociedade existente em uma comunidade socialista mediante a tomada da indústria e sua posterior gestão cooperativa" (Cole; Postgate, [1956] 1964, p.264).

Em setembro de 1833, Owen falou ao parlamento dos construtores, ou seja, ao encontro nacional de todos os sindicatos de ofício do ramo da construção civil. Convenceu-os a criar uma guilda e encarregar-se diretamente da construção sob forma cooperativa. Numa conferência, pouco tempo depois, Owen (como era comum aos socialistas utópicos) expôs um plano minucioso de organização socialista da produção: cada ofício formaria "lojas paroquiais", que mandariam delegados a "lojas de condado", que por sua vez mandariam delegados a "lojas provinciais", cujos delegados por sua vez se reuniriam em Londres com os delegados dos outros ofícios para regular a economia nacional. Em cada nível, a economia seria coletivamente organizada pelas lojas. O plano foi entusiasticamente recebido pela imprensa sindical e cooperativa.

Em outubro de 1833, Owen se dirigiu ao Congresso Cooperativo de Londres e propôs aos delegados o lançamento de uma Grand National Moral Union of the Productive Classes of the United Kingdom (Grande União Nacional Moral das Classes Produtivas do Reino Unido), que acabou substituindo de certo modo a Associação Nacional para a Proteção do Trabalho, de John Doherty. Esta fora semidestroçada, em 1831, em confrontos locais e regionais com os empregadores. Estes tinham se organizado e passado à ofensiva, usando como arma o locaute contra todos os trabalhadores sindicalizados. Embora a Associação Nacional promovesse a solidariedade entre os diferentes sindicatos de ofício, o poder da solidariedade intercapitalista mostrou-se naquele momento superior. Cada sindicato, fortemente pressionado em sua base, teve de se afastar da central para defender sua existência.

Mas, em 1832, o grande movimento pela reforma parlamentar tinha mobilizado fortemente o operariado e sua exclusão dos frutos da vitória produziu vasta frustração. Como resultado, surgiu nova onda de militância sindical, a partir de 1833, dessa vez sob a liderança direta de Owen.

A Grand National Moral Union "deveria ser construída por delegados de cada ofício organizado, em base de uniões paroquiais, distritais e provinciais e parece ter sido projetada para tomar toda a indústria do país da mesma forma como os construtores estavam se propondo a tomar a indústria de construção" (Cole, 1944, p.27).

Esses planos revolucionários, se tinham o condão de entusiasmar sindicalistas e cooperadores, produziram efeitos opostos nos círculos burgueses. A ofensiva patronal contra os sindicatos, que tinha esmorecido um pouco em 1832, foi retomada com mais força e foi apoiada por redobrada repressão política por parte do Executivo e Judiciário. Teve lugar então um vasto confronto de classe, tanto político como econômico. É esse aspecto que mais nos interessa aqui. Os mestres demitiam em massa os trabalhadores sindicalizados, que respondiam organizando cooperativas e procurando tomar o mercado dos patrões. Mas, para conseguir isso, precisavam sustentar os demitidos e impedir que os empregadores pudessem colocar em seu lugar outros trabalhadores não sindicalizados.

A ação conjunta de Estado e capital derrotou a coligação socialista de sindicatos e cooperativas. O governo resolveu dar uma demonstração de intolerância: prendeu seis trabalhadores agrícolas de Dorsetshire por tomar juramentos de companheiros que passaram a integrar uma loja. Esse simples fato, sem que houvesse sequer ameaça de greve, bastou para que fossem julgados e condenados a sete anos de desterro, em 18 de março de 1834. Owen organizou petições e uma demonstração de massa em Londres, mas sem resultado. A sentença foi crucial para liquidar o movimento sindical e cooperativo (Cole; Postgate, [1956] 1964, p.267).

Mas, o confronto deu-se basicamente no terreno econômico. Enquanto os trabalhadores enfrentavam categorias isoladas de empregadores, prestando-se ajuda mútua, eles tinham possibilidade de ganhar algumas batalhas. Mas, quando o patronato se organizou e partiu unido em ofensiva para destruir os sindicatos, estes tiveram de capitular. "O meio escolhido ficou conhecido como 'o documento', um compromisso que todos os empregados eram obrigados a assinar. Prometiam renunciar ao sindicato e recusar apoio a outros membros do sindicato. Em intervalos, durante os anos de 1833 e 1834, ele foi apresentado em diversas cidades e em diversas indústrias" (ibid., p.266).

Para que os trabalhadores organizados em cooperativas pudessem disputar o mercado aos capitalistas, eles precisariam, no mínimo, dispor de capital suficiente para manter a maioria ocupada. Quando ofícios inteiros eram vítimas de locaute, a escala do confronto era definida pelos capitalistas, que venciam os trabalhadores pela fome. Quando a iniciativa tinha sido dos trabalhadores, era possível limitar o âmbito das greves em cada momento de modo a ter sempre uma proporção suficiente de companheiros trabalhando, cujas contribuições sustentavam os que se privavam transitoriamente do salário. Nessas condições, a produção cooperativa dos grevistas podia reforçar o fundo de greve. Mas, quando os patrões faziam locaute geral, obrigavam todos os trabalhadores a produzir e vender em escala suficiente para sustentar todos os trabalhadores. O que era manifestamente impossível.

O grande movimento de mercadorias no Labour Exchange possivelmente era um reflexo do vasto movimento grevista e de locaute que teve lugar em 1833-1834. Mas o escoamento de produtos que o Exchange poderia proporcionar era provavelmente muito menor do que o oferecido pela rede comercial convencional, à qual as cooperativas operárias não podiam recorrer regularmente. Desse modo, quando a onda de locautes começou a quebrar a resistência sindical, tanto a Grande União Nacional Moral como a bolsa de intercâmbio de trabalho desabaram juntas, em fins de 1834.

## *O renascimento do cooperativismo: Rochdale – 1844*

Do fracasso do owenismo e, depois, do cartismo resultou um período de letargia do movimento operário britânico. Mas muitos sindicatos sobreviveram e provavelmente cooperativas também. Até meados do século XIX, as instituições anticapitalistas criadas pelo movimento operário tinham, em geral, existência precária. Movimentos políticos, sindicatos e cooperativas passavam por um momento de euforia, forte mobilização e confronto. Quando o confronto terminava com a derrota do movimento operário – o que foi sem dúvida o caso na maioria das vezes –, movimentos políticos, sindicatos e cooperativas ou desapareciam de vez ou hibernavam em situação de letargia pública, combinada frequentes vezes com atividades de pequenos grupos na clandestinidade.

Em 1844, Rochdale, cidade industrial perto de Manchester, assistiu à fundação de uma sociedade cooperativa, a Society of Equitable Pioneers, que à primeira vista seria apenas mais uma entre as muitas formadas nas décadas precedentes. Mas, essa cooperativa estava predestinada não só a perdurar e crescer, mas a se tornar a matriz de todas as cooperativas modernas. A saga dos Pioneiros Equitativos de Rochdale epitomiza uma nova etapa da história do movimento operário, de confronto e adaptação ao capitalismo.

Os 28 fundadores da Sociedade dos Pioneiros eram todos trabalhadores de ofícios, a grande maioria tecelões, já que Rochdale era um importante centro têxtil. À sua testa encontravam-se líderes owenistas e cartistas, cujas histórias refletiam as vicissitudes do movimento operário britânico da época. Ao que parece, a motivação imediata para a fundação da Sociedade foi uma longa greve de tecelões, que ocorreu em 1844 e terminou em derrota.

Mas o contexto mais geral era marcado pela desilusão com Owen, que fez Queenswood depender das contribuições de simpatizantes ricos e tolerou o uso de trabalho assalariado por parte de moradores de classe alta, que não se dispunham a realizar pessoalmente trabalho manual. Essas posturas levaram a uma cisão do movimento owenista, liderada por George Jacob Holyoake, um dos gigantes do cooperativismo. Entre os Pioneiros estavam os que tinham encabeçado a corrente favorável a que em Queenswood ninguém pudesse se furtar ao trabalho e que a comunidade deveria se autossustentar com o próprio trabalho (Cole, 1944, p.57-8).

A Sociedade dos Pioneiros tinha por objetivos: fundar um armazém para abastecer os sócios, construir casas para estes, manufaturar artigos para dar ocupação a sócios desempregados ou com salários reduzidos, comprar ou arrendar terras com a mesma finalidade e criar uma comunidade autossustentada pelo trabalho de seus membros, além de um hotel de temperança. Fica claro que os Pioneiros continuavam fiéis ao ideal socialista de vida em comum à base da produção coletiva, compartilhada equitativamente e que o estabelecimento de cooperativas de consumo e de produção era visto como passos sucessivos no caminho ao objetivo final.

O primeiro passo foi a criação de um armazém cooperativo. Ao dar esse passo, os Pioneiros inovaram ao adotar oito regras que evitaram fragilidades causadoras do fracasso de inúmeras tentativas anteriores. A primeira regra é que a Sociedade seria governada democraticamente, cada sócio tendo um voto, independentemente do capital que tenha investido. Este é um princípio essencial, que distingue o cooperativismo do capitalismo. Na empresa capitalista, o poder de decisão se origina do capital aplicado; em cooperativas, todos os sócios devem ter o mesmo poder de decisão.

A segunda regra é que a Sociedade seria aberta a qualquer pessoa que quisesse se associar, desde que integre uma cota mínima e igual para todos de capital (no caso de 1 libra). Esse princípio evita a degeneração de cooperativas com êxito nos negócios, que soem proporcionar ponderável excedente em relação ao capital aplicado. Em tais casos, os sócios fundadores tendiam a fechar a cooperativa a novos sócios, expandindo-a mediante o assalariamento de trabalhadores ou através da admissão de novos sócios, mas em condições inferiores às dos fundadores. Isso levava à exploração dos novos sócios ou dos assalariados pelos fundadores.

A terceira regra é sobre a divisão do excedente: o capital investido faria jus a uma taxa fixa de juros (no caso de 10%). A finalidade era evitar que todo excedente fosse apropriado pelos investidores, que é o princípio capitalista. Ao limitar a remuneração do capital a uma porcentagem fixa, a regra determina que o restante do excedente seja repartido segundo outro critério.

A quarta regra constitui este critério: o excedente que sobra depois de remunerado o capital deve ser distribuído entre os sócios conforme o valor de suas compras. Pretendia-se com isso estimular os cooperados a utilizar os serviços da sociedade, premiando-se os que lhe dessem preferência. A Sociedade precisava tanto do capital como da demanda dos sócios. A terceira e a quarta regras fixavam a repartição do excedente de uma forma que estimulasse tanto a inversão de poupança como as compras na cooperativa.

A quinta regra estabelece que a Sociedade só venderia à vista. Esta foi uma regra dura para os trabalhadores expostos a crises industriais periódicas, em que muitos ficavam desempregados. Mas, por isso mesmo, cooperativas que vendiam fiado acabavam falindo em períodos de crise. O máximo que a Sociedade se dispunha a fazer pelos sócios em dificuldades era permitir-lhes retirar o capital aplicado nela, exceto a cota mínima de 1 libra.

A sexta regra manda a Sociedade vender apenas produtos puros e de boa qualidade. Essa regra foi talvez a que mais beneficiou os sócios (Cole, 1944, p.70-1), pois na época a adulteração de alimentos e outros bens de consumo era muito comum. Suas maiores vítimas eram os mais pobres, que não tinham como pagar por produtos autênticos. A Sociedade dos Pioneiros, ao adotar essa regra (assim como também a quinta), acabou por excluir de seu quadro os trabalhadores mais pobres.

A sétima regra ditava o desenvolvimento da educação dos sócios nos princípios do cooperativismo. Esta é sem dúvida uma das heranças do owenismo, que os Pioneiros de Rochdale transmitiram ao cooperativismo moderno.

A oitava regra determinava que a Sociedade seria neutra política e religiosamente. Esse princípio é decorrência lógica da regra que abre a Sociedade a novos sócios. Se a cooperativa assume caráter político ou religioso, ela exclui implicitamente os que pensam diferentemente. Na época, a neutralidade que interessava era entre as correntes radicais em que se dividia o owenismo e o cartismo e entre as seitas cristãs dissidentes – ninguém imaginaria que pessoas fora desses parâmetros pudessem vir a integrar a Sociedade. Posteriormente, a Sociedade cresceu tanto que passou a contar com membros de praticamente todas as persuasões políticas e religiosas.

De acordo com Cole (1944, cap.IV), nenhuma dessas regras em si é original; todas elas já tinham sido inventadas e aplicadas por diferentes cooperativas antes dos Pioneiros. Mas nenhuma cooperativa tinha se regido pelo conjunto das oito e nisso está a inovação que separa o cooperativismo moderno do antigo. É que o conjunto assegura ao mesmo tempo a autenticidade socialista da cooperativa (autogoverno democrático, abertura a novos sócios, educação cooperativa e neutralidade política e religiosa) e a sua viabilidade enquanto empreendimento econômico (taxa fixa de juros, dividendos proporcionais às compras, vendas exclusivamente a dinheiro e venda de produtos puros).

A Sociedade dos Pioneiros começou a funcionar muito modestamente, em 21 de dezembro de 1844, com capital de 28 libras, coberto em parte por um empréstimo do Sindicato dos Tecelões. Mas, desde o início, ela cresceu e praticamente não parou mais. Um ano depois, o quadro de sócios tinha aumentado de 28 para 74. Durante os primeiros anos, o crescimento foi modesto, mas, em 1849, o Rochdale Savings Bank faliu, o que fez que muitos ex-depositantes se associassem aos Pioneiros. O número de sócios subiu de 140, em 1848, para 390 no ano seguinte. Vale notar que, já então, a Sociedade atraía sócios enquanto caixa de depósitos, pois, além de inspirar confiança, ela pagava uma taxa atraente de juros (10%).

Contando com crescente número de sócios e capital em rápida expansão, os Pioneiros passaram a diversificar os serviços que prestavam: em 1846, começaram a realizar debates aos sábados à tarde; em 1848, abriram sala de jornais; no ano seguinte criaram uma alfaiataria e uma biblioteca; em 1850, fundaram a primeira cooperativa de produção, o Moinho Cooperativo de Rochdale. Essa cooperativa, depois de superar dificuldades iniciais, progrediu constantemente, passando a suprir outras cooperativas da área, além dos Pioneiros. Em 1856, a cooperativa mudou do velho moinho que tinha alugado para um novo, construído por ela. Em 1860, suas vendas atingiam 133 mil libras e seus lucros mais de 10 mil libras. Ela operou autonomamente até 1906, quando foi absorvida pela Co-operative Wholesale Society (Sociedade Cooperativa Atacadista).

Em 1852, a Sociedade abriu um departamento de fabricação de sapatos e tamancos. Em 1853, estabeleceu um fundo educacional, ao qual foram destinados 2,5% do excedente. Entre 1850 e 1855, os Pioneiros mantiveram uma escola em sua sede e a sala de jornais e biblioteca eram centros de educação de adultos. Outra iniciativa foi abrir um departamento de atacado, a partir de 1850, que também atendia outras cooperativas da área.

Em 1854, os Pioneiros fundaram uma segunda cooperativa de produção, a Rochdale Co-operative Manufacturing Society, que começou funcionando em espaço alugado com 96 teares automáticos; pouco depois, alugaram mais espaço para instalar uma fiação com 5 mil fusos. Em 1859, a cooperativa construiu planta própria para instalar tecelagem e fiação e, em 1862, foi iniciada a construção de uma segunda planta, que iniciou a produção em 1866. Os Pioneiros deram personalidade jurídica separada a suas cooperativas de produção porque tinham desistido do intento original de constituir uma "aldeia cooperativa", em que todos seriam ao mesmo tempo produtores e consumidores do resultado do trabalho comum. A comunidade teria sido cooperativa de produção e de consumo, possivelmente com troca equitativa de trabalhos.

Cooperativas de consumo tendiam, como a Sociedade, a promover a produção de parte das mercadorias que distribuíam. Nesses casos – p.ex., a produção da alfaiataria, sapataria etc. –, os operários eram assalariados da Sociedade, numa relação de produção capitalista. Mas isso os Pioneiros queriam evitar. Por isso deram aos seus empreendimentos produtivos maiores, como o moinho e a tecelagem, personalidade jurídica própria, para que pudessem ser autogovernados pelos próprios trabalhadores.

Mas, mesmo fazendo isso, os Pioneiros não conseguiram evitar conflitos. A tecelagem cooperativa remunerava o capital investido com taxa de juros de 10% e pagava aos trabalhadores um bônus de 20% sobre os salários. Mas a depressão de 1857-1858 reduziu o excedente, o que obrigou a cooperativa a reduzir a 5% os juros pagos aos acionistas, sendo o restante do excedente repartido por igual entre trabalhadores e acionistas, entre os quais se encontravam os Pioneiros e muitos sócios individuais. Em 1860, os novos acionistas propuseram eliminar o bônus aos operários. Houve 571 votos pela abolição e 277 contra. Como a proposta não atingiu os 2/3 estatutários dos votos, ela foi rejeitada e o bônus foi mantido.

Em 1862, a Guerra Civil nos Estados Unidos provocou a "fome de algodão" em Lancashire. A escassez de algodão "americano" semiparalisou a indústria têxtil, mas a Sociedade Cooperativa Industrial de Rochdale manteve o pagamento integral dos salários. Isso indignou parte dos acionistas, muitos deles tecelões ou fiandeiros desempregados. A proposta de eliminar o bônus aos trabalhadores voltou com mais força e acabou aprovada.

> Assim terminou o grande experimento de Rochdale em cooperação produtiva. Os líderes dos Pioneiros estavam amargamente desapontados com o que consideravam apostasia dos acionistas e a notícia da deserção foi um grave golpe em todo país sobre a causa da cooperação, como era entendida então (Cole, 1944, p.90).

E como continua sendo entendida, acrescentamos nós, até hoje. Sem o bônus, a Sociedade Industrial foi transformada numa empresa capitalista, objetivando o lucro e dominada pelos seus acionistas. A transformação foi possível porque a decisão foi tomada só pelos acionistas, entre os quais havia pouquíssimos trabalhadores da cooperativa. Dos quinhentos trabalhadores cooperados, apenas cerca de cinquenta eram acionistas. Numa autêntica cooperativa teria de vigorar a regra número um dos Pioneiros: cada trabalhador teria um voto e todos os trabalhadores teriam de subscrever ao menos a cota mínima de capital.

A Sociedade dos Pioneiros foi crescendo intensamente nas décadas seguintes. O número de sócios passou de 390 em 1849 a 2.703 em 1859, a 5.809 em 1869 e a 10.427 em 1879. E o seu capital se expandiu ainda mais, passando de 1.194 libras em 1849 a 27.060 libras em 1859, a 93.423 libras em 1869 e a 288.035 libras em 1879. O capital por sócio passou de 3,06 libras em 1849 a 10 libras em 1859, a 16 libras em 1869 e a 27,6 libras em 1879. A Sociedade cresceu enquanto entidade pública, a serviço dos trabalhadores de Rochdale, e cresceu ainda mais como meio seguro e rentável de aplicação de poupanças (ibid., p.81).

A grande disponibilidade de capital permitiu aos Pioneiros lançar-se a novos empreendimentos, cumprindo todos os objetivos propostos, salvo o desenvolvimento de produção agrícola e o estabelecimento de uma comunidade cooperativa. Em 1861, fundaram a Rochdale Land and Building Co., uma cooperativa habitacional devotada à construção de moradias para operários e que operou pelo menos até 1889. No mesmo ano, formaram a Rochdale Equitable Provident Sick and Benefit Society, uma associação de beneficência mútua.

Além disso, os Pioneiros continuaram desenvolvendo novas cooperativas de produção. Entre 1869 e 1875, operou a Rochdale Industrial Card Making Society; em 1868, a Sociedade iniciou a manufatura de tabaco. O aumento do capital depositado pressionou os Pioneiros a fazer novos investimentos, inclusive expandir a própria cooperativa de consumo. Em 1856, abriram a primeira filial, com muitas hesitações, pois sabiam que esse passo os levaria a competir com outras sociedades cooperativas das redondezas. Superados os escrúpulos, novas filiais foram abertas e cooperativas menores foram absorvidas pela Sociedade, tornando-se filiais desta. Obviamente, os ganhos de escala favoreciam a centralização do capital cooperativo.

Nenhuma das oito regras obrigava a cooperativa a aceitar qualquer volume de depósitos. Essa "nona" regra transformaria a cooperativa de consumo em cooperativa de crédito, do que não se cogitou. Por isso, a Sociedade foi pressionada a se expandir pelo avolumamento dos depósitos. Ela poderia limitar o total de depósitos que desejava ou reduzir a taxa de juros paga aos depositantes, mas nada disso foi feito. Apenas em 1869 o embaraço causado pelo excesso de capital levou a Sociedade a solicitar aos sócios não compradores e às sociedades mutualistas que retirassem seus depósitos.

A cooperativa de Rochdale mostrou excepcional capacidade de adaptação às oportunidades e riscos da economia de mercado, sem abrir mão de princípios socialistas na organização de atividades econômicas. Tornou-se, por isso, modelo das cooperativas que foram se criando não apenas na Grã-Bretanha, mas em todos os países em que a revolução social capitalista estava ocorrendo.

## *Lições da experiência britânica*

A Grã-Bretanha foi palco da primeira revolução social capitalista da história e das reações da classe trabalhadora a essa revolução. Durante cerca de cem anos, a Grã-Bretanha foi a maior e mais completa economia industrial e capitalista do globo. Somente no último quartel do século XIX a Grã-Bretanha foi alcançada e superada pelos Estados Unidos e pela Alemanha, cujas revoluções capitalistas começaram depois da britânica e foram fortemente influenciadas pela última.

A vantagem de estudar a revolução capitalista britânica é a possibilidade de observá-la em isolamento, pois ela foi menos afetada por fatores externos do que as revoluções posteriores. A primeira lição a tirar é que a revolução capitalista é movida (como supunha Marx) pelo revolucionamento das forças produtivas, que fomenta a generalização das relações sociais de produção capitalistas. A revolução industrial gera forças produtivas que não cabem no quadro da produção simples de mercadorias. O custo do maquinário exige a apropriação capitalista do excedente social e sua acumulação sob a forma de capital industrial, num primeiro momento, e de capital acionário em seguida.

Para viabilizar a acumulação na escala exigida pelas novas forças produtivas, foi necessário instituir a moeda-papel e o padrão-ouro, a sociedade anônima, a responsabilidade limitada e a bolsa de valores, o livre-câmbio, o governo representativo, a divisão de poderes, o império da lei e as liberdades civis. A essência da revolução social capitalista é essa série contínua de transformações institucionais, que ao longo dos séculos XVIII e XIX revolucionou a supraestrutura jurídica, política e financeira da Grã-Bretanha.

A transformação institucional provocada pela ascensão do capitalismo não foi só positiva, como o enunciado anterior dá a entender. Cada nova instituição toma o lugar de outras, que são destruídas. A moeda-papel e o padrão-ouro substituem, por exemplo, as notas emitidas por bancos privados, muito pouco controlados pela inexistência de uma autoridade monetária. O novo regime monetário destrói o banqueiro local ou provincial, cuja função decorria do relativo isolamento dos mercados em que atuava. O livre-câmbio destrói grande parte da agricultura britânica, incapaz de concorrer com cereais e carne produzidos além-mar.

Uma instituição crucial, que a introdução do *laissez-faire* destrói, é a regulamentação extramercado das relações mercantis, que se fazia mediante decretos reais, regulamentos corporativos e regimes protecionistas contra produtos importados não só do exterior, mas também do campo, provindos do sistema capitalista de produção doméstica e assim por diante. Todos os regulamentos que privilegiavam o trabalho artesanal em moldes tradicionais foram devidamente revogados.

Essa mudança institucional atingiu a classe trabalhadora, tal qual ela se encontrava então socialmente estruturada. A liberdade conquistada pelo capital de empregar trabalhadores nas condições determinadas pela lei de oferta e demanda possibilitou o permanente revolucionamento dos processos de trabalho e a consequente destruição das habilidades adquiridas, que simplesmente deixaram de encontrar aplicação nos ramos que passam a ser dominados pela maquinofatura. O avanço do capitalismo nivela os trabalhadores por baixo, ao transformá-los em operadores de máquinas semiqualificados.

É importante notar que esse efeito crucial da primeira revolução industrial continua se repetindo como resultado da segunda e, atualmente, da terceira revolução industrial. As qualificações que foram destruídas pela primeira revolução industrial eram artesanais e consistiam em habilidades no manejo de ferramentas manuais ou máquinas simples, adquiridas por aprendizado no próprio trabalho. As qualificações que foram destruídas pela segunda revolução industrial eram em sua maioria semiartesanais e consistiam em habilidades no manejo de máquinas e na execução de tarefas complementares às realizadas pela máquina. O desenvolvimento do automóvel, por exemplo, suscitou a criação de grande número de profissões semiqualificadas, de motorista a mecânico e de operador de bomba de gasolina a guarda rodoviário, que tomaram o lugar de profissões derivadas do transporte animal, como cocheiros, criadores de cavalos, carpinteiros e outros profissionais engajados na fabricação de carroças, carruagens etc.

Atualmente, a terceira revolução industrial, nos quadros institucionais oriundos da revolução social capitalista, prossegue na marcha destruidora de qualificações profissionais e criadora de novas qualificações, cada vez mais adquiridas em escolas. Telefonistas, secretárias, arquivistas, mensageiros, operadores de máquinas automáticas etc. são progressivamente substituídos por digitadores, montadores e reparadores de micros, criadores e adaptadores de *software* etc. etc. Essas ondas desestruturadoras do mundo do trabalho, desencadeadas pela competição intercapitalista, provocam reações similares por parte de suas vítimas. Por isso, o rápido exame que fizemos das reações da classe operária britânica à primeira revolução industrial permite generalizações relevantes para o entendimento do capitalismo contemporâneo.

A primeira reação generalizável é a formulação de um projeto social alternativo ao capitalismo, em que se combinam as novas forças produtivas com relações sociais de produção concebidas para superar a exclusão social e suscitar uma repartição equânime da renda e, portanto, dos ganhos decorrentes do avanço das forças produtivas.

Na Inglaterra do alvorecer do século XIX, esse projeto foi formulado principalmente por Owen: uma sociedade formada por comunidades autônomas em que os resultados do trabalho coletivo são repartidos de forma equitativa, tendo por critério o tempo de trabalho socialmente necessário gasto na produção de cada bem ou serviço.

Esse projeto merece o nome de socialista ou comunista e tem persistido com modificações ao longo de quase dois séculos. Marx, que vivenciou uma outra etapa do capitalismo industrial, enfatizou em sua análise o tamanho crescente dos sistemas de máquinas e a necessidade de coordenação do processo de produção e distribuição em escalas muito maiores que uma "aldeia cooperativa". Por isso, ele incorporou ao seu projeto a essência coletivista do de Owen mas estendeu os limites da economia cooperativa no mínimo ao território nacional. Como sabemos, essa mudança de âmbito da economia coletiva deixa de ser apenas quantitativa para passar a qualitativa: na aldeia, o planejamento poderia ser combinado, quem sabe, com a prática de democracia direta. Mas, em nível nacional, o planejamento econômico centralizado adquire traços totalitários, como a experiência histórica do nosso século ilustra fartamente.

O fracasso de experimentos coletivistas inspirados em Marx levam as vítimas da revolução social capitalista de volta ao ponto de partida. Mas esse ponto de partida não é o da primeira revolução industrial, pois ele não pode deixar de incorporar o nível atual de desenvolvimento das forças produtivas. Precisa-se de um projeto socialista ou comunista alternativo, não à base da imaginação utópica, mas à base da experiência histórica. Owen não tirou a "aldeia cooperativa" da fantasia, mas da experiência vivida em New Lanark e tratou de replicá-la em New Harmony, nos Estados Unidos, e depois em Queenswood. Essas tentativas, além de outras no mesmo sentido, fracassaram, mas, mesmo assim, deixaram um legado importante de experiências.

O desafio ideológico é formular um projeto de sociedade que respeite as liberdades individuais, políticas e econômicas, conquistadas pelos trabalhadores no capitalismo hodierno e lhes ofereça inserção no processo produtivo em termos de pleno emprego, participação nas decisões que afetam seus destinos também nas empresas e um patamar mínimo de rendimento que lhes proporcione um padrão "normal" de vida. O projeto terá de reavaliar, à luz da experiência histórica, propostas de comunidades coletivistas, cooperativas de produção e consumo articuladas em diferentes âmbitos geográficos, economias nacionais coordenadas e/ou planejadas por autoridade política, em combinação com a organização em forma de mercado de certos setores e ramos etc.

A segunda reação generalizável foi a luta por direitos políticos e, portanto, pela democracia. A luta pela reforma parlamentar e pela extensão do direito de votar e ser votado (travada no século XIX e começo do século XX) *não estava subordinada* a um projeto de conquista do poder pela classe operária e de uso do poder estatal para impor de cima para baixo um novo sistema social. Os que lutavam então pela democracia consideravam-na um fim em si e um meio de conter e, eventualmente, reverter as tendências destrutivas e concentradoras do capitalismo. Após a Revolução Russa, predominou em muitos lugares *a luta pelo poder como alavanca de transformação revolucionária*. Hoje, volta a prevalecer nos movimentos anticapitalistas a tese de que a democracia é parte integrante de qualquer projeto de superação do capitalismo e que o Estado democrático, qualquer que seja o partido no poder, não pode, *por um ato de vontade política, comandar* a sociedade civil na construção do socialismo.

A conquista do sufrágio universal a partir do começo do século atual e sua prática consistente, sobretudo na segunda metade do século XX, permite avaliar as possibilidades e limitações da democracia política como instrumento de mudança social. A democracia permitiu, ao longo de muitas décadas de lutas, instituir em numerosos países um "Estado de bem-estar social" que compensa parcialmente os prejuízos causados pelas mudanças técnicas, políticas e culturais mediante um elaborado sistema de seguro social. Mas, é preciso reconhecer que esse sistema está em crise exatamente porque a terceira revolução industrial, combinada com a ressurreição do *laissez-faire* na economia internacional, destruiu a base de classe – o proletariado industrial – que tinha conquistado sua institucionalização.

Também em relação à luta política, o movimento anticapitalista está, de certo modo, de volta ao ponto de partida. Na Grã-Bretanha da primeira metade do século XIX, uma das principais lutas anticapitalistas (no sentido do futuro *welfare state*) era pela limitação legal da jornada de trabalho. Hoje, a luta pela redução da semana de trabalho abaixo das quarenta horas polariza o movimento operário em todos os países em que o desemprego e a precarização do trabalho se agravam sem cessar. A crescente informalização do trabalho torna o efeito da redução do tempo legal de trabalho bastante limitado, podendo se tornar inócuo, pois o número crescente de pessoas que são obrigadas a ganhar a vida como autônomas ou subcontratadas não goza da proteção da legislação trabalhista.

O movimento operário encontra-se diante de um trabalho de Sísifo: suas principais conquistas têm de ser refeitas porque foram alicerçadas em relações de trabalho que a nova revolução industrial e o neoliberalismo estão destruindo. Não se trata mais, como no tempo do cartismo, de lutar por novos direitos políticos, mas de devolver efetividade aos direitos políticos já conquistados. A economia chamada "mista", em que o Estado dispunha de poder para regular o funcionamento da economia nacional e para liderar um processo nacional de acumulação de capital, está sendo destruída. O capital "globalizado" parece ter se livrado da tutela do Estado e impõe aos governos nacionais as condições em que consente investir.

Finalmente, a terceira reação generalizável é a formação de sindicatos e cooperativas que funcionam, de certa forma, como implantes socialistas nos interstícios do capitalismo. Como vimos, sindicatos e cooperativas surgem na Grã-Bretanha da primeira metade do século XIX como instrumentos de ação direta para erguer uma economia socialista em lugar da capitalista *aqui e agora*. Em confronto com o capital industrial e o governo parlamentar *whig* representativo da burguesia, a vaga revolucionária de sindicalistas e cooperadores foi detida e, em seguida, destroçada. A lição foi apreendida e o movimento operário se reformulou, adaptando-se à hegemonia do capital e *passando a tentar transformá-lo a partir de dentro*.

A história da cooperativa dos Pioneiros de Rochdale é, nesse sentido, riquíssima em lições. O êxito econômico da cooperativa, que depois foi replicado em numerosas localidades da Grã-Bretanha e de outros países em transição ao capitalismo industrial, demonstra que o modo de produção capitalista apresenta brechas que podem ser aproveitadas para organizar atividades econômicas por princípios totalmente diferentes dos capitalistas e que, por isso, devem ser denominadas "socialistas".

A experiência dos Pioneiros de Rochdale oferece outra lição significativa: não é necessário isolar-se da economia dominante capitalista para desenvolver formas socialistas de distribuição e, eventualmente, de produção. A posição de Owen (e de Fourier, entre outros) supunha que a economia socialista deveria ser construída como um todo fechado e relativamente autossuficiente, para não ser "contaminada" pelo ambiente capitalista. Por isso, os owenistas punham toda sua esperança e fé na construção de "aldeias cooperativas", erguidas em áreas despovoadas ou em países ainda por colonizar, como os da América.

Mas a modesta cooperativa de consumo de Rochdale, concebida inicialmente como meio para um fim maior – a comunidade coletivista –, acabou se tornando um fim em si. A sua mera existência e persistência já teria um enorme significado. Tendo-se tornado matriz de um vasto movimento cooperativista, que se espalhou rapidamente pela Grã-Bretanha e outros países, a Sociedade dos Pioneiros de Rochdale mostrou que os trabalhadores têm capacidade de organizar atividades econômicas segundo princípios próprios, socialistas, e que os empreendimentos cooperativos podem, em certas condições, competir vitoriosamente com empresas capitalistas pelos mercados.

Como veremos adiante, essa capacidade do cooperativismo de se desenvolver nos interstícios do capitalismo tem limites. Isso torna-se compreensível quando se contrastam cooperativas de consumo (ou de crédito) com as de produção. As primeiras preenchem uma lacuna ao prover os consumidores de meios de se defender das grandes empresas e dos bancos, que frequentemente abusam de sua confiança. Já as segundas apresentam problemas sérios ao emular suas congêneres capitalistas para competir com elas.

Quando têm sucesso, as cooperativas de produção se valorizam e dão ensejo ao enriquecimento de seus membros mais antigos, se estes não se mostrarem fiéis aos seus princípios socialistas. O caso da indústria têxtil cooperativa de Rochdale ilustra esse caso. Por outro lado, quando há crise e depressão, as cooperativas de produção têm possibilidades melhores que a empresa capitalista de se adaptar, *desde que os membros aceitem partilhar perdas equitativamente.* Infelizmente, este nem sempre é o caso e muitas cooperativas de produção acabaram quebrando junto com suas congêneres capitalistas.

A experiência da primeira revolução social capitalista encerra lições importantes. Talvez a mais importante seja que o capitalismo suscita reações por parte da classe trabalhadora em três planos: ideológico, político e socioeconômico. Essas reações têm por lógica a resistência às tendências destrutivas e concentradoras da dinâmica capitalista. Os resultados são transformações institucionais que acompanham a revolução capitalista e, ao mesmo tempo, se contrapõem a ela, sem anulá-la.

Em outras palavras, cada mudança institucional pró-capitalista é acompanhada por outras, reativas às contradições do capitalismo. Assim, o governo representativo, escolhido pelo voto das classes proprietárias, é seguido (décadas mais tarde) por governos escolhidos pelo sufrágio universal. O *laissez-faire* e o livre-câmbio é seguido (depois de certo intervalo) por protecionismo, políticas industriais e, finalmente, seguro social e legislação do trabalho. O surgimento da megaempresa e do conglomerado capitalista privado foi acompanhado pelo desenvolvimento de redes de cooperativas de consumo no atacado e varejo, de variadas formas de cooperativismo de produção agrícola, industrial etc., e de diferentes formas de cooperativas (nem sempre socialistas) de serviços.

As instituições anticapitalistas, impostas ou construídas pela classe operária, podem ser consideradas sementes socialistas plantadas nos poros do modo de produção capitalista. Sementes que às vezes germinam e às vezes sucumbem às novas revoluções industriais produzidas pelo capital. Resta examinar que consequências seu eventual desenvolvimento poderia produzir.

## *Cogitações sobre a revolução social socialista*

Se as instituições anticapitalistas são sementes socialistas plantadas nos poros do capitalismo para resistir às tendências destrutivas e concentradoras da dinâmica capitalista, é necessário discutir mais detidamente essas tendências, distinguindo-as das contratendências que surgem como reação a elas. Isso é necessário porque, na tradição da análise marxista, tudo o que acontece no seio da sociedade capitalista é automaticamente tido como sendo "capitalista". O que lembra o funcionalismo nas ciências sociais: todas as mudanças que contribuíram para o *status quo serviram* para viabilizá-lo, portanto explicam-se por essa função.

A democracia política, por exemplo, a partir do momento em que se torna o regime político dos países capitalistas transforma-se conceitualmente em "democracia burguesa". Esse nome é "dialético": a democracia foi conquistada pela classe operária contra a lógica do liberalismo, este sim "burguês", e contra a resistência ativa e tenaz da burguesia. Não obstante, transforma-se em seu contrário quando é amalgamada ao capitalismo. A rigor, a democracia política dispensa outros adjetivos, pois tem sua própria lógica, que se ajusta a diferentes sistemas socioeconômicos. Mas, se fosse necessário adjetivar a democracia moderna com sua origem de classe, então ela teria de ser denominada de democracia proletária e não democracia burguesa.

O liberalismo com voto censitário é o regime político que responde não só aos interesses da classe capitalista mas também à lógica do capitalismo enquanto sistema "puro". No regime liberal, o gozo dos direitos políticos depende da posse de bens ou de renda da propriedade. E no capitalismo adquire-se propriedade e a renda a ela correspondente no mercado. É o jogo de mercado que divide os membros da sociedade em proprietários e não proprietários, os primeiros sendo os ganhadores e os últimos os perdedores desse jogo econômico fundamental.

De acordo com a concepção capitalista do mundo, o jogo do mercado é o mais democrático dos jogos. Todos competem e o ganho que obtêm decorre da "utilidade" que proporcionam aos outros. De acordo com essa ideologia, toda e qualquer renda ganha no mercado é remuneração livremente paga pelos outros, os compradores dos bens e serviços que o recebedor da renda pôs à venda. São todos, portanto, vendedores e compradores de bens e serviços uns dos outros. Se, a cada rodada, alguns são capazes de ganhar mais do que dispendem, o que lhes permite acumular propriedade e renda, é porque a "utilidade" que proporcionam aos outros é maior do que a "utilidade" que estes lhes proporcionam.

Não há necessidade de aprofundar mais esse raciocínio, mas qualquer manual neoclássico amplia o argumento: os ganhadores se distinguem não só pela habilidade de produzir mais "utilidade" que os perdedores, mas também pela preferência temporal: preferem acumular a gastar, valorizam o ganho futuro ao prazer do momento etc. Seja como for, o mercado livre – este "livre" também tem sua carga de ideologia – seleciona os que têm mérito, os que merecem a cidadania e os que não a merecem.

E essa qualificação econômica para o exercício dos direitos políticos também é funcional: os ganhadores do jogo do mercado têm todo o interesse em defender o livre mercado e as regras do processo em que se mostraram aptos. Ao passo que os perdedores do jogo do mercado se inclinam a criticar a livre concorrência e, se tiverem o direito do voto e de serem votados, usarão esses poderes para desfazer os resultados do jogo do mercado, violando o direito de propriedade e redistribuindo a renda por critérios outros que o da livre competição.

É o que deixa claro o caráter anticapitalista do sufrágio universal. O jogo do livre mercado é tendencialmente concentrador, quase sempre produz um número de perdedores muito maior do que de ganhadores. A ideologia do *laissez-faire* não reconhece essa tendência, mas o furor e a obstinação com que os seus defensores se opuseram à democracia política indicam que eles estavam conscientes dela.

A razão fundamental da concentração da renda é a propriedade privada do capital, agravada pelo direito à herança. No livre mercado, quanto maior o capital do jogador, maiores são as probabilidades de ganho. O que o capitalista vende aos outros não é o resultado de seu labor, mas os "serviços" do seu capital, cuja utilidade é proporcional ao tamanho, isto é, ao valor desse capital. Em outras palavras, mesmo nos termos da teoria neoclássica, segundo a qual a renda da propriedade é de alguma forma proporcional à utilidade que ela proporciona aos outros – os que a alugam, arrendam ou tomam emprestada –, quanto maior o valor da propriedade, tanto maior é a parte da renda social ganha pelos proprietários, que têm a inclinação e a possibilidade de acumulá-la.

A democracia conquistada pelo movimento operário é o implante socialista mais importante e até o momento não foi abalada pela voga neoliberal, que está atingindo fortemente os outros implantes socialistas, como o sindicalismo e a seguridade social. O capitalismo democrático é uma contradição em termos: à medida que o capitalismo desencadeia concentração da renda e da propriedade, exclusão social e destruição de empresas e empregos tornados tecnicamente obsoletos, as vítimas dessas tendências sempre têm a possibilidade de usar de seu *status* de cidadãos para mobilizar o poder do Estado em seu favor.

Neste livro, examinamos em algum detalhe a primeira revolução industrial da história. Por ela fica claro que a nova tecnologia permitiu baratear algumas das mais importantes mercadorias da época, o que desencadeou forte crescimento econômico. A tendência concentradora e excluidora foi sobrepujada pela demanda oriunda da necessidade de construir todo um parque produtivo industrial novo, composto por usinas siderúrgicas, fábricas metalúrgicas, tecelagens e fiações movidas a vapor, canais e companhias de navegação a vapor, ferrovias, redes telegráficas e telefônicas. Enquanto durou a revolução industrial (possivelmente por cerca de um século), o nível de emprego foi sendo expandido e grandes massas humanas foram sendo incorporadas ao capitalismo, primeiro na Grã-Bretanha e depois em outros países.

Como vimos, a revolução industrial, ao mesmo tempo que incorpora grande número de ex-camponeses expulsos de suas propriedades, exclui da produção social todos os que antes se achavam ocupados em produzir com o uso da tecnologia que a revolução industrial vai suplantando. É a isso que denominamos *tendência destrutiva do capitalismo*.[4] Cada onda expansiva da economia capita-

---

4 Convém distinguir a tendência destrutiva da tendência excluidora. A primeira decorre do progresso técnico ou do alargamento dos mercados (abertura de mercados nacionais a importações do exterior) e se manifesta em fases de intenso crescimento econômico também. A segunda decorre da insuficiência da demanda efetiva, que impede a compra pelas empresas de toda força de trabalho ofertada. Ela é perene, mas se acentua sempre que a economia cai em crise ou se mantém deprimida.

lista emprega e desemprega, sendo a competição entre os que estão sendo empregados e os que estão sendo demitidos um dos fatores que permite aos capitalistas comandar um processo muito complexo de transformação econômica e social sem perder o controle deste e se apropriando de grande parte do valor obtido a partir do ganho de produtividade, que passa a ser acumulado e permite financiar a construção do novo parque produtivo.

As revoluções industriais tornam o processo econômico muito instável porque alteram os parâmetros da concorrência intercapitalista, ocasionando fortes ondas de investimento incentivadas por otimismo tecnológico que toca as raias da ficção científica. Ondas que periodicamente se chocam contra as possibilidades reais de expansão, dando lugar a crises e períodos mais ou menos longos de estagnação. Nas fases de expansão acelerada, a destruição criadora atinge trabalhadores e empresários deixados para trás pelo progresso técnico. Nas fases de crise e depressão, a exclusão atinge os que embarcaram no progresso técnico e se tornaram redundantes.

Para os trabalhadores, a tendência destrutiva do capitalismo é muito mais mobilizadora do que a tendência de concentração e exclusão. À medida que a revolução industrial se desdobra, a própria sobrevivência física de uma parte importante da população trabalhadora fica em perigo. O capital age através do mercado de forma inteiramente cega. O aumento da tecelagem a vapor, por exemplo, condenava à miséria os tecelões manuais, mas os fabricantes não tinham por que se considerar responsáveis. Eles estavam simplesmente ofertando uma mercadoria a um preço menor porque seus custos de produção tinham caído.

As instituições anticapitalistas, que acabaram sendo implantadas, tinham por objetivo direto ou indireto compensar os danos acarretados pela "destruição criadora" (de acordo com a apta expressão de Schumpeter) da mudança tecnológica. Tanto o sufrágio universal como o Estado de bem-estar social, o sindicalismo e o cooperativismo foram respostas a um sistema capaz de colocar à margem aleatoriamente boa parte dos empresários e dos trabalhadores que, pouco antes, ainda exerciam papéis ativos na divisão social do trabalho.

Para resumir, o capitalismo apresenta duas tendências que se manifestam em momentos diferentes e em função de fatores distintos, mas cujos efeitos acabam se somando em um prazo mais longo. Uma perene, é a concentração da renda e a exclusão da economia capitalista de uma parte significativa da população que vive do seu trabalho. Outra intermitente, é a destruição de empresas e empregos, cujo lugar é tomado por outras empresas mais avançadas tecnologicamente e, por isso, mais competitivas. Essa segunda tendência produz oscilações de conjuntura, que maximizam a insegurança e o desespero dos que subitamente perdem seu meio de vida.

Essas tendências apareceram em sua forma mais pura e virulenta durante a primeira revolução industrial, enquanto a reação predominante de suas vítimas se encaminhava à destruição das máquinas, em levantes descoordenados e desesperados. Uma vez verificada a impossibilidade de assim travar as rodas do progresso, o movimento operário e seus intelectuais passaram a se empenhar num projeto alternativo de sociedade, que muito rapidamente assumiu a forma de socialismo. E, como vimos, *o socialismo enquanto utopia militante desencadeou o que se pode considerar ter sido um vasto processo de tentativas e erros no sentido de modificar o capitalismo, compensando suas tendências à concentração e à destruição.*

A história que vimos analisando ao longo deste trabalho revela que a maioria das tentativas iniciais foi ingênua ou baseada em hipóteses inverossímeis sobre a natureza humana. Por isso estava condenada ao fracasso. Foi este o caso de numerosas comunidades comunistas ou "aldeias cooperativas", assim como o das ondas ofensivas de sindicatos e cooperativas (entre 1824 e 1834) que visavam substituir, mediante ação direta, as empresas capitalistas por empresas cooperativas, possuídas e dirigidas pelos trabalhadores. Mas mesmo essas tentativas erradas deixaram ensinamentos preciosos que tornaram as tentativas seguintes mais seguras e certeiras.

As tentativas que visavam ampliar os direitos políticos dos trabalhadores, na Grã-Bretanha, deram resultados concretos quase desde o início. Mesmo a "traição" aos trabalhadores por parte dos radicais, em 1832, e o aparente fracasso do cartismo foram passos importantes na longa jornada rumo à democracia naquele país e nos demais, dada a forte influência que a Grã-Bretanha exercia sobre todas as sociedades nacionais em que a revolução capitalista estava em curso.

A luta política pelo poder do Estado foi, durante um longo período, considerada por uma importante parte do movimento operário como a única via de combate pelo socialismo. Este era concebido como um sistema econômico centralmente planejado, resultante da estatização dos meios de produção. Hoje se verifica que essa tentativa estava fadada ao fracasso, mesmo quando o objetivo tático de conquista do poder de Estado por alguma facção ligada ao movimento operário era alcançado. Diferentes experiências históricas comprovaram que era possível substituir o capitalismo por um sistema socioeconômico planejado, mas que não era possível tornar este último algo que pudesse de boa-fé ser reconhecido como socialismo.

As várias revoluções proletárias que instauraram regimes "soviéticos" foram outras tantas tentativas de realizar o socialismo cujo fracasso deixou um saldo de muita desilusão, mas também de importantes ensinamentos. Mas, fora esses ensinamentos, as experiências "soviéticas" não parecem ter deixado sementes anticapitalistas que pudessem eventualmente germinar ao longo do tempo.

Em compensação, outras tentativas deram certo e levaram à criação de uma grande variedade de instituições que modificaram o funcionamento do capitalismo. Uma das mais importantes foi o sindicalismo e a barganha coletiva dos contratos de trabalho. A mais importante contribuição do sindicalismo foi transformar o mercado de trabalho num monopólio bilateral. O que alterou a relação de força entre capital e trabalho nos mercados de trabalho em que os sindicatos lograram organizar a maioria ou totalidade dos trabalhadores. A tendência concentradora de renda foi, dessa maneira, revertida em alguma medida.

Durante os anos dourados do capitalismo (1945-1973), os sindicatos conseguiram, na maioria dos países industrializados, que os ganhos de produtividade fossem repartidos por igual entre capital e trabalho. Isso contrasta com o capitalismo mais "puro", do século XIX, em que os salários reais aumentavam menos do que os ganhos de produtividade, quando aumentavam ao todo. É uma hipótese mais do que razoável que o intenso crescimento econômico desse período, com algo muito próximo ao pleno emprego, foi em grande parte devido a essa redistribuição da renda a favor da grande massa de assalariados semiqualificados.

Além desse efeito desconcentrador da renda e integrador do trabalho na produção, o sindicalismo teve importantes efeitos externos sobre o capitalismo em que foi implantado. O mais importante desses efeitos foi a normatização legal e jurídica de relações de trabalho, que cria importantes direitos para os trabalhadores e que a Organização Internacional do Trabalho vem incorporando à legislação internacional. Como resultado, mesmo os países em que o sindicalismo é débil e mesmo as categorias pouco ou nada organizadas, são atingidos e beneficiados indiretamente pela luta sindical.

A seguridade social foi uma conquista conjunta dos sindicatos e dos partidos políticos ligados ao movimento operário, utilizando os poderes conferidos pelo sufrágio universal à maioria desprivilegiada em cada país. Ela contradiz a lógica capitalista, segundo a qual o seguro social, como qualquer outro seguro, deve ser realizado pelo mercado. Por essa lógica, cada indivíduo deve ter a liberdade de escolher quanto vai poupar de sua renda e como vai aplicar a poupança. Sendo os indivíduos racionais, a maioria preferirá poupar comprando seguro de velhice, de saúde, contra acidentes, roubo etc., de companhias idôneas.

O seguro social público viola essa lógica, primeiro porque é obrigatório, segundo porque estranhos, isto é, empregadores e governos pagam parte dos prêmios e, terceiro, porque os fundos de previdência são públicos e, no Brasil, para dar um exemplo mais concreto, são hoje geridos por representantes do governo, sindicatos operários e sindicatos patronais. O sistema público de seguro social representa um possível implante socialista também porque pode disponibilizar quantidades importantes de capital para fins anticapitalistas. Este é um vasto tema, infelizmente muito pouco discutido pelo movimento operário.

Nos Estados Unidos e no Japão, fundos de pensão são formalmente controlados por entidades de trabalhadores, mas a sua gestão tem sido em geral entregue a bancos e outros intermediários financeiros. No Brasil, o Fundo de Amparo ao Trabalhador (FAT) e o Fundo de Garantia por Tempo de Serviço (FGTS) também têm representantes de trabalhadores em seus conselhos curadores, sendo sua gestão feita pelo Banco Nacional de Desenvolvimento Econômico e Social (BNDES). E há fundos fechados de pensão que são dirigidos com participação de representantes dos beneficiários e cujo papel no mercado de capitais tem sido tudo menos negligenciável.

Fundos como esses poderão, no entanto, ser usados para financiar também cooperativas ou empresas em alguma medida controladas pelos trabalhadores. Fundos previdenciários dos trabalhadores poderiam servir para colocar sob controle dos próprios trabalhadores segmentos da economia, tendo em vista preservar empregos (no caso de empresas que de outra maneira seriam liquidadas) e quebrar as estruturas autoritárias em empresas capitalistas, que poderiam passar a ser dirigidas em cogestão ou autogestão. Mas essas possibilidades ainda não estão na ordem do dia, pois a previdência pública está sob ataque cerrado de governos neoliberais, empenhados em equilibrar suas contas mediante redução dos direitos dos segurados e, sobretudo, em amputar o âmbito da previdência pública para transferir ao mercado das seguradoras privadas o máximo possível do negócio.

Passemos finalmente às cooperativas, sem dúvida o mais controverso e significativo implante socialista no capitalismo. Há diversos tipos de cooperativas, todos, em tese, submetidos aos mesmos princípios, que podem ser resumidos da seguinte forma: toda cooperativa deve ser dirigida por representantes democraticamente eleitos pelos sócios; não deve haver diferença de direitos entre sócios; a repartição dos resultados econômicos entre os sócios deve ser igualitária ou proporcional à contribuição de cada sócio para esses resultados.

Os princípios do cooperativismo são opostos aos do capitalismo, porque as cooperativas invertem as relações entre a empresa e seus clientes e a empresa e os seus trabalhadores. Comecemos com o relacionamento entre empresa e cliente. A empresa capitalista relaciona-se com o cliente exclusivamente no mercado, que deve ser competitivo, ou seja, onde o comprador tem uma gama de vendedores entre os quais ele pode escolher o fornecedor de sua preferência. Sendo o cliente racional, ele escolherá a melhor qualidade pelo menor preço. A partir do momento em que a transação for concluída ou um contrato assinado, cada parte cuidará de seus interesses.

Há, no entanto, uma crescente assimetria de poder e informação entre empresas gigantescas e o consumidor isolado, com graves prejuízos para este: produtos que não têm a utilidade que o fornecedor assegurou que teriam, serviços não prestados ou prestados com características diferentes dos contratados etc. etc. Em todos os países, elaborados códigos de defesa do consumidor procuram compensar essa assimetria e evitar os prejuízos, mas debalde. Grandes e médias empresas continuam utilizando seus fartos recursos para abusar e explorar consumidores, que em sua maioria não têm como se defender isoladamente.

A resposta socialista para essa problemática é a cooperativa de consumo, a empresa cujos clientes são seus donos. Na medida em que os cooperados controlam efetivamente a cooperativa, eles podem estar seguros de que não serão vítimas de propaganda enganosa, de fraudes na composição dos produtos que adquirem e na prestação de serviços que contratam. Por isso, as cooperativas de consumo são particularmente exitosas em ramos em que os compradores adquirem serviços contínuos no tempo mediante contratos de longo prazo. São exemplos conspícuos: as cooperativas de crédito, de habitação, de saúde, de seguros, escolares etc.

Tomemos como exemplo a cooperativa de crédito em contraste com o banco capitalista. Neste último, o cliente deposita o seu dinheiro em troca de uma taxa de juros; o banqueiro ganha a diferença entre os juros que paga ao cliente e os juros que consegue receber reemprestando o dinheiro (menos uma parcela que fica de reserva). Os juros que o banqueiro ganha são tanto maiores quanto maior for o risco do investimento. O risco, no caso, é a probabilidade de que o empréstimo deixe de ser pago. Curiosamente, se esse risco se verificar, o prejuízo é muito mais dos depositantes do que do banqueiro, pois o capital próprio que este pôs no negócio é uma fração quase negligenciável dos valores de terceiros que ele manipula. O banqueiro tem grande incentivo de correr riscos, inclusive porque ele os compartilha com o banco central, que segura grande parte dos depósitos e costuma ampará-lo em dificuldades circunstanciais.

Em contraste, numa cooperativa de crédito, os depositantes são os cooperados e, como tais, têm controle direto sobre o destino que a direção da cooperativa dá aos depósitos. Os cooperados tomam conhecimento dos riscos e dos ganhos das várias opções de investimento e podem fazer valer os seus interesses e preferências. Os cooperados formam uma comunidade que pode dar uma destinação definida à sua poupança, inclusive para financiar outros empreendimentos cooperativos.

A relação da empresa capitalista com seus empregados se reduz, em geral, à troca de tempo de trabalho por salário. O trabalhador se insere na hierarquia da empresa e, conforme a posição que ocupa, terá determinadas responsabilidades e encargos. Sua única preocupação é desempenhar os papéis decorrentes do posto que ocupa. Deve obedecer a ordens e instruções e repassá-las eventualmente a subordinados. Só os integrantes da administração da empresa sentem-se responsáveis por ela. Em compensação, seus direitos em relação à empresa são aqueles circunscritos pelo seu contrato de trabalho e a legislação pertinente.

Esse relacionamento do trabalhador com a empresa capitalista é alienante num duplo sentido: ele ignora os efeitos do seu trabalho sobre a comunidade de que faz parte; e está excluído das discussões e negociações que precedem a tomada de decisões pela administração da empresa, decisões estas que afetam seu trabalho e, por extensão, o seu destino econômico e familiar. Em contraste, os trabalhadores de uma cooperativa de produção são eles mesmos os donos e controladores da "empresa", compartilhando todas as informações, discussões e negociações que visam à tomada de decisões.

Mais do que as cooperativas de consumo, as cooperativas de produção tendem a formar comunidades simplesmente porque o trabalho ocupa a maior parte do tempo das pessoas. Os cooperados normalmente têm frações iguais do capital e, portanto, o mesmo número de votos. Entre os cooperados reinam relações democráticas e igualitárias. Nem sempre os "salários" – que na realidade consistem numa retirada mensal ou quinzenal – dos cooperados são iguais. Em alguns casos, as retiradas se diferenciam por grau de qualificação do trabalhador, mas praticamente sempre os diferenciais são bem menores que em empresas capitalistas comparáveis.

Os resultados líquidos, que sobram depois de pagos os "salários", são destinados pelos cooperados a inversões, ou outros gastos comuns, ou, então, são repartidos, como "dividendos" iguais para todos. Há dois momentos delicados na vida de qualquer cooperativa de produção: a entrada e a saída de cooperados. A entrada na cooperativa está condicionada às necessidades de mais trabalhadores e ao acréscimo proporcional do capital. Nem sempre os candidatos a cooperados têm o dinheiro correspondente ao acréscimo do capital. Em geral, cada cooperado subscreve uma fração igual do capital, que deve estar à altura da capacidade financeira dos trabalhadores. Se for necessário capital adicional, ele é obtido por financiamento, em geral de cooperativas de crédito ou bancos cooperativos.

Se a entrada de novos cooperados é delicada, a saída, sobretudo quando imposta por contração do mercado, pode ser traumática. Em princípio, uma cooperativa não pode despedir ninguém. Dependendo das circunstâncias, os cooperados resolvem impor a si próprios uma redução dos "salários" ou uma parte deles aceita revender à cooperativa suas cotas de capital. Neste último caso, o valor da cota pode ser negociado pelos cooperados para que ele seja justo ou compensador, tanto para os que partem como para os que ficam.

A experiência histórica cooperativa já é longa e rica, mas ainda não se dispõe de um corpo teórico que explique por que determinadas cooperativas puderam crescer e se multiplicar, enquanto outras enfrentam dificuldades muito grandes. As generalizações que se podem fazer têm, portanto, caráter muito tentativo.

As cooperativas de consumo demonstram considerável vitalidade e potencial de desenvolvimento. Elas competem com empresas capitalistas que oferecem os mesmos bens e serviços. Há casos de cooperativas de consumo que funcionaram muito bem por décadas e depois sucumbiram, possivelmente por não terem podido acompanhar as transformações tecnológicas nos processos de distribuição comercial. Ou, então, porque a geração que fundou a cooperativa não passou aos herdeiros o espírito de solidariedade e de colaboração mútua que dá sentido ao cooperativismo. Em outros casos, as cooperativas de consumo têm mostrado superioridade competitiva em relação às empresas convencionais e muitas novas têm sido fundadas.

Cooperativas operárias ou de produção têm tido mais dificuldades para vicejar sem perder seu espírito socialista. A sua maior dificuldade é a obtenção de capital. Muitas dessas cooperativas são formadas a partir de empresas capitalistas antigas, cujo pessoal criou fortes laços de solidariedade ao longo da sua convivência na empresa e nas lutas travadas em comum. Tem sido possível, em certos casos, evitar que a empresa seja liquidada quando se encontra falida ou quando os antigos proprietários querem se retirar e não encontram sucessores. Em geral, a cooperativa assume uma dívida em troca do patrimônio, pela qual ela paga juros e amortizações.

As dificuldades iniciais costumam ser muitas, mas o entusiasmo e a dedicação compensam deficiências. Os trabalhadores aprendem a gerir a empresa, em geral com o apoio de órgãos de assistência a cooperativas. Certo número dessas cooperativas provavelmente não consegue superar essas dificuldades iniciais e acaba. Mas um número surpreendentemente grande consegue sobreviver e passa a se renovar tecnicamente, em busca de maior competitividade. Essas cooperativas operárias consolidadas continuam, no entanto, expostas a dois perigos: a falência ou a degeneração.

As cooperativas de produção estão sujeitas aos altos e baixos da conjuntura, como quaisquer outras empresas. Em períodos de crise e depressão, elas também perdem vendas e são obrigadas a reduzir a produção, o que implica que parte dos cooperados deixa de produzir e, portanto, de ganhar. Numa empresa convencional seriam despedidos. A cooperativa tem outras alternativas para enfrentar a situação: ela pode manter todos os cooperados em semiociosidade e reduzir os "salários"; pode desligar provisória ou definitivamente um certo número de sócios com mais possibilidades de encontrar outro trabalho fora; finalmente, se ela se mostrar incapaz de repartir perdas, ela pode falir.

Quando as cooperativas de produção dão certo, muitas se tornam bem prósperas, o que valoriza as cotas dos sócios. Em geral, cada sócio que se retira pode vender sua cota à sociedade por um valor convencional ou pode vendê-la a outro trabalhador, desde que este seja aceito pelos demais como novo sócio. Se nenhuma dessas alternativas for factível, passa a ser mais vantajoso para os cooperados – sobretudo se a maioria já está em idade para se aposentar – vender a cooperativa como empresa convencional a quem oferecer o melhor preço.

O perigo de degeneração sempre ronda a cooperativa. No caso das cooperativas de consumo ou de serviços, a degeneração toma a forma mais frequente de alienação dos sócios, que deixam a cooperativa ser dirigida por administradores profissionais. O princípio dos Pioneiros de Rochdale, de que cooperativas de consumo devem estar abertas a novos sócios, pode, na prática, contribuir para a perda do espírito cooperativo. Muitas vezes, os novos sócios entram exclusivamente pela vantagem material oferecida pela cooperativa, sem qualquer interesse em acompanhar a sua gestão. Para compensar essa tendência, outro princípio de Rochdale é crucial: é o que insiste na continuada educação cooperativa das novas gerações.

As cooperativas operárias também correm o risco de degenerar, quando os cargos de direção acabam sendo entregues em caráter mais ou menos permanente aos companheiros mais competentes ou tidos como tal. Pouco a pouco, os demais sócios deixam de acompanhar os negócios da cooperativa, as reuniões gerais tornam-se formais e atraem cada vez menos participantes. A forma externa de cooperativa começa a ser recheada por um conteúdo capitalista.

Examinando-se o conjunto do movimento cooperativista, tem-se a impressão de que, de todos os implantes anticapitalistas com potencial socialista, este – apesar dos pesares – é o de maior potencial e o que está mais exposto à contingência de perder sua essência para se amoldar ao ambiente e às exigências da competição com empresas capitalistas. A cooperativa operária realiza em alto grau todas as condições para a desalienação do trabalho e, portanto, para a realização do socialismo no plano da produção. Ela é gerida pelos trabalhadores, as relações de trabalho são democráticas, ela traduz na prática o lema: "de cada um segundo suas possibilidades, a cada um segundo suas necessidades".

Karl Marx, que certamente travou conhecimento com as cooperativas operárias, caracterizou-as do seguinte modo:

> As fábricas cooperativas dos próprios trabalhadores são, dentro da velha forma, a primeira ruptura da velha forma, embora elas natural-

> mente reproduzam e tenham de reproduzir em todo lugar, em sua organização real, as mazelas do sistema existente. Mas, dentro delas, a contradição entre capital e trabalho está superada, mesmo que inicialmente apenas na forma de que os trabalhadores, enquanto associação, são seus próprios capitalistas, o que significa que utilizam os meios de produção para a valorização de seu próprio trabalho. Elas mostram como, num determinado nível de desenvolvimento das forças produtivas materiais e de suas correspondentes formas sociais de produção, se desenvolve e toma forma, a partir de um modo de produção, um novo modo de produção. Sem o sistema fabril originado do modo de produção capitalista, a fábrica cooperativa não poderia se desenvolver, e tampouco sem o sistema de crédito originado no mesmo modo de produção. Esse sistema, que forma a principal base para a transformação paulatina das empresas privadas capitalistas em sociedades anônimas capitalistas, oferece igualmente os meios para a paulatina expansão das empresas cooperativas em escala mais ou menos nacional. As empresas capitalistas por ações devem ser consideradas, tanto quanto as fábricas cooperativas, formas de transição do modo de produção capitalista ao (modo de produção) associado (ou socialista), somente que numa a contradição é superada negativamente e na outra positivamente (Marx, 1894, v.III, p.481-2).

Marx reconhece tanto na cooperativa operária quanto na sociedade anônima "formas de transição" do capitalismo ao socialismo. Quanto à sociedade anônima, a sua evolução, desde que Marx redigiu essa apreciação, não confirmou o prognóstico, pelo menos até agora. Cada vez mais a grande empresa toma a forma de sociedade anônima, que de fato é gerida pelos seus administradores não proprietários formais, mas essa gestão mantém a autoridade do capital sobre os trabalhadores.

Agora, quanto à cooperativa operária, a visão de Marx se revela aguda e certeira. Em projeto, ela supera positivamente a contradição entre capital e trabalho, constituindo um elemento do modo de produção socialista que se desenvolve a partir do modo de produção capitalista. Mas nem por isso a cooperativa deixa de funcionar competitivamente no mercado, o que a obriga a enfrentar problemas cuja solução nem sempre se coaduna com seus princípios. Se a cooperativa necessita de especialistas e se os que estiverem disponíveis não querem integrá-la como sócios, mas apenas na condição de assalariados, o que se supõe que a cooperativa faça? Manter-se fiel ao princípio de não assalariar trabalhadores e arriscar-se a falir ou abrir uma exceção e admitir assalariados?

Exemplos análogos poderiam ser multiplicados. O que demonstra a fragilidade dessa forma de transição. As cooperativas operárias não são portadoras de forças produtivas novas, que só seriam compatíveis com as relações de produção cooperativas ou socialistas. É possível que, no futuro, tais forças produtivas surjam, mas não dá para desenvolver um projeto de revolução social socialista a partir dessa hipótese. O que a experiência comprova é que as cooperativas, tomando todas em conjunto, apresentam vantagens comparativas em relação às empresas capitalistas do ponto de vista dos consumidores ou dos produtores. Mas essas vantagens não tomam a forma de forças produtivas, e sim de "desalienação" de consumidores e trabalhadores.

A vantagem oferecida pelas cooperativas, e que explica grande parte do seu êxito relativo, é que *a forma cooperativa de organização*, seja do consumo ou da prestação de serviços ou da produção para os mercados, *permite e compele o diretamente interessado a participar nas discussões e negociações sobre questões de seu interesse*. Obviamente não se trata de uma vantagem competitiva, como seria uma tecnologia superior. Essa característica do cooperativismo só se torna vantagem se houver predisposição das pessoas, na condição de consumidores de bens ou serviços, ou na de trabalhadores, para participar em atividades econômicas como sócios com direitos e responsabilidades iguais aos dos demais sócios.

Essa predisposição não é comum na cultura capitalista; ela aparece como peculiaridade de uma classe específica de agentes econômicos – os empresários. A grande maioria das pessoas comuns – trabalhadoras, mães de família, técnicos, professores etc. etc. – é condicionada a aceitar passivamente que outros, em posições de mando e responsabilidade, tomem decisões cruciais por elas. O desejo de participar, que é a forma concreta do anseio pela desalienação, normalmente não é despertado e é frequentemente reprimido quando se manifesta. Por isso, o desejo de saber, de assumir poder e responsabilidade, seja pela escola dos filhos, pelo hospital do bairro ou pela empresa em que se trabalha, tem que ser cuidadosamente cultivado, inclusive pela educação cooperativa.

Portanto, encarando-se a revolução socialista pelo ângulo estreito, mas revelador do cooperativismo, é fácil ver que ela é de natureza completamente diferente da revolução capitalista. Por ocasião desta, não havia necessidade de educar o empresário ou de fomentar nele o espírito empresarial. Este surgia espontaneamente da prática dos negócios, exatamente como até hoje ele se difunde, sobretudo entre os que, por conexões familiares ou outras, têm acesso ao capital e portanto aos meios de realizar-se como empresários. Havia empresários capitalistas no antigo regime e não lhes faltou motivação para se lançar, sempre que houve oportunidade, ao domínio dos mercados, à invenção ou aquisição de novas técnicas e a todas as outras estratégias que fazem de alguns empresários ganhadores no jogo do mercado.

O espírito cooperativista ou a consciência socialista não surge espontaneamente. O anseio pela desalienação pressupõe que as pessoas estejam informadas de que estão alienadas da maioria das decisões que afetam suas vidas e dos seus dependentes. Esta é sem dúvida a primeira grande tarefa de uma educação para o cooperativismo ou para o socialismo. Despertada a consciência da alienação (assim como da exploração etc.), é preciso educar o jovem para competir não só individual, mas coletivamente, mediante participação ativa em cooperativas, sindicatos, centros estudantis, partidos políticos.

A opção pelo cooperativismo ou pelo sindicalismo ou pela militância partidária de esquerda é o oposto da opção pelo máximo bem-estar ou utilidade individual. Esta última não surge espontaneamente, como emanação de uma natureza humana individualista. Ela é cotidianamente reafirmada e negada: reafirmada pela propaganda comercial e negada pelas homilias da religião, reafirmada pela cultura do consumo e do prazer e negada pela cultura da responsabilidade pelo próximo, da exigência da solidariedade e do desprendimento.

Nenhuma sociedade – nem mesmo a capitalista – poderia funcionar se todos os seus membros se comportassem como o *homo oeconomicus*, um ser inteiramente racional e egoísta, cuja única preocupação é o seu próprio bem-estar. Por isso, mesmo no capitalismo, os implantes socialistas desempenham um papel positivo ao difundir valores essenciais ao convívio em sociedade. Esse fato abre um certo leque de possibilidades de que algumas dessas sementes germinem. O que poderia significar isso? Que a democracia política se difundisse do âmbito estatal ao das instituições privadas: empresas, escolas, igrejas, prisões etc.; ou que o fortalecimento do sindicalismo fizesse crescer a influência sobre a gestão econômica dos representantes de operários em fábricas, bancos e demais empresas; ou ainda que cooperativas de consumo e de serviços se unissem para formar um grande mercado cooperativo preferencialmente voltado à aquisição de produtos de cooperativas de produção.

Em suma, não cabe pensar a revolução social socialista como uma reedição, em plano superior, da revolução capitalista. Esta começou pelo desenvolvimento do modo de produção capitalista, subordinado ao feudalismo e, depois, à produção simples de mercadorias. O capitalismo levou séculos desenvolvendo-se, não como projeto consciente, mas como uma maneira semiclandestina de aproveitar o potencial produtivo dos agrupamentos marginalizados pelo modo de produção dominante. O capital prosperou desse modo até que o progresso técnico escancarou-lhe as portas dos principais ramos de produção da maior nação mercante da Europa do século XVIII. Com a revolução industrial, a revolução capitalista entrou em sua fase decisiva, em que o capitalismo tornou-se industrial e o modo de produção hegemônico da economia.

A revolução socialista começou na terceira década do século XIX, mas não como um modo de produção secundário. A revolução socialista implantou no capitalismo, ainda em constituição, instituições destinadas a enfrentar e/ou compensar as tendências de concentração da renda e da propriedade, de exclusão social e de destruição criadora, inerentes à dinâmica do capital. Essas tendências estão teórica e empiricamente bem comprovadas, mas as formas de contê-las e/ou compensá-las não são óbvias e nem sempre são exitosas. Os implantes socialistas no capitalismo resultam de algo como um processo de tentativas e erros.

E dificilmente poderia ser diferente. A revolução socialista, por essa conceituação já em curso há quase dois séculos, não é a concretização de um projeto, mas o resultado de inúmeras lutas no plano político, social e econômico que se estenderam por um crescente número de nações, à medida que a revolução capitalista foi se estendendo a novos países e continentes. Essas lutas foram atentamente acompanhadas, sobretudo as que resultaram em grandes revoluções políticas e amplas mudanças institucionais. Inegavelmente, as lutas pelos direitos políticos, pela liberdade de organização e de greve, pela legalização e regulamentação da seguridade social e do cooperativismo foram divulgadas, comparadas e interpretadas de múltiplas maneiras.

Indubitavelmente, esse labor teórico deu uma certa consistência ideológica aos implantes institucionais logrados pelas lutas socialistas. Não obstante, várias das mais importantes tentativas de implantar o socialismo fracassaram, revelaram-se como erros. Por isso, particularmente neste momento histórico, em que o movimento sindical e o Estado de bem-estar social estão em crise, o problema científico da revolução socialista não está em determinar o modo como ela irá culminar, mas sim em fazer um balanço histórico-crítico do que foi conseguido diante das tendências do capitalismo no futuro próximo.

É preciso investigar o potencial de expansão da democracia aos planos de micropoder na sociedade civil, o potencial das representações operárias dentro das empresas capitalistas e o potencial de expansão e desenvolvimento das economias cooperativas complexas como as dos *kibutzim* israelenses, da indústria cooperativa de Mondragón, no País Basco, e das cooperativas de produção da chamada Terceira Itália etc. É preciso avaliar o importante movimento de cooperativas de crédito em países do Terceiro Mundo, chamados "bancos do povo" ou crédito solidário, e as inúmeras iniciativas locais de combate ao desemprego e à destruição criadora.

# Parte IV

# Revoluções e contrarrevoluções: a saga do capitalismo contemporâneo

## *Formação social, modos de produção, infra e supraestrutura*

Quando falamos de "capitalismo", estamos nos referindo simultaneamente a um modo de produção e a uma formação social. Esta última contém vários modos de produção, dos quais o capitalista sói ser o maior e o hegemônico. Por isso, a formação social que vem se espalhando pelo mundo, nos últimos duzentos anos, também é chamada de "capitalismo".

Convém esclarecer desde logo essa ambiguidade, de que nem todos estão ao par. Um modo de produção é uma forma específica de organizar a atividade produtiva e de repartir o resultado entre os participantes. O *capitalismo* organiza a produção em empresas, que são propriedade privada. Os seus detentores comandam a produção, visando maximizar o lucro. Para tanto, empregam trabalhadores, aos quais pagam salários por tempo de trabalho e/ou quantidade produzida. As características da empresa capitalista vêm se modificando ao longo da história e são essas mudanças – como ainda veremos – que marcam as transformações do modo de produção.

Na formação social capitalista há diversos outros modos de produção. Podemos enumerar os mais importantes. A *produção simples de mercadorias* é realizada por produtores independentes, que possuem os próprios meios de produção. Normalmente os proprietários não empregam trabalhadores assalariados, mas membros da família. Excepcionalmente, haverá empregados, quase só em funções auxiliares. A *produção pública*, estatal ou privada, emprega assalariados e oferece bens ou serviços gratuitamente. Ex.: ensino público, segurança pública, saúde pública etc. A *produção doméstica* se caracteriza pelo autoconsumo. Ela abarca as atividades produtivas realizadas no seio da família, para o consumo de seus membros. A *produção cooperativa* é constituída por empresas de propriedade de seus trabalhadores. Ela produz ou distribui mercadorias, como a produção simples, mas difere desta porque abrange empresas não só pequenas, mas de porte médio e grande.

Os modos de produção funcionam lado a lado, intercambiando produtos e competindo entre si. O modo capitalista emprega trabalhadores, cujo sustento depende, em maior ou menor medida, da produção doméstica. O principal "produto vendável" desta é a força de trabalho. As crianças nascidas e criadas nas famílias serão os futuros trabalhadores, sem os quais o modo capitalista não poderia existir. O modo capitalista depende portanto da produção doméstica e, também, da produção pública (educação, saúde etc.) para obter a mão de obra, que lhe é imprescindível.

O modo capitalista de produção compete e transaciona com os outros modos de produção de mercadorias, o simples e o cooperativo. A competição se dá nos mercados, entre firmas pertencentes a esses diversos modos de produção. O intercâmbio ocorre na mesma medida, pois firmas capitalistas, de produtores autônomos e cooperativas compram e vendem umas às outras. Nos últimos tempos, firmas capitalistas, para não desembolsar encargos trabalhistas, tratam de contratar trabalhadores não mais como assalariados, mas como produtores simples de mercadorias ou cooperativas de trabalho. Essa transformação das relações de produção ilustra a importância do relacionamento entre modos de produção como elemento da dinâmica social e econômica da formação social.

Os modos de produção em conjunto formam a infraestrutura econômica da formação social capitalista. As relações sociais que se estabelecem entre os produtores e consumidores, inseridos nos diversos modos de produção, são reguladas por normas, leis e valores derivados de estruturas legais, políticas e culturais que formam a supraestrutura. Essa distinção, que devemos a Marx, é extremamente útil, porque no capitalismo infra e supraestrutura estão sujeitas a dinâmicas deveras distintas.

A infraestrutura capitalista se move pela incessante revolução das técnicas de produção e pela ininterrupta invenção de novos produtos. Essas mudanças originam-se, via de regra, nas empresas capitalistas e é fundamentalmente por isso que o capitalismo, enquanto modo de produção, é hegemônico. As revoluções tecnológicas, que geram novas maneiras de produzir e de consumir, são suscitadas planejadamente pelas grandes empresas capitalistas mediante uma atividade sistemática de P&D (pesquisa e desenvolvimento). Os demais modos de produção são atingidos pelos novos produtos e métodos e se adaptam a eles.

Além disso, a dinâmica da infraestrutura é produzida pelo investimento produtivo, tanto na manutenção, reparação, ampliação etc., das empresas existentes como na criação de novas. Todos os modos de produção investem, pois disso depende sua continuidade e desenvolvimento. Mas a capacidade de investir do capitalismo é maior, exceto em períodos de guerra ou de reconstrução ou em determinadas conjunturas da industrialização, quando os investimentos mais importantes são realizados pela produção pública. Normalmente, o ritmo de crescimento da infraestrutura é determinado pela acumulação de capital, ou seja, pela inversão das empresas capitalistas.

A dinâmica da supraestrutura é dada por um complexo de interações sociais e políticas. Uma das teses mais controvertidas de Marx é que esse complexo é sempre dominado pela luta de classes. Os individualistas, por sua vez, acreditam que, na "modernidade", essas interações são protagonizadas essencialmente por indivíduos desejosos de maximizar algo como utilidade, satisfação ou prazer. Ambas as teses são reducionistas, mas contêm importantes elementos explicativos da realidade.

Em determinadas conjunturas históricas, as classes subordinadas se unem contra o *status quo* e, com isso, forçam as classes dominantes a se unir também, o que dá lugar a confrontos que, eventualmente, desembocam em revoluções ou contrarrevoluções. Em outras conjunturas, as distâncias entre classes dominantes e subordinadas se encurtam, boa parte dos indivíduos consegue vencê-las e essa mobilidade interclassista ampliada dilui os laços de solidariedade, fazendo que a maioria dos indivíduos atue mais isoladamente.

A era atual é de revoluções, contrarrevoluções e guerras, ou seja, de movimentos de massa. Como resultado destes, a supraestrutura política vem se democratizando e a massa trabalhadora, destituída de propriedade, vem conquistando direitos. Cada vez mais, a supraestrutura vem sendo transformada por lutas de massa, que ocasionalmente são confrontadas por amplos movimentos repressivos, os quais teremos ocasião de discutir adiante.

O que importa, aqui, é deixar claro que infra e supraestruturas se movem impulsionadas por forças muito diferentes. A infraestrutura é basicamente movida pela dinâmica do capital e é possível dizer que a supraestrutura recebe os impactos das revoluções tecnológicas e seus resultados, que atingem de modo diferente cada classe social e suas várias frações.

Além desses impactos, as estruturas legais, culturais e políticas têm sua própria dinâmica. Marx supunha que os impulsos decorrentes do desenvolvimento das forças produtivas condicionariam o lento revolucionamento das instituições supraestruturais. A história tem confirmado, em boa medida, essa visão, mas seria um erro reduzir a evolução legal, cultural e política aos efeitos das transformações econômicas. É um erro cometido muito mais pelos discípulos do que pelo autor original.

Examinaremos na seção seguinte a evolução histórica do capitalismo e nas outras seções a fase contemporânea dessa formação social e suas perspectivas futuras. O enfoque será do capitalismo como formação cada vez mais global, mas trataremos de ilustrar as hipóteses com eventos de nossa própria história.

## *O surgimento da formação social capitalista*

O capitalismo, enquanto modo de produção, origina-se da revolução comercial, que teve a Europa medieval por palco, por volta dos séculos XI a XIV. O comércio intercontinental tinha cessado, após a queda do Império Romano, mas foi sendo gradativamente restabelecido a partir das Cruzadas, que podem ter sido um elemento detonador da revolução comercial. Seja como for, a Europa foi se envolvendo cada vez mais em redes de trocas comerciais com o Extremo Oriente, cujo grau de civilização era muito mais avançado. Surgiu daí a crescente produção para o mercado, organizada sob forma de produção simples de mercadorias nas cidades. Posteriormente, no campo, as prestações servis *in natura* foram transformadas em pagamentos monetários, o que deu início à substituição da própria servidão pela agricultura camponesa, uma combinação peculiar de produção doméstica (ou de subsistência) com produção simples de mercadorias.

A passagem da servidão à agricultura camponesa esteve longe de ser pacífica. Houve muitas guerras e sublevações camponesas, que pontuaram aquela transição. Onde ela se atrasou, o desenlace tomou a forma de grandes revoluções, como a francesa no final do século XVIII. O que importa aqui é que a formação social que surgiu na Europa, entre os séculos XIII e XVI, tinha o grande capital mercantil como camada dominante. Este, para operar no comércio de longa distância, tinha que ter por base uma crescente produção de mercadorias, organizada majoritariamente como produção simples artesanal ou camponesa. Havia também empresas capitalistas, explorando certo número de artesãos no sistema de encomenda (*putting-out*) ou mesmo como assalariados, mas essas formas antigas de capitalismo eram minoritárias e, de início, excepcionais.

A partir do século XVI, a Inglaterra, que acabaria sendo a pátria do capitalismo, assistiu ao gradual desenvolvimento das empresas capitalistas em determinados setores de produção.

> Ao mesmo tempo, numa série de novas indústrias, como as de cobre, bronze e material bélico, papel e fabricação de pólvora, alume e sabão, e também na mineração e na fundição, a técnica de produção foi bastan-

> te transformada, como resultado das invenções recentes, que tornavam necessário um capital inicial muito além da capacidade do artesão comum. Consequentemente, neste setor, as empresas eram fundadas por homens e iniciativas que se associavam ou reuniam ações, começando a empregar trabalho assalariado em escala considerável (Dobb, [1946] 1983, p.90).

Esse ponto é fundamental para entender a evolução do capitalismo. A sua vantagem em relação a outros modos de produção foi, desde a origem, a possibilidade de organizar a produção em escalas tão grandes quanto as requeridas pela técnica de produção. O artesanato, assim como a agricultura camponesa, não tinham essa possibilidade, pois baseavam-se na produção familiar. Sua escala de produção dificilmente poderia ultrapassar os limites do círculo familiar.

É interessante observar que alguns dos ramos em que o capital teve cedo a oportunidade de revelar sua superioridade, na Inglaterra, se originavam de invenções chinesas, como a produção de papel e de pólvora, o que indica que na China a manufatura em escala maior já deveria estar implantada havia muito tempo. Não sabemos se o modo de produção capitalista se desenvolveu naquele império, quando a Europa ainda estava no feudalismo, mas é uma hipótese que não se pode descartar.

O capitalismo prosperou nos interstícios da produção simples de mercadorias, dominada pelo capital mercantil, na Inglaterra, sobretudo nas atividades em que a melhor técnica exigia a cooperação de grande número de trabalhadores. A evolução técnica foi favorecendo o capitalismo com o passar do tempo, mas a burguesia manufatureira dificilmente poderia ter aspirado à hegemonia se, no século XVIII, a primeira revolução industrial não tivesse acelerado de forma brutal aquela evolução.

A ruptura deu-se com a invenção por Arkwright, em 1769, do *water frame*, uma máquina de fiar que era movimentada por animais de tração ou por rodas d'água. Até então, as inovações técnicas na fiação e tecelagem eram compatíveis com a produção artesanal. Mas com as máquinas de fiar de Arkwright começou o período fabril nessa atividade, a mais importante da economia inglesa. Arkwright mesmo, além de patentear o invento, associou-se a outros capitalistas e fez construir um crescente número de fiações industriais, de natureza indubitavelmente capitalista. Poucos anos depois, em 1785, Cartwright logrou construir o primeiro tear mecânico, por meio do qual o capital se apoderou de todo o setor têxtil.

Os artesãos tiveram de competir com as fábricas e, para resistir, precisaram abrir mão de parte crescente de seus ganhos. Durante muitas décadas puderam concorrer na produção de artigos de melhor qualidade, que as primeiras máquinas não conseguiam fabricar. Mas sua sorte estava selada. As máquinas foram aperfeiçoadas até conseguirem qualidade melhor que a produção manual. A partir desse momento, milhões de artesãos ficaram sem trabalho e outros tantos persistiram até morrer de fome.

A primeira revolução industrial passou, a partir desse momento, a desenvolver tecnologias que utilizavam maquinismos cada vez maiores, cada vez mais caros e cada vez mais eficientes. Essas tecnologias foram desenvolvidas por capitalistas, ou seja, por empreendedores que empregavam trabalho assalariado para construir suas máquinas. Não por acaso, seus clientes também eram, em sua maioria, fabricantes capitalistas. Talvez o caso mais representativo fosse o de James Watt, o inventor do motor a vapor, que, para poder aperfeiçoar seu invento, se associou a Matthew Boulton, um dos principais capitães da indústria metalúrgica da época.

A primeira revolução industrial deu origem à formação social capitalista, ou seja, à formação social em que o modo capitalista de produção domina a infraestrutura. Mas esse domínio não poderia se impor unicamente pela sua superioridade competitiva, pois, no fim do século XVIII, os mercados estavam longe de ser de livre concorrência. O avanço do capital na indústria têxtil e na agricultura e, depois, em todos os outros ramos feria os interesses tanto dos produtores simples de mercadorias como dos grandes mercadores monopolistas, detentores de privilégios comprados a peso de ouro do rei e seus ministros. Os interesses feridos mobilizaram todos os recursos políticos que puderam para obter da Câmara dos Comuns a proibição do uso das máquinas automáticas. O seu fracasso mostra que, também na supraestrutura, mudanças profundas estavam em curso.

Na Inglaterra, a principal mudança política tinha sido desencadeada pela série de movimentos revolucionários que levaram à deposição e execução de Carlos I, à ditadura de Cromwell, à restauração Stuart e, finalmente, à *Gloriosa Revolução*, de 1688. Desde então, a Grã-Bretanha vinha tendo governos "representativos", escolhidos por uma Câmara eleita por voto censitário. Um século depois, essa Câmara recusou as petições contra as grandes máquinas e pouco depois aprovou feroz legislação contra os "quebradores de máquinas".

A vitória do capital industrial foi devida também ao apoio da aristocracia fundiária, que pouco antes tinha assumido a vanguarda da transformação capitalista da agricultura. Ela promoveu o cercamento de suas propriedades e a expulsão dos camponeses delas. Amplas extensões de terra foram entregues a grandes arrendatários capitalistas, que procediam ao seu cultivo com trabalhadores assalariados. Para alguns, a revolução agrícola precedeu a revolução industrial. O aburguesamento da nobreza britânica foi crucial para que o capitalismo enquanto formação social se viabilizasse.

Outro fator que certamente pesou foi a rivalidade com a França, que estava passando pela sua grande revolução. As longas guerras napoleônicas marcaram o embate entre as duas maiores e mais adiantadas nações europeias: França e Grã-Bretanha. A vitória final sorriu aos ingleses também graças à sua superioridade econômica, alcançada mediante a revolução industrial. A competição externa foi o argumento usado pelos fabricantes para persuadir os Comuns a rejeitar as petições contra as máquinas.

## *Consolidação da formação social capitalista*

Entre 1780 e 1880, a indústria fabril consolidou-se na Grã-Bretanha e se difundiu na Europa ocidental e central e na América do Norte. A construção acelerada de ferrovias, a partir dos anos 1840, unificou mercados nacionais, inclusive de nações continentais como os Estados Unidos. No mesmo sentido atuou a construção de canais e o desenvolvimento da navegação a vapor, da telegrafia e da telefonia. A unificação de vastos mercados continentais possibilitou a produção e distribuição em massa a partir dos 1870, o que vai dar origem à segunda revolução industrial.

Mas não foi só a indústria que se difundiu. Também o governo representativo e o *laissez-faire*, praticados inicialmente na Grã-Bretanha e Estados Unidos, foram sendo aos poucos adotados por todos os povos "civilizados". O Brasil do Segundo Império, p. ex., também incorporou esses princípios à estrutura político-legal, embora sua prática esbarrasse na presença vergonhosa mas indispensável (à classe dominante) da escravidão. Nesses cem anos, a formação social capitalista tornou-se a regra na Europa e foi se desenvolvendo em quase todos os países independentes.

Nessa fase inicial do capitalismo enquanto formação social, a empresa capitalista era grande em comparação com as unidades de produção precedentes, mas não grande demais para ser administrada pelo proprietário, ajudado por uma equipe limitada de associados, parentes e empregados de confiança. Nos principais mercados, o número de concorrentes era grande e a firma capitalista típica era "tomadora de preço", ou seja, praticava o preço prevalecente no mercado.

As exceções eram constituídas pelas prestadoras de serviços públicos, como as companhias de estradas de ferro, de construção e operação de canais de navegação, de telegrafia etc. Para possibilitar o financiamento de seus colossais patrimônios, "desregulamentou-se" a estrita legislação que até então (meados do século XIX) exigia carta patente, concedida pelo parlamento, para a criação de sociedade anônima e plena responsabilidade de seus sócios pelos débitos desta. A aprovação da "responsabilidade limitada" dos detentores de ações foi uma revolução legal, que tornou possível o crescimento ilimitado da firma privada mediante o amálgama de inúmeras poupanças individuais, sem que seus detentores se envolvessem na gestão dela.

A transformação da supraestrutura legal, política e cultural foi imensa, através de contínuas revoluções políticas. Não há qualquer exagero em considerar a era aberta pela Revolução Americana e pela Francesa como uma era de revoluções e contrarrevoluções. Basta recordar as revoluções coloniais na América Latina, iniciadas em 1810; a Revolução de 1830, na França, seguida de perto pela quase revolução de 1832, na Grã-Bretanha, que aprovou a primeira reforma parlamentar (por meio da qual a burguesia conquistou os direitos políticos); as numerosas revoluções de 1848, que cobriram a Europa quase inteira; a Guerra Civil dos Estados Unidos (1861-1865); a Revolução Meiji (1868) no Japão; e a Comuna de Paris, em 1871, em que o proletariado fez o seu primeiro ensaio de tomada do poder com sucesso.

O que essas revoluções tiveram em comum foi que todas elas representaram intervenções profundas na estrutura política e legal, que, de uma forma geral, transformaram colônias ou territórios "balcanizados" em nações independentes e unificadas, estenderam direitos civis e políticos a novos grupos sociais, limitaram o poder dos governos e os submeteram à autoridade de legislativos eleitos, aboliram privilégios e difundiram a igualdade dos cidadãos perante a lei. No plano da cultura, essas revoluções difundiram, nos países ditos "civilizados", os valores do liberalismo, das liberdades individuais e dos direitos da cidadania.

Uma pergunta-chave seria a seguinte: há alguma relação necessária entre a revolução infraestrutural que produziu a hegemonia do capitalismo e as revoluções políticas, que prepararam o advento (no século XX) do mundo das nações e da democracia? A resposta positiva teria que tomar por base o surgimento e o desenvolvimento do movimento operário como reação revolucionária à ameaça representada pelo avanço do capital industrial ao *status* da classe operária.

Na época da primeira revolução industrial, a classe operária não agrícola era composta majoritariamente por produtores independentes, artesãos pertencentes a guildas, através das quais eles defendiam o seu monopólio legal sobre determinados segmentos de mercados, delimitados pela especialização profissional. O advento da indústria fabril, empregadora de grande massa de trabalhadores em princípio não qualificados e em seguida semiqualificados como operadores de máquinas, implicava a total destruição dos direitos profissionais e econômicos tradicionalmente gozados por mestres e oficiais. Como sabemos, a reação inicial foi tentar impedir a construção das fábricas por meios legais. E, dado o insucesso dessa tentativa, parte dos trabalhadores partiu para a destruição das fábricas, o que foi imediatamente reprimido com extremo rigor.

Após o fim das guerras napoleônicas, o movimento operário britânico mudou de rumo. Deixou-se influenciar por Robert Owen, que achava as conquistas da revolução industrial um passo enorme para a emancipação da humanidade e propunha aplicá-las num novo modo de produção que ele denominava "socialismo" e que tomaria a forma de aldeias cooperativas, em que a produção e o consumo seriam organizados coletiva e democraticamente. Se Marx e Engels são os pais do socialismo moderno, Owen deveria ser considerado com justiça o avô.

O fato histórico decisivo é que, a partir de certo momento, o movimento operário cessou sua oposição às inovações técnicas e passou a lutar não mais contra a indústria, mas contra o capitalismo. À medida que avançava o capitalismo industrial, em cada país, uma parcela cada vez maior de seus trabalhadores se transformava em assalariados, cujos interesses imediatos eram melhorar suas condições de trabalho e remuneração e acelerar a acumulação de capital, mediante a qual se expandia a procura por força de trabalho e, portanto, a própria classe operária. Os interesses de longo prazo do operariado eram conquistar novos direitos – civis, políticos e sociais – no seio do próprio capitalismo e preparar a substituição deste por uma formação social em que não haveria mais capitalistas e assalariados, mas apenas produtores associados.

A presença socialista nas primeiras revoluções da era das revoluções foi minúscula. O papel de Babeuf e de sua *conspiração dos iguais*, na Revolução Francesa, foi praticamente simbólico. Mas, com o passar do tempo e a proletarização dos trabalhadores, o movimento operário ganha importância e sua participação nos diversos movimentos revolucionários será cada vez maior. Quando, em 1848, Marx e Engels iniciam o *Manifesto comunista* com as célebres palavras: "Um espectro vaga pela Europa – o espectro do comunismo", eles talvez estivessem exagerando naquele momento. Mas a enorme importância que o *Manifesto* ganharia nas décadas seguintes é uma clara demonstração de que o comunismo assombraria cada vez mais, não só a Europa, mas todo o mundo capitalista.

A partir de 1848, a presença de correntes proletárias – socialistas, comunistas, anarquistas – nas revoluções será crescente. E essas correntes são produzidas pelo avanço do modo de produção capitalista sobre os outros modos de produção, em particular sobre a produção simples de mercadorias. Este seria o elo entre a revolução capitalista na infraestrutura e o amplo revolucionamento da supraestrutura, impulsionado não só, mas também, pelas revoluções políticas. A mudança supraestrutural ganhará dinamismo próprio e tornará desnecessário o recurso à revolução à medida que os direitos civis, políticos e sociais se universalizam.

Convém registrar, finalmente, que o advento do movimento operário socialista vai produzir um implante coletivista nos interstícios da formação social capitalista: as cooperativas de consumo e de produção. A partir da iniciativa dos Pioneiros Equitativos de Rochdale, começada em 1844, inúmeras cooperativas foram criadas nos países capitalistas. Juntamente com os sindicatos, com a legislação do trabalho e da previdência social pública e, sobretudo, com a democracia, as cooperativas representam germes de uma nova formação social, que poderão desabrochar ou não.

## *A segunda revolução industrial e o capitalismo monopolista*

A partir dos anos 1880, tem início nova onda de inovações técnicas que constituem a segunda revolução industrial. Ela produziu o acesso a novas formas de energia, como a elétrica e a produzida pelo motor a explosão, e a novas modalidades de consumo, desde o automóvel e os aparelhos domésticos até a radiodifusão, a televisão, a medicina científica etc. Assim como a primeira, também a segunda revolução industrial encurtou as distâncias mediante novas formas de transporte aéreo, aquático e terrestre e de telecomunicações.

É claro que a infraestrutura sofreu imenso impacto em função da segunda revolução industrial, com inúmeros efeitos sobre produção, distribuição e consumo. Desses todos, interessa destacar um, que teve o condão de fazer o capitalismo entrar numa nova etapa. Trata-se da *produção e distribuição em massa*. Como vimos, os resultados da primeira revolução industrial permitiram a unificação dos mercados nacionais e continentais. Para produtos de maior valor agregado, criou-se mesmo um mercado mundial. Foi essa imensa ampliação dos mercados que suscitou a invenção e o desenvolvimento de métodos de produção em massa. Sendo possível produzir para dezenas e centenas de milhões de pessoas, os ganhos de escala industriais a serem obtidos passaram a ser estupendos.

O desenvolvimento de métodos de produção em massa deu-se em primeiro lugar nos Estados Unidos, cujo mercado nacional havia crescido muito por efeito da fronteira móvel, que no fim do século XIX atingiria o Pacífico. Ele começou na produção de líquidos, como bebidas e derivados de petróleo, e se estendeu, em seguida, ao processamento contínuo de sólidos, como cereais, tabaco, carne etc. Finalmente, técnicas de produção em massa foram inventadas também para as indústrias de montagem, a começar pela de armas, depois em máquinas de escrever e finalmente em automóveis. A invenção da linha de montagem, por Ford, já no começo do século XX, é a culminância de um processo que se iniciou cerca de cinquenta anos antes.

Quando a produção em massa começou a revelar seu prodigioso potencial, essas técnicas se difundiram por outros continentes, a começar pela Europa e em seguida pela América Latina e Ásia. Muitas empresas dos Estados Unidos, tão logo consolidaram posições importantes nos mercados internos, trataram de se lançar à conquista de mercados externos; primeiro mediante exportação e em seguida através da abertura de filiais em outros países. A primeira multinacional foi a Cia. Singer, que construiu a maior fábrica de máquinas de costura do mundo, nos 1860, na Escócia.

O exemplo "americano" foi prontamente imitado pelos europeus, sobretudo pelas empresas alemãs, que dispunham, depois da unificação do país, do maior mercado interno do continente. Com a abertura dos mercados internos às importações, que se verificou nos anos 1860 e 1870, todas as potências industriais passaram a disputar os ganhos de escala decorrentes da produção em massa. Os preços das mercadorias produzidas em série passaram a cair rapidamente, o que eliminava dos mercados os competidores que não conseguiam produzir em quantidades tão grandes quanto seus rivais.

O resultado foi a imensa centralização de capitais. Muitas empresas se fundiam ou as empresas maiores adquiriam as menores, sempre no intuito de ampliar a escala de produção e distribuição. Em cada ramo industrial, o número de empresas caía e o tamanho das que restavam era cada vez maior. Havia obviamente dificuldades em controlar e gerir efetivamente empresas que se tornavam gigantescas. Mas esses problemas já estavam sendo enfrentados, havia décadas, pelas grandes prestadoras de serviços públicos, sobretudo as ferrovias. A estrutura administrativa desenvolvida por essas empresas foi adaptada pelas indústrias que resultavam da centralização do capital. *Generalizava-se o capital monopólico.*

O caráter dos mercados modificava-se, pois os capitais monopólicos[1] tinham poder para determinar seus preços em vez de aceitar os praticados no mercado. Os setores em que a produção em massa ainda não era possível, como a agricultura, passaram a ficar em franca inferioridade diante dos que se tornaram monopólicos. Os *farmers*, nos Estados Unidos, vendiam sua produção a indústrias processadoras de grande tamanho, que em mercados regionais se tornavam monopsônios (compradores únicos). Ao mesmo tempo, eles tinham de adquirir adubos, sementes e máquinas agrícolas de monopólios. Seus ganhos eram esmigalhados pelos preços altos dos insumos que compravam e os preços baixos que obtinham pelos seus produtos.

No fim do século passado, as regiões agrícolas dos Estados Unidos originaram um movimento, chamado de "populista", de revolta contra o domínio do capital monopolista. Ele conquistou suficiente poder político para aprovar uma legislação *antitrust*, que obriga o Departamento de Justiça a dissolver os monopólios e impedir que a livre concorrência possa ser eliminada. Essa legislação não pôde brecar e reverter a centralização de capitais, desencadeada pela segunda revolução industrial. Mas serviu e continua servindo para impedir que a centralização seja levada às últimas consequências.

---

1 Utilizamos o adjetivo "monopólico", já consagrado na literatura. Como veremos a seguir, o monopólio propriamente dito só é tolerado no capitalismo nos setores em que ele é natural, ou seja, decorrente da natureza da atividade, p. ex., a distribuição de energia elétrica, de água potável ou a prestação de serviços de telefonia. A rigor, os capitais que denominamos monopólicos são de fato oligopólicos.

A lógica da centralização é produzir o monopólio. A maximização do lucro em ramos de produção, em que ganhos de escala são significativos, leva os capitais a se centralizar até constituírem uma só empresa. Não há qualquer razão para cessar os processos de fusão e aquisição. Mas, se nos principais ramos industriais e de serviços – inclusive transporte, telecomunicações, comércio e finanças – os mercados se tornassem monopólicos, os preços e, possivelmente, as quantidades de mercadorias a serem transacionadas teriam de ser fixados por algum árbitro estatal, o que transformaria o capitalismo em alguma espécie de economia centralmente planejada.

A preservação do capitalismo é vital para todos os capitais, pequenos, médios e grandes. Por isso, coletivamente, a classe capitalista deseja preservar *alguma* descentralização dos capitais e *alguma* competição entre eles, apoiando a ação governamental que impede a monopolização da economia. Essa ação admite a centralização até o limite do oligopólio, ou seja, ela aprova Fs&As (fusões e aquisições) até que reste um número mínimo, mas maior que um ou dois, em cada mercado. A ação antimonopólica do Estado capitalista é ainda bastante controvertida, mas não resta dúvida que todos os mercados dominados pelo grande capital tendem a ser oligopólicos.

Surge assim uma elite de grandes empresas, integradas vertical e horizontalmente. Elas são na verdade *multiempresas*, ou seja, conglomerados de numerosas empresas que – se fossem independentes – seriam competidoras ou complementares. A multiempresa se integra verticalmente ao fundir em si produtores de matérias-primas, processadores de produtos intermediários, fabricantes de produtos finais, distribuidores destes no atacado e no varejo, empresas financiadoras de vendas a crédito, prestadoras de assistência técnica etc., reunindo *sob a mesma firma todas as etapas de uma cadeia produtiva*; ela se integra horizontalmente ao fundir em si um grande número de empresas que realizam a mesma atividade em diferentes localidades de um país e em diferentes países.

A produção em massa suscitou uma nova lei: muitas empresas reunidas numa só tinham custos mais baixos e, portanto, eram mais lucrativas do que o seriam separadamente. Mas essa lei não abrangia toda a economia. Em setores em que os produtos não são padronizáveis, em que a iniciativa local e imediata é vital na prestação de um serviço ou em que o atendimento personalizado do cliente é de grande importância, os ganhos de escala não existem ou são insignificantes diante de outros fatores, que requerem descentralização. Na agricultura, no comércio de produtos de alto valor (carros, objetos de arte, joias etc.), nos serviços de reparação, na educação e na assistência da saúde, unidades descentralizadas podem ser mais eficientes e lucrativas do que *multiempresas*.

Dessa maneira, a classe capitalista passou a se dividir em duas frações distintas: a fração oligopólica das multiempresas e a fração das empresas geridas pessoalmente pelos donos. As multiempresas são administradas por diretores e gerentes profissionais, que são assalariados. Em geral, são remunerados por opções de compra de ações, o que os torna acionistas da empresa ao longo de sua carreira. Mas eles não dirigem as multiempresas na condição de acionistas, e sim como profissionais assalariados. Um grupo que detém uma maioria de ações com direito a voto assume o controle da empresa, designa seus diretores e monitora seu desempenho através de seu conselho de administração.

As empresas capitalistas geridas pelos proprietários atuam nos setores descentralizados e, frequentemente, são satelizadas pelas multiempresas. Os cultivadores e criadores que dependem de indústrias processadoras, os revendedores de produtos de multiempresas, como carros, seguros ou gasolina etc., são exemplos de empresas descentralizadas, operadas pelos donos, mas que se pautam pelas regras das multiempresas que lhes compram a produção ou cujos produtos revendem.

Os efeitos centralizadores da produção em massa também atingiram os sindicatos de trabalhadores. As multiempresas trataram de impedir de todas as maneiras que seus trabalhadores fossem organizados por forças hostis ao capital. Algumas recorreram à repressão violenta, outras promoveram a formação de “sindicatos de empresas”, que elas controlavam. Nos Estados Unidos, foi apenas nos anos 1930, no bojo das grandes lutas por direitos sociais, que o movimento operário conseguiu tomar pé nas multiempresas.

## *Crise, depressão e Segunda Guerra Mundial: surge o capitalismo dirigido*

O desenvolvimento do capitalismo monopólico aguçou as contradições entre as grandes potências, engajando-as em luta mortal pelo domínio dos mercados mundiais. O resultado foi a Primeira Grande Guerra (1914-1918), em que duas coligações imperialistas se defrontaram em longo morticínio, que custou a vida de milhões e devastou amplas regiões da Europa. Finda a guerra, eclodiu uma onda revolucionária, que começou ainda em 1917 na Rússia, onde os comunistas tomaram o poder e, em seguida, atingiu os impérios derrotados. A monarquia foi derrubada na Alemanha, na Áustria-Hungria e na Turquia, sendo que os dois últimos impérios foram totalmente desmembrados.

A reconstrução das economias devastadas foi retardada em parte pela exigência de pagamento de grandes reparações de guerra pela Alemanha e pela instabilidade política nas novas repúblicas da União Soviética, Polônia, Hungria e Áustria. Em todos esses países, a desordem fiscal e monetária do tempo de guerra ainda se agravou na paz e hiperinflações violentas destruíram as poupanças, desvalorizaram as dívidas públicas e arruinaram a pequena burguesia. O receio da inflação tornou-se obsessivo nas classes dominantes e, em consequência, ressurgiu o conservadorismo monetário, que entronizava a estabilidade dos preços como valor supremo da condução pública da economia.

Ao mesmo tempo, houve também importantes avanços democráticos. A maioria dos países adiantados adotou o sufrágio universal, estendendo plenos direitos políticos às mulheres. No Brasil, o sufrágio universal foi adotado a partir de 1932. O movimento operário ganhou força e, pela primeira vez, em 1924, um partido de esquerda – o Labour Party – conquistou o governo num grande país, a Grã-Bretanha. A consolidação do poder soviético na União Soviética deu imenso ânimo a todas as forças anticapitalistas.

Essa evolução foi no entanto freada pela crise de 1929-1933, seguida por uma depressão que só terminou na década seguinte, com a eclosão da Segunda Guerra Mundial. Esta foi indiscutivelmente a pior crise da história do capitalismo, em termos de destruição de valores, de amplitude e duração do desemprego, de empobrecimento em massa. Os bancos centrais, com o "americano" e o inglês à frente, permaneciam preocupados com o perigo de hiperinflação e mantinham contidos os gastos públicos e o crédito. Desse modo, uma crise já agravada pela centralização do capital, como veremos adiante, tornou-se interminável por causa das políticas recessivas praticadas pelos governos e autoridades monetárias.

Convém observar que durante a etapa do capitalismo concorrencial, quando ocorriam crises e os preços despencavam, as empresas mais frágeis fechavam, a produção caía juntamente com a demanda, mas a tendência à baixa da atividade e do emprego tendia a desacelerar. A desvalorização do capital ajudava a recuperar a taxa de lucro[2] e a economia estava pronta para encetar nova fase de crescimento. Na etapa do capitalismo monopólico, as multiempresas não quebram nem baixam os preços. Elas preferem preservar as margens de lucro, reduzindo o volume de produção e despedindo parte dos trabalhadores. O desemprego e a eventual baixa dos salários, que pode ocorrer ou não, reduzem a demanda, o que induz as multiempresas a novos cortes na produção e no emprego. A tendência à baixa não desacelera, podendo até acelerar se houver pânico financeiro e falência de bancos e outros intermediários financeiros.

A crise tenderia a se estender se não fossem as empresas pequenas e médias, as quais continuam baixando os preços e quebrando. Como os grandes e pequenos capitais interagem, no final, os preços todos caem (inclusive das multiempresas, cujos custos decrescem) e a crise eventualmente chega ao fim, mas depois de ter durado mais e causado perdas muito maiores. Foi isso que aconteceu em 1929-1933: após forte *boom* especulativo, a Bolsa de Nova York sofreu baixas contínuas até entrar em colapso. A desvalorização maciça das ações cotadas arruinou os aplicadores e os bancos que os financiavam.

2 A taxa de lucro é o quociente do lucro anual da empresa pelo valor desta. Caindo o denominador mais que o numerador, a taxa aumenta. Isso tende a ocorrer porque os preços dos bens de capital caem mais que os dos bens de consumo. O excesso de capital é eliminado pela sua desvalorização, o que permite a retomada da inversão.

A crise irradiou-se rapidamente dos Estados Unidos ao resto do mundo, mas foi completamente subestimada tanto pelos tecnocratas dos tesouros e bancos centrais como pelos formadores da opinião pública, exceto um punhado de clarividentes, entre os quais se destacava John Maynard Keynes. O mundo oficial continuava mesmerizado pelo temor à inflação e, por isso, aplicava medidas purgativas, que prolongavam e agravavam a crise.

Finalmente, após três longos anos de sofrimentos, os governos "bem-pensantes" começaram a ser substituídos por outros, heterodoxos, prontos para fazer o oposto do recomendado pelo consenso conservador. Em 1932, os sociais-democratas subiram ao poder na Suécia e, em janeiro de 1933, Roosevelt foi empossado na Casa Branca e Adolf Hitler na *Reichskanzlei*, em Berlim. Esses governos passaram imediatamente a expandir o gasto público, a liberar o crédito e a desvalorizar a moeda em relação ao ouro. Os resultados não se fizeram esperar. A partir de 1933, suas economias retomaram o crescimento, embora em ritmo fraco e hesitante.

Pela primeira vez na história do capitalismo a economia foi resgatada da crise não pela reação espontânea dos mercados, mas por uma ação deliberada do Estado. Essa mudança marca a entrada do capitalismo em nova etapa, que chamaremos *capitalismo dirigido*. Começou a ficar claro que o capitalismo monopólico tem uma dinâmica cíclica diferente do capitalismo concorrencial. Como o capital monopólico ajusta quantidades – nível de produção e de emprego – e não preços, a desvalorização dos capitais ocorre em grau menor, o que atrasa a retomada espontânea dos investimentos. Abandonada a si própria, a economia dominada por multiempresas corre o perigo de cair em letargia, da qual dificilmente sairá sozinha.

Por outro lado, o capitalismo é mais apto a ser dirigido pelo Estado em sua etapa monopólica do que na etapa anterior. Isso já tinha ficado evidente durante a Primeira Guerra Mundial, quando a produção estatal assumiu a hegemonia e subordinou a economia civil às suas prioridades bélicas. As indústrias oligopólicas, que já eram planejadas pelos seus administradores profissionais, puderam ser enquadradas com certa facilidade no esforço de guerra, o que em absoluto foi o caso da agricultura e de outros setores, em que a produção era efetuada por um grande número de unidades independentes.

As experiências inaugurais do capitalismo dirigido tiveram sentidos sociais e políticos deveras distintos. Os sociais-democratas suecos e os *newdealers* de Roosevelt reviveram a demanda efetiva redistribuindo renda aos menos favorecidos mediante novos direitos sociais e iniciando obras públicas necessárias ao bem-estar da população. Hitler e os nazistas reconstruíram a indústria alemã para poder se lançar a uma corrida armamentista, que preparou a guerra mundial. Sua política social consistia em compensar os baixos salários com fervor patriótico, xenofobia e antissemitismo.

A primeira estratégia equivaleu a uma revolução política e social, pois inaugurou um modo democrático de governar em que o poder de Estado passou a ser partilhado entre representantes do movimento operário e do capital. O *New Deal* deu *status* legal à representação sindical, inclusive nos locais de trabalho, e criou um programa permanente de sustentação oficial dos preços agrícolas. A social-democracia sueca, que ganharia as eleições nas décadas seguintes, desenvolveu um sistema de negociação permanente entre a central operária, a cúpula empresarial e o governo nacional.

A segunda estratégia, do nazifascismo, equivaleu a uma contrarrevolução política. Todas as conquistas democráticas foram anuladas, os direitos políticos revogados, todo o poder de decisão foi concentrado na pessoa do *Führer*, o que representou um recuo aos tempos anteriores ao século das Luzes. Do ponto de vista supraestrutural, o contraste entre essas estratégias não podia ser maior. Não obstante, do ponto de vista infraestrutural, elas apresentavam um elemento em comum: no relacionamento entre os modos de produção, o capitalista ficava em certa medida dependente e subordinado às decisões dos que estavam à testa da produção estatal.

As duas estratégias se confrontaram nos campos de batalha da Segunda Guerra Mundial e a estratégia revolucionária das democracias triunfou sobre a estratégia contrarrevolucionária do Eixo. Esse desenlace definiu o destino do capitalismo no após-guerra. Convém lembrar que essa guerra mundial, ao contrário da primeira, foi um vasto confronto político e ideológico entre o nazifascismo e uma ampla aliança que reunia desde os conservadores ingleses de Churchill até os supostos comunistas de Stálin, passando por todas as tendências democráticas: liberais (no sentido geral), “liberais” (no sentido “americano” de progressistas), sociais-democratas, socialistas, nacionalistas, trotskistas etc.

O principal vencedor da Segunda Guerra Mundial foram os Estados Unidos e sua vitória representou a difusão mundial da revolução rooseveltiana. O capitalismo dirigido, após 1945, adquiriu um sentido democrático e progressista, consubstanciado pelo compromisso de todos os governos – inscrito em leis e nas novas constituições – de *manter o pleno emprego*. Esse compromisso equivaleu a um pacto social, pelo qual se reafirmou a democracia, adicionando-lhe a responsabilidade assumida pelo Estado de assegurar a todos os cidadãos trabalho e condições aceitáveis de vida.

O compromisso do pleno emprego e do que se chamou depois de Estado de bem-estar social foi correspondido, no plano cultural, por profunda reviravolta na ciência econômica: *a revolução keynesiana*. Keynes rompeu com suas próprias convicções ortodoxas quando publicou, em 1936, sua obra mais importante: *The General Theory of Employment, Interest and Money* (Teoria geral do emprego, do juro e do dinheiro). Ele procurou mostrar que, no capitalismo, o nível de emprego e de atividade não são determinados por livre concorrência nos mercados de fatores, mas pela variação da demanda efetiva, que depende da propensão a consumir da população e das decisões de investir dos empresários.

Assim sendo, o desemprego, que na época ainda era muito grande, podia ser involuntário, no sentido de que ele não seria reduzido pela aceitação de salários menores por parte dos trabalhadores. Salários menores, se fossem gerais, aumentariam a deflação, pois os demais preços tenderiam a cair também, o que deprimiria a demanda, pois os compradores adiariam seus gastos, à espera de que os preços caíssem ainda mais. Se a redução de salários fosse parcial, provavelmente os preços não a acompanhariam, o que acarretaria redução dos salários reais e, portanto, do consumo operário, o que também diminuiria a demanda efetiva e o nível de emprego.

Para reduzir o desemprego e elevar o nível de atividade, era preciso elevar a demanda efetiva, o que, nas circunstâncias, só o governo poderia fazer, seja mediante sua política fiscal – eventualmente gastando mais que a arrecadação –, seja mediante sua política monetária, tornando a oferta de dinheiro abundante e a taxa de juros baixa. A principal conclusão de Keynes é que o governo pode governar a conjuntura através do que se chamou de políticas anticíclicas. Estas consistem basicamente na manipulação da própria produção estatal, de modo que ela sirva de contrapeso às oscilações da produção capitalista. E, adicionalmente, a manipulação da política monetária poderia servir ao mesmo propósito.

O capitalismo dirigido não surgiu de transformações infraestruturais, como foi o caso do capitalismo concorrencial e do monopólico, mas de mudanças revolucionárias na supraestrutura. Ele resulta de um novo relacionamento entre Estado e mercado. No liberalismo, vigente a partir de meados do século XIX, o Estado tinha por objetivo proteger o mercado, impedir que a monopolização destruísse a concorrência inteiramente e fazer que as classes sociais, particularmente a operária, aceitassem pacificamente o "veredicto do mercado", qualquer que ele fosse. No dirigismo, vigente a partir do segundo terço do século XX, o Estado tinha por objetivo guiar o mercado, induzindo os agentes econômicos a adotar condutas que resultassem em pleno aproveitamento dos recursos.

## *Os anos dourados: revolução colonial, guerra fria e globalização dirigida*

Entre 1945 e 1973, aproximadamente, o capitalismo passou por uma fase de extraordinária prosperidade. O crescimento econômico foi tão intenso que o rápido aumento da produtividade não elevou o desemprego. Antes, pelo contrário, os atingidos pelo desemprego tecnológico puderam encontrar novos empregos em setores em rápida expansão, sobretudo na prestação de serviços. Um dos logros mais extraordinários foi uma quase estabilidade estrutural, tendo as recessões sido bastante débeis e curtas. Por tudo isso, esse período vem sendo chamado, *retrospectivãmente*, de anos dourados.

Durante esses anos, a era das revoluções não só prosseguiu, mas, inclusive, se intensificou. Nunca houve tantas revoluções num período tão curto, inferior a três décadas. Para começar, houve as revoluções "comunistas", inspiradas pela Revolução de Outubro, na Iugoslávia, na China, na Indochina (Vietnã e arredores), em Cuba, sem contar com os golpes de Estado favorecidos pelas tropas de ocupação do Exército vermelho em vários países da Europa oriental etc. Depois houve as revoluções para a libertação das colônias, numerosas demais para serem enumeradas. Basta referir que, durante os anos dourados, a revolução colonial estendeu-se ao conjunto da Ásia, da África e do Caribe, levando à emancipação da grande maioria dos países antes submetidos ao domínio colonialista.

Finalmente, houve grandes movimentos cívicos políticos, que equivaliam a revoluções sem sê-lo do ponto de vista formal, pois não praticavam a violência nem pretendiam a tomada de poder. Como observamos anteriormente, após a adoção da democracia política, mudanças supraestruturais profundas podiam ser alcançadas sem a necessidade de desalojar do governo os seus ocupantes eventuais. Isso mudou o caráter dos movimentos revolucionários. Antes da democracia, o objetivo tático desses movimentos tinha de ser a tomada do poder, pois sem ela os demais objetivos eram inatingíveis. Mas, dentro da democracia, o objetivo tático passou a ser mobilizar a opinião pública para eventualmente conquistar as mudanças através de medidas políticas e/ou a adoção de novos valores e novas condutas por parte da população.

Merecem menção os grandes movimentos pela paz e contra a guerra, particularmente nos Estados Unidos, durante a guerra do Vietnã; o movimento conquistou a opinião pública, forçando o governo a retirar as tropas. O movimento estudantil-operário de maio de 1968, na França, também alcançou sua principal vitória no campo cultural, pois seu principal propósito era protestar contra o autoritarismo no seio das instituições da sociedade civil. Surgiu, no fim dos 1960, sobretudo na Europa e na América Latina, uma aliança operário-estudantil que conferiu aos movimentos reivindicatórios dos assalariados um certo toque de rebeldia. A radicalização traduziu-se em maiores conquistas salariais, que contribuíram para a grande crise inflacionária dos anos 1970.

Ao lado desses movimentos, cabe lembrar os dirigidos contra o totalitarismo stalinista, desde 1953, em Berlim e na Alemanha Oriental, em 1956, na Polônia e na Hungria, em 1968, na Tchecoslováquia, e novamente, em 1970, na Polônia etc. Movimentos de mesma natureza contra ditaduras militares verificaram-se por toda a América Latina e em países da Ásia. No Brasil, caberia registrar as grandes demonstrações estudantis, em 1968 contra a ditadura militar, replicadas em Córdoba, na Argentina (o "Cordobaço"), e no México, onde os manifestantes foram massacrados pela polícia na principal praça da capital.

Esses movimentos provocaram amplas mudanças supraestruturais durante o período nos principais países. De todas as revoluções encetadas nesse período de extraordinária efervescência, a que teve maior êxito (como escreveu Norberto Bobbio) foi a feminista. As mulheres se emanciparam economicamente da tutela masculina e protagonizaram uma revolução sexual que abalou os fundamentos da família monogâmica nuclear. Uma de suas consequências não visadas foi a queda da fecundidade, a ponto de levar o crescimento populacional dos países mais desenvolvidos a se tornar negativo.

De que modo essas mudanças afetaram o capitalismo dirigido nos anos dourados? É preciso lembrar que o capitalismo estava se defrontando, pela primeira vez, com um sistema socioeconômico rival, que se autodesignava como "socialismo real" ou "realmente existente". Os países que o adotaram estavam muito longe dos ideais do socialismo, mas suas economias diferiam do capitalismo num ponto essencial: toda a atividade produtiva era controlada pelo Estado, que alocava administrativamente os meios de produção às empresas, definia metas de produção e fixava os preços de todas as mercadorias e os salários a serem pagos.

No confronto entre capitalismo e "socialismo real", o primeiro estava na defensiva. A partir dos 1950, a Cortina de Ferro dividia os domínios no Primeiro Mundo, mas a disputa continuava intensa no Terceiro Mundo, onde o atraso econômico fragilizava o capitalismo e suas instituições supraestruturais. Um número significativo de ex-colônias adotou o "socialismo real" ou versões derivadas deste, tendo acontecido o mesmo com Cuba, em território americano.

Para conter a ofensiva stalinista, todos os países capitalistas uniram-se num bloco liderado pelos Estados Unidos. Ao mesmo tempo, as economias devastadas pela guerra foram reconstruídas, com muito menos dificuldade e demora do que depois da Primeira Grande Guerra. Amedrontados pela ameaça do "comunismo", os Estados Unidos dessa vez foram generosos. Perdoaram as dívidas de guerra, abriram mão de reparações e ofereceram generosa ajuda financeira ao conjunto dos países europeus e ao Japão, sob a forma do Plano Marshall. Dessa forma, o "mundo livre" entrou numa fase de grande prosperidade, em que as tendências à globalização puderam ser retomadas com ímpeto.

Ainda antes do fim da Segunda Guerra Mundial, os "americanos" convocaram a conferência de Bretton Woods, presidida por Keynes,[3] em que delegados de todos os países aliados conceberam um novo sistema internacional de pagamentos, tendo por eixo o Fundo Monetário Internacional (FMI). Criaram também o Banco Internacional de Reconstrução e Desenvolvimento (Bird). Essas duas instituições financeiras intergovernamentais tinham por objetivo permitir a retomada da globalização, mas agora dirigida por elas em conjunto com os governos nacionais.

Durante os anos dourados, as EMNs (empresas multinacionais) "americanas" multiplicaram suas filiais, primeiro na Europa e, em seguida, nos outros continentes, sobretudo na América Latina e Ásia. Tão logo a reconstrução se completou, as multiempresas da Europa e do Japão trataram de fazer o mesmo. O Brasil começou a receber novamente EMNs, no após-guerra, a partir da presidência de Juscelino Kubitschek (1956-1961), quando o governo colocou como meta implantar

3 Keynes, ao lado do assessor do Tesouro dos Estados Unidos, Harry Dexter White, elaborou os planos para instituir o capitalismo dirigido no âmbito internacional. Mas Keynes não se conformava com a hegemonia assumida pelos Estados Unidos e procurou evitar a tutela "americana" do FMI e do Banco Mundial. Mas fracassou e a amargura parece ter-lhe abreviado a vida.

uma indústria automobilística no país em cinco anos, no fim dos quais os carros deveriam ser produzidos com componentes inteiramente nacionais. Essa meta, assim como diversas outras, na siderurgia, na fabricação de tratores e de navios etc., foi cumprida mediante a implantação de filiais de multinacionais, sobretudo alemãs e japonesas.

Esse exemplo ilustra bem o que veio a ser a globalização dirigida. O governo brasileiro, assumindo a liderança do processo de industrialização, fixava metas e negociava com as multiempresas do Primeiro Mundo as inversões necessárias à sua realização. Algo semelhante ocorria em outros países. Na França, o processo econômico era formalmente orientado por planos quinquenais negociados pelos governos com sindicatos operários e entidades empresariais e aprovados pelo parlamento. No Japão, o governo encetou uma política coordenada de reindustrialização do país sem permitir a participação de EMNs estrangeiras. O Ministério de Comércio Exterior fixava metas e orientava os fluxos de crédito para suscitar as inversões necessárias ao seu cumprimento.

O grau e a forma de intervenção do governo na economia variava muito de país a país. A única generalização razoável é que essa intervenção tendia a ser mais profunda quanto menos desenvolvida fosse a economia. O único país em que o governo restringia sua atuação às funções prescritas pelo liberalismo eram os Estados Unidos. O dirigismo econômico nesse país limitava-se à política monetária e aos ponderáveis gastos militares, que acabaram gerando o famoso "complexo industrial-militar", ou seja, toda uma economia de guerra em tempos de paz. Como potência hegemônica do bloco capitalista, os Estados Unidos introduziram uma cunha liberal nas instituições coordenadoras da globalização. Por causa da influência "americana", tanto o FMI como o Banco Mundial nunca deixaram de pressionar os governos clientes a restringir e reduzir a intervenção estatal na economia.

A partir de meados dos 1950, a vantagem tecnológica dos "americanos" começou a ser erodida e, em lugar da primazia de uma única potência, começou a emergir a hegemonia econômica de uma elite de nações, formada pelos Estados Unidos, países da Europa ocidental e central e o Japão. Esse novo equilíbrio passou a se refletir no comércio internacional. Os outros países da elite conquistaram espaço no mercado mundial em detrimento dos Estados Unidos, cujo balanço de pagamentos passou a ser deficitário.

O déficit "americano" podia ser atribuído à exportação de capitais, já que os rendimentos externos das empresas dos Estados Unidos cobriam o excesso de importações sobre exportações. Esse fato provocou uma reação nacionalista de De Gaulle, que tinha reassumido a chefia do Estado francês, a partir de 1958. Os Estados Unidos "pagavam" o déficit de seu balanço de pagamentos com emissão de dólares e/ou de títulos do Tesouro, avidamente demandados pelo resto do mundo. Pelas regras aprovadas em Bretton Woods, o dólar era a moeda-chave do sistema internacional de pagamentos e, por isso, a forte expansão das transações internacionais requeria crescente volume de meios de pagamento, ou seja, dólares.

À primeira vista era tudo normal, só que as multinacionais "americanas" continuavam comprando o controle de grandes empresas francesas (e alemãs, italianas, inglesas etc.) não com receita de vendas de mercadorias, mas com "papel pintado", ou seja, moeda-papel. De Gaulle passou a protestar contra o privilégio dos Estados Unidos de não precisar submeter-se à disciplina monetária que o FMI impunha aos demais países. Ele determinou que a França deixaria de acumular reservas cambiais em dólares, passando a fazê-lo em ouro. Outros governos, com muito menos alarde, passaram a fazer o mesmo.

Com isso, estourou a crise do dólar. Ela representou o primeiro passo para a substituição da hegemonia dos Estados Unidos sobre o mundo capitalista pela hegemonia compartida do que hoje se chama Trilateral: Estados Unidos, Europa e Japão. Além disso, a crise do dólar acarretou uma disputa entre o governo "americano" e suas EMNs, que deu origem ao euromercado de capitais e à desregulamentação dos sistemas financeiros. A partir dos 1970, o dólar deixou de ser a moeda-chave dos pagamentos internacionais[4] e o FMI passou a emi-

4 Mediante emendas aos "Artigos do Acordo" do FMI, o ouro deixou de ser o lastro do sistema internacional de pagamentos e o dólar deixou de ser o elo entre as demais moedas e o ouro. Com isso, *formalmente*, o dólar tornou-se uma moeda como qualquer outra. Mas, *de fato*, ele continua sendo até agora o meio de pagamento preferido, sobretudo para constituir reserva líquida de governos, firmas e famílias.

tir Direitos Especiais de Saque (DES), uma moeda internacional cujo valor reflete o de uma cesta de moedas de diversos países.

A solução da crise do dólar marcou o fim dos anos dourados. A partir de 1974, a economia capitalista voltou a apresentar ponderáveis oscilações conjunturais, com recessões profundas e longas. O ritmo de crescimento passou a cair de década em década e as taxas de desemprego, que eram negligenciáveis na maioria dos países adiantados, voltaram a se tornar altas e cada vez mais altas, a ponto de atingir nos anos 1990 níveis semelhantes aos dos 1930.

O fim dos anos dourados foi marcado por grandes lutas de classe nos principais países. A rebeldia operário-estudantil a que nos referimos era inexplicável à primeira vista, pois o padrão de vida dos trabalhadores era muito confortável, incomparavelmente mais alto do que o de seus pais e avós. Mas o conteúdo do trabalho industrial continuava sendo rotineiro, extenuante, alienador e cada vez mais insuportável para trabalhadores jovens, com altos níveis de escolaridade e capacidades inaproveitadas.

Quando o ritmo de crescimento da produção e da produtividade começou a cair, nos anos 1970, a pressão das greves selvagens atingiu o auge. O resultado foi o repasse dos custos aumentados da força de trabalho aos preços, o que era facilitado pela elevada oligopolização da economia. Pela primeira vez, em tempos de paz, a inflação nos países adiantados começou a subir fortemente, atingindo taxas de dois dígitos em alguns países em determinados anos. O temor da inflação descontrolada cresceu nesses países, sobretudo entre os detentores de ativos financeiros, o que incluía boa quantidade de operários.

A crise inflacionária dos anos 1970 também foi agravada pela crise do petróleo. A Organização dos Países Exportadores de Petróleo (Opep), o cartel dos países exportadores, conseguiu aumentar violentamente o preço do petróleo por duas vezes, o que desencadeou fortes pressões inflacionárias nos países usuários, dependentes desse combustível. Mas, ao contrário do que se pensou na época, os efeitos da crise do petróleo foram inteiramente transitórios. Sua importância está em ter reforçado a grande reviravolta ideológica, que passou a desafiar o capitalismo dirigido. Refiro-me, obviamente, ao renascimento do liberalismo sob a forma da vaga *neoliberal.*

## *O desafio ao dirigismo e a terceira revolução industrial*

O liberalismo entrou no que parecia sua crise derradeira nos anos 1930, quando ficou evidente que a aplicação de sua doutrina só prolongava a depressão. A disfuncionalidade do liberalismo para a gestão do capitalismo acabou então com sua credibilidade. Restaram bolsões de liberais nos ministérios de Finanças, nos departamentos de Economia e de Direito das universidades e em alguns jornais, com influência ainda perceptível nos países anglo-saxões, mas negligenciável nos demais. No Brasil, uma das derradeiras manifestações do liberalismo foi a polêmica de Eugênio Gudin com Roberto Simonsen a propósito da intervenção do governo no processo de desenvolvimento.

Mas, nos anos 1970, foi o keynesianismo que entrou em crise profunda. De acordo com Keynes, a inflação sói ser manifestação de demanda efetiva excessiva em relação à oferta agregada de bens e serviços. Portanto, para conter a inflação, cumpre reduzir a demanda mediante corte de despesa pública, aumento de arrecadação fiscal e contenção da oferta monetária. Estava claro que essas medidas eram recessivas. Para combater a inflação, o governo deveria lançar deliberadamente a economia em recessão, até que o excesso de oferta paralisasse a subida dos preços.

A receita foi devidamente aplicada, mas o seu resultado foi a "estagflação": a diminuição da demanda efetiva reduzia o nível de atividade e do emprego, mas os preços e os salários continuavam a subir. Era algo novo na história da economia de mercado. Nos principais países, os preços eram impulsionados por uma espiral preços-salários que se mostrava imune à queda da atividade e ao aumento do desemprego.

Isso acontecia porque os trabalhadores não abriam mão de aumentos salariais, inclusive para compensar o aumento do custo de vida, porque estavam acostumados à situação de pleno emprego. Perder o emprego não era uma desgraça, porque não levava muito tempo para encontrar outro e, durante o período de inatividade, o seguro-desemprego proporcionava um rendimento apenas um pouco menor que o salário.

Além disso, havia um relacionamento estreito entre a direção das multiempresas e a alta direção dos grandes sindicatos. Para preservar a paz dentro das fábricas, a direção se inclinava a atender as reivindicações dos trabalhadores, inclusive porque era fácil repassar o ônus aos consumidores. Governos trabalhistas e social-democratas tentaram impor diretrizes de contenção de salários e preços a empresas e sindicatos, mas essas tentativas só tiveram êxito em países pequenos, muito dependentes do mercado externo e com um movimento sindical disciplinado, em que a orientação da central era seguida pelas bases nas empresas. Nos países maiores, a pactuação de preços e salários fracassou, possivelmente porque a opinião pública não foi motivada a respaldá-la.

Começou a ficar claro para os governos e as cúpulas empresariais que as pressões inflacionárias decorrentes dos conflitos distributivos – que envolviam não apenas operários e empregadores, mas também pequenos agricultores, regiões deprimidas, grupos sociais marginalizados etc. – só poderiam ser eliminadas de uma forma favorável aos interesses capitalistas se, em lugar do pleno emprego, fosse restabelecido um ambiente de "sadia competição" no mercado de trabalho, ou seja, *se fosse reconstituído ponderável exército industrial de reserva.*

Essa nova postura correspondia exatamente ao que vinham pregando os liberais remanescentes, que não se cansavam de acusar os governos keynesianos de promover a inflação. Milton Friedman, o papa do monetarismo, tinha acabado de "demonstrar" que as tentativas de reduzir o desemprego abaixo do seu nível "natural" só tinham êxito temporário, enquanto a demanda efetiva crescia acima do seu nível de equilíbrio mas a inevitável subida dos preços ainda não tinha se manifestado. Para Friedman, o compromisso com o pleno emprego não passava de formidável equívoco, do qual só poderia resultar inflação e inflação crônica e crescente.

Em poucos anos, esse obscuro professor de Economia, que antes pregava no deserto, tornou-se o autor mais lido e mais citado, com o maior número de seguidores e discípulos, criador de uma nova ortodoxia. O neoliberalismo não passa do velho liberalismo redivivo. Friedman confessadamente reformulou as proposições clássicas para incorporar os conceitos macroeconômicos de inspiração keynesiana e os instrumentos econométricos, que permitem rejeitar hipóteses improváveis.

A vaga neoliberal iniciou-se na segunda metade dos anos 1970, tornou-se hegemônica nos 1980 e inspira vasta contrarrevolução institucional nos 1990. Ela corresponde a uma necessidade objetiva da classe capitalista, que se sentia tolhida e ameaçada pelo dirigismo econômico, imposto por governos em que o movimento operário tinha tanta influência quanto o grande capital. O desconforto (para dizer o menos) dos capitalistas não era gratuito. Ele foi produzido por uma grande e difusa ofensiva de lutas de massa, entre os anos 1960 e 1970, em parte capitaneada pelo que chamamos anteriormente de aliança operário-estudantil.

No plano cultural, o neoliberalismo representou uma contraofensiva do pensamento conservador. No plano político, o neoliberalismo apresentava aos atores um programa que prometia ao mesmo tempo estabilizar os preços e recuperar a taxa de lucro, comprimida pelas pressões não só salariais, mas também tributárias. À primeira vista, parecia um programa inaceitável às maiorias eleitorais. Mas estas estavam insatisfeitas e impacientes com os sucessivos fracassos de governos que pretendiam estabilizar os preços sem abrir mão permanentemente do pleno emprego e sem tocar nos direitos adquiridos dos trabalhadores.

Em 1979, a eleição de Thatcher marcou o começo da grande reviravolta. Seguiu-se a vitória de Reagan, em 1980, nos Estados Unidos e, depois, uma enxurrada de triunfos neoliberais. A vitória do neoliberalismo tornou-se completa quando governos socialistas, social-democratas e semelhantes começaram a aplicar o seu programa como única saída para o impasse representado pela estagflação.

O programa neoliberal se assemelha ao keynesiano, mas com claro viés antioperário e com muito maior alcance. O aumento do desemprego, que para o keynesiano é uma necessidade desagradável e que, por isso, deve ser tolerado apenas enquanto estritamente indispensável, torna-se para o neoliberal um objetivo estrutural. Não é que o neoliberal goste que pessoas fiquem sem emprego. É que ele está convicto que o desemprego resulta de opções individuais e, por isso, ele é *voluntário*. Ele defende o direito do trabalhador de optar por ficar algum tempo desempregado, até encontrar o emprego que lhe convém com a paga que ele (trabalhador) acha que compensa o dissabor ocasionado pelo trabalho. E ele não toma conhecimento do drama dos trabalhadores que perdem seus empregos e jamais encontram outros em condições semelhantes ou mesmo inferiores aos dos empregos eliminados.

Como sabemos, o neoliberalismo no poder resolveu a contento a crise inflacionária. Ele o conseguiu revertendo completamente as condições no mercado de trabalho. O desemprego tornou-se de massa e com duração cada vez maior. Os sindicatos perderam prerrogativas e as garantias legais de estabilidade no emprego foram enfraquecidas quando não revogadas. Em poucos anos, o movimento operário sofreu derrotas decisivas nos principais países desenvolvidos.

Além do desemprego, os governos neoliberais usaram a globalização para enfraquecer o movimento operário. O contínuo aumento do livre comércio internacional permitiu às EMNs transferir numerosas linhas de produção a países em desenvolvimento com força de trabalho mais barata. A perda maciça de empregos contribuiu para quebrar as últimas resistências do operariado. Quem conseguiu permanecer empregado dispôs-se a fazer qualquer concessão – até mesmo aceitar redução de salários – para não ser demitido.

A espiral preços-salários foi quebrada pelo lado mais fraco, o dos salários. Nos Estados Unidos, o salário médio caiu nitidamente entre os anos 1970 e 1990. Nos países da Europa continental, o movimento operário conseguiu resistir melhor à ofensiva neoliberal: os salários caíram menos, mas o desemprego ficou maior. E os benefícios do seguro-desemprego não duram para sempre. Os que não conseguem se reempregar passam a depender da assistência social, ficando a um passo da miséria.

A estabilização dos preços tornou-se a alavanca com a qual o neoliberalismo pretende levantar o mundo. Ele conseguiu convencer a opinião pública de que estabilidade e pleno emprego são incompatíveis. Mas, foi além. Como a estabilização – neoliberal ou keynesiana – reduz o crescimento da economia, os neoliberais precisaram encontrar um culpado pelas sucessivas recessões. Este passou a ser o movimento sindical (o "poder sindical") e o Estado de bem-estar social. São teses perfeitamente convincentes para capitalistas e executivos de multiempresas.

Os sindicatos passaram a ser culpados pelo desemprego involuntário ao sustentar a legislação do trabalho que proíbe a contratação de trabalhadores por menos que o salário mínimo, por jornadas maiores que a legal ou sem os benefícios prescritos. Os governos neoliberais trataram de revogar essa legislação com o intuito de "flexibilizar" esses direitos, ou seja, para torná-los itens contratuais negociáveis em lugar de obrigações do empregador. O poder dos sindicatos de mobilizar os trabalhadores foi severamente reduzido. Em alguns países, os sindicatos têm de pagar multas pesadas se houver greves não autorizadas e o próprio direito de convocar greves passou a ser restrito.

Os neoliberais nos governos lançaram-se numa ofensiva para destruir ou, no mínimo, privatizar o Estado de bem-estar social. O argumento é que é preciso reduzir o tamanho do Estado, transferindo ao mercado de seguros o programa de seguridade social de responsabilidade pública. As famosas "reformas" institucionais do sistema de previdência social, do sistema de saúde pública e do sistema de ensino público vão todos nesse mesmo sentido.

O cerne da contrarrevolução neoliberal é reduzir a intervenção do Estado na economia. Ela pretende revogar o domínio muito relativo que a produção pública exercia sobre o modo capitalista de produção. Para consegui-lo, a desregulamentação financeira tem sido estratégica. As multiempresas dos Estados Unidos conseguiram, no fim dos anos 1960, derrotar o governo Johnson quando este procurou, em defesa do dólar, restringir as inversões no exterior. O governo tinha usado a tributação para desencorajar as transferências de capitais para fora. Em resposta, as EMNs "americanas" trataram de colocar seus fundos no euromercado, para ficarem fora do alcance das autoridades de seu próprio país.

Desde então, a movimentação internacional dos capitais tornou-se cada vez mais independente dos governos. Isso ocorreu *antes da contrarrevolução neoliberal*. Quando os neoliberais conquistaram os principais governos capitalistas, estes já não controlavam e sequer monitoravam os fluxos de valores sobre fronteiras. Com isso, o dirigismo econômico já tinha perdido parte de sua eficácia. Os governos neoliberais trataram de reduzi-lo ainda mais.

No Brasil, o governo Collor, nosso primeiro governo neoliberal explícito, eliminou todos os controles de preços dos produtos básicos de consumo, inclusive dos remédios, que estavam em vigor havia meio século. Também a importação foi amplamente liberalizada. O governo Fernando Henrique prossegue no mesmo sentido. Todas as medidas de favorecimento dos capitais nacionais diante dos estrangeiros foram revogadas quando o governo conseguiu retirar da Constituição a distinção entre eles. A privatização da produção estatal, com a única exceção da Petrobras, é outro programa que altera o relacionamento entre os modos de produção. O modo capitalista de produção deixa de ser orientado e tutelado pelo Estado e sua integração ao grande capital global, controlado por residentes na Trilateral, está sendo sistematicamente fomentada.

Apesar de tudo, a contrarrevolução neoliberal está longe de ter encerrado a etapa do capitalismo dirigido. Isso, por vários motivos. O primeiro é que o neoliberalismo encontra resistência considerável por toda parte. Dentro das regras da democracia, ele é obrigado a negociar. A "flexibilização" dos direitos trabalhistas e a privatização dos serviços sociais estão longe de serem universais. Onde essas mudanças foram realizadas, os resultados prometidos raramente foram logrados. A eliminação do poder sindical e dos direitos dos trabalhadores não ajudou a reduzir o desemprego. A privatização dos serviços sociais não melhorou a qualidade destes.

Mas a segunda ordem de motivos para o êxito mui limitado das reformas neoliberais é ainda mais importante. Trata-se do fato de que o *programa neoliberal é incapaz de promover o crescimento econômico*. Na realidade, ele nem o pretende. Para os liberais, o crescimento econômico deve ser determinado pelos mercados, sem interferência do Estado. O orçamento público deve ser permanentemente equilibrado, o que permite à autoridade monetária regular a oferta de meios de pagamento e de crédito de modo a preservar a estabilidade dos preços.

Essa receita clássica conduz a economia imanentemente à estagnação. Sobretudo nos países mais desenvolvidos. É que o livre funcionamento dos mercados tende a concentrar a renda e o faz com mais vigor à medida que os instrumentos fiscais de redistribuição – como os salários mínimos, os subsídios ao consumo dos pobres, os impostos progressivos – são revogados. Os dados da distribuição da renda em todos os países em que se deu a contrarrevolução neoliberal mostram inequivocamente o aumento do número de pobres e da distância entre estes e os ricos.

A concentração da renda reduz a propensão a consumir. Como ninguém ignora, os ricos consomem menos de seus rendimentos que os pobres. Se uma parte maior da renda vai para os ricos, a parcela consumida de toda a renda cai. A parcela poupada aumenta. Mas, para que a demanda efetiva não diminua, é preciso que o investimento aumente na mesma medida em que aumenta a poupança. O que dificilmente ocorre, sobretudo quando o investimento público é contido para não gerar déficit e o investimento privado é debilitado pela frouxidão da demanda. Em suma, se a prioridade é evitar pressões inflacionárias, o resultado é minimizar a acumulação de capital e o crescimento da economia.

É verdade que o ritmo de crescimento da economia capitalista começou a encolher *antes da contrarrevolução neoliberal.* E o mais estranho é que isso se deu em meados dos anos 1970, quando a terceira revolução industrial estava dando seus primeiros passos. Foi nessa época que se aperfeiçoou o microcomputador, tornando a computação muito mais barata e acessível a todos os negócios e à maioria dos consumidores. A acelerada expansão do uso de métodos digitais em todo tipo de trabalho industrial, de serviços e inclusive na agricultura proporcionou ganhos de produtividade do trabalho cada vez mais amplos. Com o aperfeiçoamento dos robôs, a automação deu um salto gigantesco para a frente, tornando possível substituir o homem até mesmo em atividades que exigem inteligência elementar.

Seria de se esperar que essa revolução infraestrutural acelerasse o crescimento da economia mundial capitalista, mas isso não ocorreu. De acordo com diversos relatórios do Banco Mundial e do Departamento para Informação Econômica e Social e Análise de Políticas da ONU (1996), a taxa anual média de crescimento do PIB dos países industrializados capitalistas foi de 5,1% em 1960-1970, 3,2% em 1970-1980, 2,9% em 1981-1990 e 1,5% em 1991-1995. O declínio do crescimento das economias do Primeiro Mundo[5] ao longo dessas três décadas e meia é deveras impressionante. Na primeira metade dos anos 1990, a taxa de crescimento anual foi de apenas um quinto da dos anos 1960!

A discrepância entre a aceleração do progresso tecnológico e a desaceleração do crescimento econômico se explica pelo fato de que o último depende muito mais da evolução da demanda efetiva do que do avanço da tecnologia. A cada momento, as atividades econômicas empregam técnicas de diferentes "gerações". Apenas uma certa parcela da produção resulta do uso da técnica melhor ou mais recente.

A coexistência de diferentes técnicas e, portanto, de diferentes produtividades e de diferentes custos de produção explica-se por vários fatores: a) os mercados dos produtos estão longe de ser perfeitos, de modo que a mesma mercadoria é vendida em lugares distintos por preços diferentes (em lugares mais "atrasados", menos acessíveis, alguns produtos serão mais caros); b) os salários também não são iguais em todos os lugares e provavelmente as empresas que usam técnicas mais antigas são as que pagam salários menores, de modo que a produtividade menor é compensada por um custo menor da força de trabalho; c) a qualidade dos produtos também não é uniforme etc. etc.

Quando a economia como um todo cresce com vigor, observa-se uma atualização mais rápida das técnicas, ou seja, as mais obsoletas são substituídas por outras mais modernas, o que acarreta crescimento da produtividade, independentemente do avanço das melhores técnicas. Quando a economia cai em recessão, a atualização técnica desacelera. É possível que empresas mais defasadas quebrem, mas outras que se endividaram para se reequipar provavelmente também fiquem insolventes. Em tempos de recessão, os investimentos diminuem porque a superprodução deixa os empresários pessimistas.

Nos anos 1950 e 1960, as economias europeias e japonesa se reconstruíam importando equipamentos dos mais avançados dos Estados Unidos. Nesse período, o crescimento era excepcionalmente intenso e o aumento da produtividade também, embora não estives-

---

5 Para avaliar o impacto da contrarrevolução neoliberal sobre o crescimento, os dados relevantes são dos países capitalistas adiantados. O neoliberalismo chegou à América Latina sobretudo no fim dos anos 1980 e à Ásia, ainda mais recentemente.

se havendo revolucionamento da tecnologia. A partir dos anos 1970, o crescimento desacelera, primeiro em função da crise inflacionária, depois em consequência da contrarrevolução neoliberal. A terceira revolução industrial não alterou a tendência declinante. Embora as multiempresas adotassem com certa rapidez as modalidades disponíveis de automação, é provável que grande número de empresas persistisse com técnicas mais antigas, compensando a produtividade menor com baixa de salários, dado o excesso de força de trabalho e o enfraquecimento dos sindicatos.

Isso significa que, durante os últimos 25 anos, os ganhos potenciais de produtividade decorrentes da terceira revolução industrial foram muito pouco aproveitados porque a economia do Primeiro Mundo (e de boa parte do Terceiro) foi travada por políticas monetaristas de forte viés recessivo. Isso provocou uma maior exportação de capitais do centro à periferia, sobretudo aos países em que o dirigismo se manteve e que, por isso, apresentam maior dinamismo. São exemplos: os chamados "tigres" asiáticos.

A crise financeira que atingiu um certo número deles, desde meados de 1997, em nada muda esses fatos. As economias do centro se mantêm semiestagnadas e as economias atingidas por fugas de capitais são resgatadas pelo Fundo Monetário Internacional apenas se aplicarem políticas recessivas tendo em vista tolher as pressões inflacionárias que a brutal desvalorização cambial desencadeia. As economias asiáticas que escaparam da crise – China, Singapura, Taiwan etc. – provavelmente vão continuar a dirigir estatalmente suas economias, pois só nessa condição poderão manter taxas elevadas de crescimento.

Desde dezembro de 1995, quando os trabalhadores franceses organizaram demonstrações em massa contra as reformas neoliberais da previdência, a resistência ao neoliberalismo vem crescendo visivelmente. Tanto na Europa como na América Latina. Mas, uma volta pura e simples ao capitalismo dirigido dos anos dourados também não é possível. Para tanto, uma retomada do controle estatal sobre a movimentação internacional dos capitais privados seria indispensável. Além disso, seria preciso encontrar uma solução não reacionária ao impasse da "estagflação". Voltaremos a esse ponto.

## *Para além do neoliberalismo*

Tanto a revolução keynesiana, que trouxe a revolução do dirigismo a partir dos 1930, como a contrarrevolução monetarista, que ensejou a contrarrevolução neoliberal, a partir dos 1980, são mudanças sistêmicas na supraestrutura. Cada uma delas redefiniu o relacionamento do modo de produção capitalista com o Estado e a produção estatal. Modificações supraestruturais como essas não se generalizam, porque esbarram com resistências maiores ou menores em diferentes países. Como já vimos, o dirigismo foi praticado em proporções muito diversas e o mesmo vale para o neoliberalismo. Apesar da grande ofensiva neoliberal em curso, em lugar algum o governo abandonou a responsabilidade de regular a oferta de moeda e a taxa cambial. E a ideia de que o aumento do desemprego e a falta de crescimento não devem ser politizados ainda não é pacífica em nenhum país.

Por tudo isso, não tem sentido falar numa "etapa neoliberal do capitalismo". Na realidade, o neoliberalismo não passa de uma reação da classe capitalista ao impasse da estagflação. Esta resultou do descompasso entre o poder que a classe trabalhadora adquiriu de impor aumentos de salários e a não responsabilidade dos trabalhadores pela condução das empresas e da economia. O pleno emprego dos anos dourados deu ao operariado poder de pressão por ganhos pecuniários, mas não lhes deu informações confiáveis sobre o real estado da economia e sobre a capacidade das empresas de absorverem os custos decorrentes dos aumentos reivindicados.

O neoliberalismo "resolveu" o problema eliminando o poder de pressão dos trabalhadores. Manteve-os na ignorância e devolveu-os à impotência. Só que nesse meio-tempo a aplicação de computadores e da telemática à produção e à distribuição está acabando com as tarefas rotineiras e alienantes que eram a sina dos menos qualificados. As novas tecnologias, via de regra, requerem trabalhadores qualificados, motivados e cientes do todo maior em que participam. A chamada administração flexível reduz o número de degraus da hierarquia gerencial e confere mais autonomia e responsabilidade ao pessoal de linha. A nova classe operária, formada pela terceira revolução industrial, dificilmente aceitará o papel que o "*script*" neoliberal lhe destina.

Durante os anos dourados, houve avanços consideráveis na participação dos trabalhadores em certas decisões empresariais que os afetam diretamente. A experiência da cogestão na Alemanha, depois da Segunda Guerra Mundial, foi significativa. Com as transformações da organização do trabalho, devidas à informática, pode-se esperar que novos avanços venham a ocorrer. Quando a economia das empresas se tornar mais transparente aos que nelas trabalham e para os que compram seus produtos, toda negociação salarial e de preços poderá se ampliar de modo a eliminar a espiral preços-salários. Só então o pleno emprego – uma exigência democrática inescapável – se tornará um objetivo viável.

H. Knudsen (1995), que estudou a participação dos empregados na Europa, diz o seguinte: "A ampla aplicação da tecnologia da informação durante as últimas duas décadas não foi acompanhada por mudanças radicais nos padrões de participação dos empregados e, em geral, não há base empírica para a tese de que a nova tecnologia tornou a participação uma necessidade produtiva". E um pouco adiante:

> Em termos gerais, a tecnologia da informação, por causa de potencial produtivo e o papel novo que confere ao trabalho humano, despertou um interesse renovado na participação dos empregados e numerosas companhias têm desenvolvido ativamente novas formas de participação. É indubitável que, para muitos tipos de trabalho, a implementação e utilização com êxito da tecnologia da informação depende da boa vontade e motivação da força de trabalho. Isso tende a favorecer a participação direta e possivelmente também a participação indireta (p.157).

As revoluções que até agora demarcaram etapas da história do capitalismo sempre se originaram de transformações infraestruturais: a invenção da maquinofatura pela primeira revolução industrial, que criou a fábrica e a empresa comandada pelos donos; e a invenção da produção em massa, pela segunda revolução industrial, que suscitou a multiempresa, gerida por uma tecnoestrutura profissional. Cada uma das duas etapas históricas do capitalismo caracterizou-se por um tipo de empresa e por relações de produção típicas, *impostas pelo nível de desenvolvimento das forças produtivas.*

Essas revoluções, que foram tecnológicas e organizacionais, sempre se universalizam, pois impõem-se pela concorrência. Por isso, a questão de uma eventual nova etapa do capitalismo se liga às transformações sofridas pela empresa capitalista em consequência do avanço tecnológico, da globalização e das mudanças políticas e ideológicas que penetram nas firmas pelas contradições de classe. Infelizmente, esse assunto tem sido pouco pesquisado, de modo que o conhecimento científico sobre as transformações que estão ocorrendo na empresa é muito inadequado.

Um aspecto que chama atenção é o crescimento da multiempresa. Há uma visível aceleração das fusões e aquisições e o tamanho das maiores unidades capitalistas está aumentando. Isso se explica, de um lado, pela ampliação dos mercados, decorrente da abertura das fronteiras nacionais ao comércio. Os mercados mundiais de bens e serviços estão ficando cada vez maiores pelo acréscimo de novos mercados nacionais. Isso suscita mais concorrência, reestruturação produtiva, com fechamento de grande número de empresas débeis e, naturalmente, o crescimento das fortes. A concorrência intensificada é apenas uma fase a ser seguida por outra em que cada mercado volta a ser composto por um pequeno número de enormes multiempresas. É o que se chama "recomposição oligopólica".

Mas a ampliação dos mercados oferece apenas a oportunidade. Para que ela seja aproveitada, é preciso que haja um aperfeiçoamento correspondente dos meios de controle. James R. Beniger (1986) mostrou que o capital monopólico só se viabilizou graças a uma série de inovações tecnológicas e organizacionais que possibilitaram controlar efetivamente organizações que se estendiam por dezenas de países, com filiais espalhadas por vastos territórios, empregando centenas de milhares de pessoas para produzir e distribuir centenas e milhares de mercadorias diferentes.

As inovações tecnológicas foram a invenção do telégrafo e do telefone, e de instrumentos específicos de controle como o termostato, o giroscópio e vários tipos de volantes. Entre as inovações organizacionais destacam-se a padronização e cronometragem de tempos e movimentos, a esteira móvel de montagem, a padronização dos componentes, o controle estatístico de qualidade (ibid., p.316-7).

Provavelmente, a principal inovação que tornou a multiempresa possível foi a adaptação da burocracia, desenvolvida na administração pública, para a gerência das multiempresas. A nítida delimitação de responsabilidades, padronização de condutas e imposição de disciplina hierárquica permitiram uniformizar os procedimentos para melhor controlá-los a partir da cúpula. A administração burocrática foi aperfeiçoada pela invenção da máquina de escrever, de calcular, do adressógrafo, do arquivamento de informações em cartões perfurados, da reprodução de documentos por mimeógrafo, por fotocópias e, agora, por xerox. Etc. etc.

A terceira revolução industrial, que tem a computação e a telemática por centro, está contribuindo para tornar possível manejar estruturas empresariais cada vez mais vastas. É por isso que as maiores organizações capitalistas em cada setor estão conseguindo se fundir para formar organizações ainda maiores. Mas, como vimos, esse processo de centralização do capital esbarra num limite: a preservação da concorrência. Estando impedidas de crescer por agregação em cada mercado além de um limite convencionado, as maiores organizações tenderão a se expandir, invadindo novos mercados.

Esse processo se chama conglomeração. Os conglomerados às vezes fracassam, possivelmente porque os instrumentos e técnicas de controle ainda não permitem gerir, com um mínimo de eficiência, organizações não só gigantescas, mas muito heterogêneas. Uma hipótese que parece bem provável é que o conglomerado capitalista, quando ultrapassa determinado limiar de tamanho e diversidade, deixa de ser basicamente uma firma capitalista para se transformar num ente misto, que preserva características de firma, mas adquire outras de agrupamento político, no sentido de ser palco de disputas de poder.

Numa firma comum, o poder provém da propriedade do capital, diretamente ou por procuração dos donos indiretamente. É um poder indiviso, que por suposto submete tudo e todos ao propósito único de maximizar a taxa de lucro. Na prática, não é bem assim. Mesmo na firma comum, as pessoas que nela trabalham têm seus próprios objetivos e se unem para realizá-los. Há sindicatos e suas representações na empresa, assim como "panelinhas" no seio da burocracia e nos escalões da hierarquia. Nepotismo, favorecimento e corrupção são condutas que se podem observar em firmas, tanto mais quanto maiores e mais complexas.

No conglomerado capitalista que está surgindo, esses mesmos problemas devem se multiplicar. Há evidentemente formas autoritárias e repressivas de procurar resolvê-los: instaurar um corpo de polícia interno à empresa, instalar monitores e outros aparelhos de espionagem, multiplicar as revistas e verificações, insuflar a delação etc. Mas é pouco provável que isso resolva a questão em conglomerados realmente grandes, inclusive porque se torna difícil controlar os controladores. E, além do mais, o autoritarismo repressivo interfere na motivação dos empregados. Não dá para esperar lealdade e dedicação espontâneas de pessoas pesadamente vigiadas e reprimidas.

Ao que parece – esta é outra hipótese –, os conglomerados estão procurando superar o problema do controle mediante a descentralização e a autonomia das partes. São exemplos: o franqueamento e a subcontratação. Nesses casos, o conglomerado elimina a relação de produção típica do capitalismo, que é o assalariamento, e a substitui pela relação de compra e venda. O franqueado não é um assalariado que tem de ser controlado, ele é um pequeno ou médio empreendedor que aluga a marca e os serviços de assistência técnica, comercial etc., do franqueador. Seu autointeresse deve levá-lo a se comportar de acordo com o interesse do franqueador.

Além disso, empresas que querem funcionar juntas não precisam se fundir; em certas circunstâncias, basta que selem alianças, sob a forma de contratos de parceria dos mais variados. Se essa tendência se generalizar, o conglomerado tomará a forma de firma-rede, de que já fala a literatura (Dunning, 1997). E a firma-rede apresentará com mais força as características de ente político, já que nela existem poderes dispersos cuja coordenação exige mais que controle, consenso. É provável que a firma-rede, formada por empresas aliadas, sócios franqueados e fornecedores e distribuidores subcontratados, seja mais democrática do que a firma una, colocada sob o poder indiviso de quem representa a propriedade de todo o capital.

Obviamente, se tendências como estas se impuserem, estaremos diante de uma nova etapa do capitalismo ou, quem sabe, na primeira etapa da transição para além do capitalismo. Acresce-se a essa possibilidade o ressurgir do cooperativismo e do que genericamente se chama "economia solidária" como resposta à crescente exclusão social produzida pelo neoliberalismo. A economia solidária é formada por uma constelação de formas democráticas e coletivas de produzir, distribuir, poupar e investir, segurar. Suas formas clássicas são relativamente antigas: as cooperativas de consumo, de crédito e de produção, que datam do século passado. Elas surgem como solução, algumas vezes de emergência, na luta contra o desemprego. Ocupações de fábricas por trabalhadores, para que não fechem, são semelhantes a ocupações de fazendas por trabalhadores rurais sem terra. Ambas são formas de luta direta contra a exclusão social, tendo por base a construção de uma economia solidária, formada por unidades produtivas autogestionárias.

Essas formas reativas, abandonadas a si, tendem a ficar marginalizadas, por terem pouca significação social e pequeno peso econômico. Mas elas têm um respeitável potencial de crescimento político se o movimento operário – sindicatos e partidos – apostar nelas como alternativa viável ao capitalismo. Está comprovado que cooperativas de espécies complementares podem formar conglomerados economicamente dinâmicos, capazes de competir com conglomerados capitalistas. Mas as cooperativas carecem de capital. É o seu calcanhar de aquiles. Se o movimento operário, que partilha o poder estatal com o capital, quiser alavancar o financiamento público da economia solidária, a cara da formação social vai mudar. Um novo modo de produção pode se desenvolver, este capaz de competir com o modo de produção capitalista.

Para além do neoliberalismo, podem-se vislumbrar transformações sistêmicas do capitalismo em gestação. Por enquanto, empresa capitalista e democracia são antípodas. Estamos diante de um dilema histórico: ou a liberdade do capital destrói a democracia ou esta penetra nas empresas e destrói a liberdade do capital.

# Referências bibliográficas


BANCO MUNDIAL. *Relatório sobre o desenvolvimento mundial* (anos diversos).

BENIGER, James R. *The Control Revolution*: Technological and Economic Origins of the Information Society. Cambridge: Harvard University Press, 1986.

COLE, G. D. H. *A Century of Co-Operation*. Manchester: Co-operative Union, 1944.

______; POSTGATE, Raymond. *The Common People*: 1746-1946. Londres: University Paperbacks, [1956] 1964.

DOBB, Maurice H. *A evolução do capitalismo*. São Paulo: Abril Cultural, [1946] 1983.

DUNNING, John H. The Advent of Alliance Capitalism. In: ______; HAMDANI, K. A. *The New Globalism and Developing Countries*. Tóquio: United Nations University Press, 1997.

KEYNES, John Maynard. *The General Theory of Employment, Interest and Money*. Londres: Macmillan, 1936. [Ed. bras.: *Teoria geral do emprego, do juro e da moeda*. São Paulo: Saraiva, 2017.]

KNUDSEN, Herman. *Employee Participation in Europe*. Londres: Sage, 1995.

LANDES, David. *The Unbound Prometheus*: Technological Change and Industrial Development in Western Europe from 1750 to the Present. Cambridge: Cambridge University Press, 1969.

MANTOUX, Paul. *The Industrial Revolution in the Eighteenth Century*. Nova York: Harper & Row, [1927] 1961.

MARX, Karl. *Das Kapital*: Kritik der politschen. Berlim: Dietz, [1867] 1959. [Ed. bras.: *O capital*: crítica da economia política. Lv.I: O processo de produção do capital. Trad. Rubens Enderle. São Paulo: Boitempo, 2013.]

______. *Zur Kritik der politischen Ökonomie*. Berlim: Dietz, [1859] 1947. [Ed. bras.: *Contribuição à crítica da economia política*. 2.ed. São Paulo: Expressão Popular, 2008.]

______. *Das Kapital*: Kritik der politschen. Lv.II. Berlim: Dietz, 1885. [Ed. bras.: *O capital*: crítica da economia política. Lv.II: O processo de circulação do capital. Trad. Rubens Enderle. São Paulo: Boitempo, 2014.]

______. *Das Kapital*: Kritik der politschen. Lv.III. Berlim: Dietz, 1894. [Ed. bras.: *O capital*: crítica da economia política. Lv.III: O processo global da produção capitalista. Trad. Rubens Enderle. São Paulo: Boitempo, 2017.]

SMITH, Adam. *The Wealth of Nations*: An Inquiry into the Nature and Causes of the Wealth of Nations. Londres: W. Strahan and T. Caldell, 1776. [Ed. bras.: *A riqueza das nações*: uma investigação sobre a natureza e as causas da riqueza das nações. São Paulo: Nova Cultural, 1988. Coleção "Os Economistas".]

THOMPSON, E. P. *A formação da classe operária inglesa*. 3v. Rio de Janeiro: Paz e Terra, [1968] 1987.

UNITED NATIONS. Department for Economic and Social Information and Policy Analysis. *World Economic and Social Survey*. 1996. Nova York: United Nations, 1996.

# *O que é socialismo, hoje*

*Para o socialismo, que quer emancipar a força de trabalho humana de sua condição de* **mercadoria**, *é de grande importância a compreensão de que o trabalho não tem nem pode ter valor. Com ela se vão todas as tentativas, que o Senhor Dühring herdou do socialismo primitivo dos trabalhadores, de regular a futura distribuição dos meios de subsistência como uma espécie de remuneração mais elevada do trabalho. Dela se segue a compreensão ulterior de que a distribuição, na medida em que ela estiver dominada por critérios puramente econômicos, se regulará no interesse da produção e a produção será estimulada ao máximo por um modo de distribuição que permite a* **todos** *os membros da sociedade desenvolver, preservar e exercitar suas aptidões da forma mais ampla possível. Ao modo de pensar das classes letradas, compartilhado pelo Senhor Dühring, deve pare-*

*cer monstruoso que um dia não deva haver mais carreteiros e arquitetos de profissão e que a pessoa que durante meia hora deu instruções como arquiteto também empurre a carreta por algum tempo, até que sua atividade como arquiteto se torne novamente necessária. Belo socialismo esse que eterniza os carreteiros de profissão.*

*Mas nem a transformação em sociedade por ações e trustes, nem em propriedade estatal supera a propriedade capitalista dos meios de produção. No caso das sociedades por ações e trustes isto é óbvio. E o Estado moderno é apenas a organização que a sociedade burguesa se proporciona para proteger as condições gerais externas do modo de produção capitalista contra excessos tanto dos trabalhadores como de capitalistas individuais. O Estado moderno, qualquer que seja sua forma, é uma máquina essencialmente capitalista, o Estado dos capitalistas, o capitalista global ideal. Quanto mais forças produtivas ele torna sua propriedade, tanto mais ele se torna o verdadeiro capitalista global, tanto mais cidadãos ele explora. Os trabalhadores continuam assalariados, proletários.*

*Tão logo não haja mais qualquer classe social a ser mantida em sujeição, tão logo o domínio de classe e a luta individual pela vida, causada até agora pela anarquia da produção, e os conflitos e excessos dela decorrentes tenham sido eliminados, não haverá mais nada a reprimir que tornava necessário um poder específico de repressão, um Estado. O primeiro ato, no qual o Estado se apresenta como representante de fato de toda a sociedade – o apossar-se dos meios de produção em nome da sociedade –, é ao mesmo tempo seu último ato independente como Estado. A intervenção de um poder de Estado nas relações sociais vai se tornando, numa área após a outra, supérflua e desaparece por si mesma. No lugar do governo de pessoas aparece a administração de coisas e a direção de processos produtivos. O Estado não é "abolido,* ***ele perece****".*

(Engels, *Anti-Dühring*)

# Introdução

Já há bastante tempo se coloca, para todos os que se consideram socialistas, a necessidade de redefinir o objetivo final de sua luta. Essa necessidade decorre da própria história recente das lutas sociais, que, de um lado, fez surgir uma ampla e diversificada gama de regimes que se pretendem "socialistas" e, do outro, permitiu à classe trabalhadora uma série de conquistas, sobretudo nos países capitalistas, que transformaram significativamente suas condições objetivas de existência e, em consequência, seus anseios e suas demandas. De modo que, quando hoje se levanta a bandeira do socialismo, surge inevitável e justificadamente a pergunta: mas, afinal, *de que socialismo se trata*?

Obviamente, não pretendo, com este opúsculo, oferecer uma resposta definitiva para a questão, mas contribuir para o seu debate, que já recomeça em outros países e neste momento precisa ser retomado também no Brasil. A reabertura política encontra a esquerda brasileira dividida em numerosas correntes, a maioria das quais coloca o socialismo como a razão de ser de suas lutas. O que parece diferenciar essas correntes é uma série de divergências quanto à tática e à estratégia, ou seja, quanto ao caminho possível e necessário que, *no Brasil*, leva a um futuro socialista. O que ninguém coloca, como se a esse respeito não houvesse qualquer discordância, é que *tipo de sociedade* se almeja, isto é, o que de fato se entende por *socialismo*. Tem-se a impressão de que todos acham que uma definição mais nítida do fim último não é necessária *agora*, na medida em que a construção do socialismo não se coloca como perspectiva imediata no panorama político. Acontece que isso é um engano que, além de ingênuo, pode ser fatal.

A tática e a estratégia de luta política não podem ser separadas dos seus objetivos últimos, de modo que as discussões a seu respeito não podem se limitar, como está acontecendo, a análises do quadro econômico, social e político do país e das intenções que cada grupo acredita poder "atribuir" a todos os seus concorrentes. Sob a bandeira do "socialismo" se abrigam hoje regimes em que os trabalhadores não dispõem sequer da liberdade e da autonomia para lutar pelos seus interesses, que, nos países capitalistas mais adiantados, foram conquistados há tanto tempo que já se consideram "usuais" e "garantidos". Regimes como estes, no entanto, surgiram de revoluções com claras intenções socialistas, lideradas por forças cuja tática e estratégia sem dúvida tiveram êxito quanto ao objetivo imediato de conquista do poder. Só que essa conquista do poder não levou ao socialismo e é duvidoso que, nos países em que tais regimes imperam, o caminho para o socialismo possa ser retomado sem que a estrutura de dominação seja novamente revolucionada.

Em suma, há sérias razões para se duvidar que táticas e estratégias, que eventualmente possam ser adequadas para tomar o poder, sejam necessariamente adequadas para chegar ao socialismo. Pode muito bem ser que, conforme a estruturação interna que as forças que se pretendem socialistas adotem, o resultado de sua eventual chegada ao poder seja uma tal centralização deste, que, em vez de abrir caminho ao socialismo, o obstrua de forma quase irremediável. Por tudo isso, os socialistas têm hoje a obrigação de se posicionar claramente diante dos "socialismos realmente existentes" e de definir com muita precisão o que entendem por uma alternativa superior não só em relação ao capitalismo hoje existente, mas também diante das potencialidades de evolução desse capitalismo. A luta contra um reformismo que pretende apenas "aperfeiçoar" e "corrigir" o capitalismo passa, hoje, inevitavelmente, por tal posicionamento e por tal definição.

A oportunidade para finalmente pôr no papel as minhas ideias sobre "o que é socialismo" se me ofereceu, em dezembro de 1978, quando fui forçado a passar vários dias no recolhimento sanitário de Nova Délhi. Terminei o ensaio de volta a São Paulo, em março de 1979. Uma primeira versão mimeografada serviu de base para discussão com diversos grupos interessados no assunto. Nessas discussões, pontos obscuros da exposição além de raciocínios incompletos foram apontados. Graças ao esforço de muitos que participaram dessas discussões, pude rever o texto original e, quem sabe, melhorá-lo. Ofereço-o agora ao exame e à crítica dos que partilham a noção de que o socialismo é o próximo passo da humanidade na construção de estruturas sociais cada vez mais livres e cada vez mais igualitárias.

*São Paulo, 3 de setembro de 1979*
*Paul Singer*

# 1

# O problema

Será possível desenvolver o conceito "científico" de algo que ainda não existe? Marx e Engels, no *Manifesto comunista*, tomaram todo o cuidado para não cair na fantasia inevitavelmente subjetiva dos utopistas. O socialismo, para eles, era o modo de produção destinado a **superar** o capitalismo ao eliminar a contradição principal deste último: a contradição de classe. Isto era fundamental. O capitalismo, ao simplificar extraordinariamente a estrutura de classes da sociedade e ao empurrar a grande maioria da população para o proletariado, tornando ao mesmo tempo cada vez mais insuportáveis as condições de vida deste último – ao fazer tudo isso, o capitalismo cria simultaneamente o problema e sua solução: a grande maioria expropria os expropriadores e abole, assim, ao mesmo tempo a dominação de classe, a necessidade de autoridade e de coerção na vida política e social e de alienação e miséria na vida econômica. Convém sublinhar: para Marx e Engels, o socialismo é a *solução* da problemática que o capitalismo em seu estágio mais avançado coloca e que, dentro dos limites estruturais do capitalismo, não pode ser resolvida.

"Resolver" aqui significa – não há outra interpretação possível – atender de modo superior os anseios e as demandas da maioria da população, anseios e demandas que não são aleatórios nem derivados de alguma "natureza humana" fora da história, mas suscitados pelo próprio desenvolvimento das forças produtivas, produzido pelo capitalismo. Este parece ser o nexo possível entre o método científico e um objeto de análise ainda não inscrito nos "dados" perceptíveis da realidade histórica. O socialismo "científico", ou seja, o socialismo possível e necessário, que pode ser apreendido cientificamente dos dados objetivos de uma dada situação histórica, não pode ser, portanto, uma construção do espírito, uma visão do futuro desejável, elaborada de uma vez por todas. O socialismo determinado dessa maneira decorre da própria evolução do capitalismo e da problemática que ele suscita, ou seja, das demandas que parcelas majoritárias ou potencialmente majoritárias da sociedade levantam em cada etapa da história.

Isto significa que a concepção do que seja socialismo não pode ser sempre a mesma, na medida em que o capitalismo avança, desenvolvendo as forças produtivas, superando certos obstáculos para recolocá-los, de outra forma e em nível mais elevado, mais adiante. O capitalismo muda sempre, em consequência de suas próprias contradições, que se manifestam concretamente na luta de classes, sem deixar de ser, no entanto, ele mesmo. Identidade que se renova sem cessar, à medida que promove o avanço das forças produtivas de forma acelerada, o capitalismo também não pode deixar de transformar as demandas que o superam, as exigências das classes sociais que nele são exploradas e oprimidas. O socialismo de cada época, portanto, enquanto não se realiza como novo sistema socioeconômico *em lugar* do capitalismo, só pode ser a síntese das bandeiras dos que lutam contra a opressão e a exploração. Nessas condições, o socialismo não passa ainda de uma ideia, mas ideia que se faz força material ao mobilizar forças sociais para lutas decisivas.

O socialismo não passa, nesse sentido, de uma espécie de reflexo invertido do capitalismo, que espelha as suas contradições e as possibilidades que sua evolução vai abrindo. O método para construir cientificamente o conceito do socialismo – convém insistir –, em cada lugar e em cada momento, consiste em perscrutar as tendências concretas de evolução do sistema a ser superado e as formas de luta e de organização das forças que se propõem objetivos socialmente aceitos (liberdade, igualdade), mas que são inalcançáveis para a maioria nos limites do sistema.

# 2

# O socialismo nas condições de nossa época

Desde quando Marx e Engels ofereceram, no *Manifesto comunista*, a primeira versão científica do socialismo, 130 anos se passaram.[1] Durante esse período, diversas revoluções vitoriosas estabeleceram regimes que pretendem realizar o socialismo em nossa época. O conceito científico do socialismo deve servir, entre outros fins, para se poder julgar de modo objetivo essas pretensões. É óbvio que um regime não pode ser considerado socialista unicamente em função das proclamações dos que falam em seu nome. Tampouco faz sentido julgar seus méritos socialistas por algum critério a-histórico e absoluto, qual seja, por exemplo, o grau de "liberdade" ou de "igualdade" porventura alcançado. A única maneira de se poder verificar se determinado regime corresponde ao socialismo possível e necessário de determinada época – e nos interessa aqui a *nossa* época – é comparar suas características e suas realizações com os anseios

1 Convém lembrar que o *Manifesto* foi um documento programático, preparado por Marx e Engels, para uma organização internacional de trabalhadores, a *Liga Comunista*.

e demandas das classes trabalhadoras dos países em que o capitalismo está mais avançado.

Obviamente, um regime cujas características não satisfazem tais anseios, ou seja, que proporciona aos *seus* trabalhadores condições econômicas, sociais e políticas de existência que não são superiores às oferecidas pelo capitalismo em seu estágio mais adiantado, não superou o capitalismo e portanto não pode ser considerado socialista. "The proof of the pudding is in the eating." O valor do pudim não está na receita pela qual foi feito, mas na satisfação que proporciona aos que o degustam. O socialismo não pode ser identificado, do mesmo modo que o capitalismo, pelas suas relações *formais* de produção. Onde os meios de produção são propriedade privada e os trabalhadores, assalariados – eis o capitalismo. Mas onde os meios de produção são juridicamente do Estado podemos ter qualquer coisa – capitalismo de Estado, economia centralmente planejada ou até socialismo. A abolição da propriedade privada dos meios de produção é, certamente, uma condição *necessária* à superação do capitalismo e portanto à construção do socialismo, mas não é condição *suficiente*. Numa época como a nossa, em que o capitalismo socializou em grande medida o processo de produção, concentrando o controle efetivo da maior parte dos meios de produção nas mãos de uns poucos prepostos do próprio Estado capitalista ou do grande capital, altamente concentrado no plano nacional e internacional, o socialismo jamais poderia ser identificado com o mero planejamento centralizado da economia. Esse critério, que poderia ter alguma validade na época em que o capitalismo era "competitivo" e "não regulado", foi superado pela própria evolução do capitalismo hodierno. E, a não ser que se queira aceitar as pretensões de certos "keynesianos" de que a adoção dos controles monetários e fiscais de caráter anticíclico transformou em socialistas os principais países industrializados, há que rejeitar como economicismo inaceitável a identificação do socialismo com qualquer regime cuja vida econômica é regulada mais por decisões centralizadas que pelos mecanismos de mercado. Dessa maneira, o conceito de socialismo que eventualmente teria *alguma* validade no século passado certamente a perdeu na segunda metade do nosso século, o que mostra, de modo irrecusável, que o socialismo tem que ser redefinido à medida que o seu contrário, o capitalismo, evolui.

Poder-se-á objetar: se o socialismo é a síntese dos interesses históricos da classe trabalhadora, como admitir que as transformações operadas no capitalismo pela classe dominante o redefinam? Essa objeção ignora que tanto aqueles interesses históricos quanto essas transformações resultam do mesmo movimento histórico, isto é, da luta de classes. A burguesia só abriu mão de parte de sua autonomia, enquanto classe dirigente no plano econômico, permitindo ao Estado pôr em prática políticas de conjuntura, porque o agravamento das crises e o prolongamento das depressões tendia a radicalizar as posições do movimento operário, pondo em perigo a existência da burguesia como classe dominante. Essa evolução decisiva do capitalismo foi fruto, portanto, do confronto de classes e pode ser encarada como uma conquista da classe operária, do mesmo modo como o foram o sufrágio universal e a legalização dos sindicatos e partidos operários. E é claro que, a cada conquista histórica da classe trabalhadora no seio do capitalismo, este se transforma e na mesma medida se transformam as demandas da classe, ou seja, seus interesses históricos.

À medida que o capitalismo se transforma, as condições de vida que brinda à classe operária mudam. No capitalismo do século XIX, a miséria do desemprego frequente se juntava à miséria dos baixos salários, das longas jornadas de trabalho e da completa exclusão do processo de decisão política, no qual participavam, em geral, apenas os eleitores qualificados pelas suas posses ou rendas. Naquela época, a superação de tais condições de vida parecia implicar a superação do próprio capitalismo e por isso as demandas básicas do proletariado consistiam precisamente na eliminação das crises, na melhora geral das condições materiais de existência (implicando radical equalização econômica) e na plena democracia política. Era *isto* o que significava de forma objetiva o socialismo na época do *Manifesto* e durante as décadas seguintes.[2] Hoje há que reconhecer que, num significati-

---

2 Obviamente, o significado do socialismo não era o mesmo para todos os grupos e tendências que se identificavam com o socialismo. De uma forma geral, as concepções do socialismo dos *intelectuais*, que se baseavam em infindáveis discussões

vo e crescente número de países, a classe operária conquistou essas reivindicações no seio mesmo de um capitalismo transformado. Se o socialismo tivesse que significar sempre o que representou inicialmente para o proletariado – liberdades democráticas, direitos políticos, segurança social e bem-estar material –, não haveria como negar que, embora haja minorias marginalizadas (de camponeses, velhos, minorias raciais etc.) que sofrem todo tipo de carências, o socialismo já estaria sendo realizado atualmente na América do Norte e na Europa ocidental. O fato fundamental é que a classe trabalhadora desses países assim não o considera e continua lutando pelo socialismo, só que agora por um socialismo diferente. O socialismo em nossa época tende a ser mais exigente, dando menos ênfase à ampliação do consumo material do que à democratização dos processos de decisão no plano econômico e social e, de uma forma geral, à redução do autoritarismo em todos os aspectos da vida, desde a família, a escola e a empresa até as grandes instituições nacionais, como os partidos, os sindicatos, as forças armadas. Problemas cuja solução se espera alcançar apenas num "comunismo" a ser atingido a longo prazo, como a desalienação do trabalho e a reabsorção do Estado pela sociedade, são hoje cada vez mais objetos de reivindicações, sobretudo de certos setores das classes trabalhadoras, como os jovens e as mulheres (feministas).

Socialismo em nossa época só pode ser um regime em que *essa* problemática encontre uma solução superior à que é possível con-

sobre as tendências de evolução do capitalismo e seus limites, se diferenciavam bastante das ideias que prevaleciam entre os *trabalhadores*. Quanto a estas, George Orwell (escrevendo nos anos 1930) as caracterizou lapidarmente: "um trabalhador, na medida em que ele continua sendo um genuíno trabalhador, raramente ou nunca é um Socialista num sentido completo, logicamente consistente. Muito provavelmente ele vota no Partido Trabalhista, ou mesmo Comunista se tiver chance, mas sua concepção de socialismo é muito diferente da do Socialista formado por livros, acima dele. Para o trabalhador ordinário, do tipo que você encontraria em qualquer bar, sábado à noite, Socialismo não significa muito mais que salários melhores e menos horas [de trabalho] e ninguém para mandar em você" (Orwell, *The Road to Wigan Pier*). O significado objetivo do socialismo é, naturalmente, não o dos textos programáticos, mas o compartilhado pelas massas trabalhadoras.

ceber nos limites do capitalismo. Não importa resenhar aqui as formas concretas de que essas reivindicações se revestem em diferentes países, conforme os vários partidos e movimentos que lutam pelo socialismo. Basta assinalar que são essas as questões que motivam camadas significativas da classe operária dos países adiantados a se empenharem na luta e que a evolução previsível do capitalismo nesses países não apresenta perspectivas de soluções para elas, que não sejam paliativas. É provável que (em certos países), na área decisiva do controle sobre o processo de produção, o capital já tenha feito à classe operária todas as concessões que pode fazer sem pôr em perigo sua capacidade de exercer suas funções de dominação. Se for assim, será possivelmente nesse terreno que ocorrerão embates decisivos de cujo resultado dependerá a transformação do socialismo de ideia-força em realidade histórica.

Socialismo significa hoje, portanto, uma sociedade em que a igualdade no plano econômico e social e a democracia no plano político estejam implantadas em medida maior do que o estão presentemente e poderiam sê-lo mesmo no futuro (nos limites do atual regime) nas sociedades em que o capitalismo está mais avançado. Nenhum país que tenha de alguma maneira abolido o capitalismo pode ser considerado socialista se não estiver *agora* proporcionando ao conjunto de seus trabalhadores igualdade e democracia em medida significativamente mais alta do que os países capitalistas mais adiantados.

É óbvio que este é o único critério válido: ou o socialismo dá à pessoa que trabalha condições de vida e de desenvolvimento melhores que o capitalismo, ou não há qualquer razão para que se lute por ele.

# 3

# Outras concepções de socialismo

De acordo com célebre formulação de Marx, a revolução socialista deverá resultar de uma contradição insuperável entre o desenvolvimento ulterior das forças produtivas e as relações capitalistas de produção. Pode-se deduzir daí que o socialismo seria o modo de produção que permite um maior desenvolvimento das forças produtivas que o capitalismo. Traduzido em termos simples, isto significa que o socialismo seria superior ao capitalismo sobretudo no terreno econômico, superioridade que se manifestaria concretamente sob a forma de crescimento mais rápido do produto e produtividade mais alta do trabalho. Uma concepção como esta estava na base da "competição pacífica" entre a União Soviética e os Estados Unidos, anunciada com estrépito por Krushev no fim dos anos 1950, devendo a esperada vitória soviética "provar" a superioridade do socialismo sobre o capitalismo.

Há aqui uma concepção demasiado estreita do que sejam as forças produtivas. Supõe-se que estas habilitam o homem a dominar a natureza, pondo-a a seu serviço. Implica essa noção a ideia de que tudo o que se produz satisfaz direta ou indiretamente necessidades humanas. Se estas fossem limitadas em número, o desenvolvimento das forças produtivas só teria sentido até o limite da sua plena satisfação. O pleno desenvolvimento das forças produtivas proporcionaria então as condições materiais para a realização do ideal comunista: "a cada um segundo suas necessidades, de cada um segundo suas possibilidades". Ocorre, no entanto, que o número de necessidades humanas não tem nada de fixo, tendendo, pelo contrário, a se expandir na mesma medida em que se desenvolvem as forças produtivas. Esse fato, que está no cerne da dinâmica econômica do capitalismo de nossa época, afasta para cada vez mais longe o horizonte do *pleno* desenvolvimento das forças produtivas.

No capitalismo atual, o desenvolvimento das forças produtivas toma predominantemente a forma da criação de Novos Produtos, que suscitam novas necessidades. Dessa forma tem-se forjado a "sociedade de consumo", desde que começou a produção em massa de automóveis até a invenção recente da pílula anticoncepcional e do voo fretado. As próprias contradições sociais e políticas têm o condão, no capitalismo, de suscitar novas necessidades, dando lugar portanto a novos desenvolvimentos das forças produtivas. As frustrações no plano individual criam mercados para os psicotrópicos, os regimes de emagrecer e os *sex shops*. Os conflitos sociais permitem o desenvolvimento de equipamentos sofisticados de espionagem e de repressão a manifestações de rua. E os conflitos entre as grandes potências suscitam a corrida armamentista, com a produção de armas incessantemente renovadas, levando o desenvolvimento das forças produtivas ao paroxismo.

Ao contrário do que supunha Marx, a contradição que hoje se delineia entre o desenvolvimento das forças produtivas e as relações capitalistas de produção não consiste na paralisação do primeiro pelas últimas, mas antes de mais nada pela sua aceleração danosa, que tende a uma hipertrofia da produção pela produção, suscitando irremediavelmente uma expansão hipertrofiada do consumo pelo consumo. A contradição consiste basicamente no fato de que as relações de produção capitalistas tendem a introduzir uma *degeneração* qualitativa das forças produtivas, à medida que problemas que afetam indivíduos e sociedade são escamoteados mediante formas sempre renovadas de consumo que requerem novas forças produtivas cada vez mais alienadas do que se poderia considerar como necessidades "legítimas". Por isso mesmo, o socialismo teria hoje como tarefa não desenvolver ainda mais, em termos quantitativos, as forças produtivas, mas antes *reorientar* o seu crescimento, o que coloca a complexa questão de como evitar a atomização das demandas por bens e serviços sem uniformizar demais nem nivelar os padrões de consumo por baixo. Fazer que os indivíduos se enriqueçam culturalmente pela diversificação de seus consumos sem que estes se tornem meios de mascaramento de anseios frustrados exigirá a construção de novas estruturas sociais, que certamente não cabem no capitalismo.

Resta acrescentar que os países de regime não capitalista que se empenham em competir na corrida do consumismo desenfreado com os países capitalistas demonstram que também eles escamoteiam contradições, subornando o povo com bugigangas. Demonstram assim quão longe se encontram do socialismo de nossa época.

Outra concepção do socialismo, também referida no *Manifesto*, é a que o identifica com a sociedade sem classes, a primeira a ser construída depois do comunismo primitivo. Na verdade, não basta expropriar os expropriadores, isto é, a burguesia, para abolir as classes sociais. Na empresa estatizada, a divisão de classes se mantém na medida em que uns planejam, coordenam, decidem – enfim *mandam* – enquanto os demais são obrigados a obedecer. A autoridade nunca se limita aos aspectos "técnicos" e seu exercício tende a proporcionar privilégios. O ponto de vista de quem detém o mando é determinado pela responsabilidade pelo êxito global da empresa. O ponto de vista de quem é mandado é determinado pela sua alienação em relação ao conjunto do empreendimento. Daí a divisão de classe, o domínio de classe e o confronto de classe ali onde importa: no processo produtivo.

A tentativa de superar a divisão em classes na produção mediante a gestão operária fracassa sempre. Os trabalhadores elegem o seu conselho de representantes, mas este tem que se subordinar aos administradores profissionais e aos técnicos, pois eles detêm o monopólio do conhecimento, indispensável ao exercício da autoridade. No fundo, a gestão operária é apenas simbólica e disfarça o domínio de classe real. Em momentos de crise (que em qualquer corpo social são inevitáveis e empresas estatizadas não são exceções), o confronto de classes não deixa de eclodir, como a experiência da Iugoslávia, a mais completa neste sentido, tem mostrado.

Hoje está evidente o que os clássicos já haviam afirmado: só se pode abolir as classes superando a divisão entre trabalho manual e trabalho intelectual. Isto quer dizer que o conhecimento especializado tem que ser totalmente socializado, para que possa haver plena participação de todos os trabalhadores nos processos de decisão. Mas isso implica uma redução acentuada do volume de trabalhos simples e rotineiros em todos os processos de produção, pois ninguém se sujeitará a passar grande parte de sua vida em sua execução quando está preparado para trabalho mais criador e de maior responsabilidade. A automação encerra uma grande promessa no sentido de viabilizar essa redução, mas sua aplicação no capitalismo tem sido lenta e limitada a apenas alguns tipos de processos de produção.[1] É provável que as relações de produção capitalistas não sejam compatíveis com a aplicação generalizada da automação. Se assim for, isto se constituirá numa outra contradição entre o desenvolvimento das forças produtivas e as relações capitalistas de produção, que apenas poderá ser superada pela instauração do socialismo.[2]

Seja como for, *atualmente*, com a tecnologia disponível, a abolição das classes não pode ser inteiramente efetuada. Trata-se de uma perspectiva futura, que o socialismo deve abrir e preparar. Isto significa, por exemplo, a equalização completa da escolarização de todos os trabalhadores, através de um nivelamento que só pode ser por cima. A objeção, frequentemente ouvida em círculos acadêmicos, de que nem todos são capazes, revela uma visão nitidamente elitista da educação e portanto da sociedade. Os que não estão preparados podem vir a sê-lo. Os realmente incapacitados mentais são minoria reduzida, grande parte dos quais tampouco são capacitados para o trabalho.[3]

---

1 Em geral atividades de processamento contínuo (indústrias químicas, de alimentos, de cimento etc.).

2 Essa questão foi analisada por mim no *Curso de introdução à economia política*, cap.9.

3 Na União Soviética, o número de vagas no ensino superior é mantido deliberadamente *menor* que o número de candidatos, pois apenas os mais capazes são con-

A construção de uma sociedade sem classes – não apenas sem burguesia e proletariado, mas sem hierarquia de qualquer espécie – é o objetivo central do socialismo de nossa época. Ele engloba as demandas não só do proletariado mas de todos os grupos que lutam contra a opressão de que são vítimas: mulheres, jovens, minorias (em alguns casos *maiorias*) raciais, homossexuais etc.

Como se vê, as três concepções de socialismo – como solução das demandas das classes trabalhadoras, como superação das contradições entre forças produtivas e relações capitalistas de produção e como sociedade sem classe – coincidem no essencial e não por acaso. As classes trabalhadoras dos países onde o capitalismo é mais avançado (com a possível exceção dos Estados Unidos) se voltam para o socialismo por meio de demandas que exprimem a contradição entre suas necessidades e o modo como as relações capitalistas de produção condicionam o desenvolvimento das forças produtivas; ao mesmo tempo cresce a percepção de que o nível de desenvolvimento já atingido permitiria diminuir as desigualdades até chegar à real abolição das classes num futuro não longínquo.

---

siderados dignos de poderem continuar os estudos nesse nível. Dessa maneira, a divisão entre trabalho intelectual e trabalho manual é deliberadamente reproduzida, o mesmo se dando com a estruturação hierárquica da sociedade. A divisão de classes se manifesta claramente na vida social desse país e a luta de classes, embora severamente reprimida, não deixa de eclodir.

# 4

# O socialismo e o desenvolvimento desigual e combinado

O desenvolvimento das forças produtivas, promovido pelo capitalismo a partir da revolução industrial, se tem dado, no plano mundial, de modo desigual e combinado. Enquanto a industrialização elevou o nível de desenvolvimento das forças produtivas em determinados países, a mesma industrialização, como fenômeno mundial, limitou o desenvolvimento das forças produtivas nos demais. Não há dúvida de que o atraso de que padecem os países chamados do Terceiro Mundo resultou de sua integração como produtores de produtos primários na divisão internacional do trabalho, moldada e comandada pelos países industrializados.

Nos países atrasados, a situação da classe trabalhadora se assemelha à que suportava o proletariado dos países capitalistas adiantados no passado: forte pressão de um amplo exército industrial de reserva, composto predominantemente por recém-vindos do campo, tendo por resultado grande insegurança no emprego por parte dos trabalhadores menos qualificados, cujo nível de ganhos tende a ser muito menor que o dos trabalhadores qualificados e, de maneira geral, insuficiente para uma reprodução "normal" de sua força de trabalho. Além disso, nesses países, muitas vezes os direitos básicos da classe trabalhadora – sindicatos livres e autônomos, direito de greve, legalidade dos partidos operários – não são respeitados. Nessas condições, as demandas e os anseios dos trabalhadores se assemelham ao programa socialista do século passado nos países industrializados: segurança no emprego, melhora nos padrões de consumo material da grande massa empobrecida, pleno direito à organização e à participação na vida econômica, social e política. Tem-se a impressão que a divisão do mundo capitalista em países adiantados e atrasados suscitou também uma divisão do conceito de socialismo em duas "modalidades": um socialismo "adiantado", com ênfase em igualdade e participação, e um socialismo "atrasado", com ênfase em redistribuição da renda e desenvolvimento das forças produtivas.

Como essa dicotomia não é aceitável, surgiu a tendência de se considerar o socialismo "atrasado" como o único legítimo, sustentando-se que a previsão original, de que as relações capitalistas de produção acabariam por obstaculizar o desenvolvimento das forças produtivas, estar-se-ia realizando no *plano mundial*: esse desenvolvimento só teria lugar num pequeno número de países à custa do atraso sistematicamente reproduzido pelo capitalismo no resto do mundo. Dessa maneira, o socialismo seria a única forma de desenvolver as forças produtivas em todo o mundo, exceto nos países em que o capitalismo está mais avançado e nos quais a classe trabalhadora atingiu elevado padrão de vida, segurança no emprego e o usufruto dos seus direitos básicos *graças* à sua participação na exploração imperialista dos países restantes. Essa visão *terceiro-mundista* do socialismo foi levada às últimas consequências pelos partidários da teoria da "Troca Desigual" (A. Emmanuel) e do "Desenvolvimento do Subdesenvolvimento" (A. Gunder Frank; I. Wallerstein), segundo os quais a exploração imperialista é um obstáculo intransponível à industrialização dos países atrasados.

A evolução histórica não tem confirmado essas teorias. A industrialização começou praticamente num único país – a Grã-Bretanha – e depois se estendeu a numerosos outros: Estados Unidos, Alemanha, França e alguns outros ainda no século XIX: Japão, Suécia, Itália e muitos outros, na primeira metade do século XX, e Canadá, Dinamarca, Noruega, Finlândia, Israel, Espanha, África do Sul, nas últimas décadas. Outros países capitalistas, de passado colonial, conheceram recentemente substancial desenvolvimento das forças produtivas, sem atingir ainda a plena industrialização: Brasil, México, Colômbia, Irã, Coreia do Sul, Taiwan, Hong-Kong etc. Nada indica que a constituição de uma economia mundial pelo capitalismo restrinja o desenvolvimento das forças produtivas a um número restrito e limitado de países. Não é verdade também, como as teorias liberais fazem crer, que o desenvolvimento se estenda de forma *automática* dos países adiantados aos países atrasados. O que se verificou foi que o desenvolvimento *capitalista* das forças produtivas requer o estabelecimento de relações *capitalistas* de produção, que soe resultar do triunfo de uma revolução burguesa. Esse triunfo se deu em alguns países e em outros não. Os países em que relações de produção pré-capitalista continuam a predominar passaram a servir como fornecedores de produtos primários e, eventualmente, de mão de obra e como mercados para os excedentes de produção dos países industrializados.

Durante o século XIX, o conjunto da Europa meridional e oriental, da América Latina, da Ásia e da África desempenhou esses papéis em relação ao punhado de países adiantados, que se localizavam na Europa ocidental e na América do Norte. Desde então, revoluções burguesas triunfaram no México (1910), na Turquia (1922), no Brasil (1930) e, após a Segunda Guerra Mundial, em numerosos países, sobretudo da Ásia e da África. Dessa maneira, a divisão do mundo capitalista entre países adiantados e imperialistas e países atrasados e explorados, que ainda parecia nítida até a Segunda Guerra Mundial, tornou-se muito mais complexa. Em alguns países onde a revolução burguesa triunfou, deu-se um intenso desenvolvimento das forças produtivas – não "autossustentado", como o desejaria o nacionalismo das nações não desenvolvidas –, mas sustentado numa *associação* entre o Estado burguês nacional e o imperialismo, com participação marginal da burguesia desses países. O Brasil representa um caso quase exemplar dessa espécie de desenvolvimento.

Em outros países, as forças que lutavam pelo triunfo da revolução burguesa se mostraram demasiado débeis para realizar sua tarefa e o poder foi conquistado por coligações proletário-camponesas inspiradas em ideologia socialista. Em todos os países em que esse tipo de revolução venceu – União Soviética, Iugoslávia, China, Cuba, Vietnã –, as forças produtivas estavam longe de estar plenamente desenvolvidas. Se se pode generalizar quanto a eventos históricos tão afastados no tempo e no espaço, a vitória dessa revolução pode ser atribuída essencialmente à relativa incapacidade dos regimes preexistentes no sentido de promover o desenvolvimento capitalista das forças produtivas. Isto significou e ainda significa que a principal missão que os novos regimes revolucionários, nesses países, se atribuíram foi a de levar a cabo essa tarefa, ou seja, de desenvolver no menor prazo possível e de forma mais plena as forças produtivas, mediante a instauração de modo de produção superior ao capitalismo, ou seja, o socialismo.

Acontece que o desenvolvimento das forças produtivas, a ser promovido por meios socialistas, estava longe de ser original, isto é, permeado pelos valores e prioridades próprios do socialismo, que seriam expressão de relações de produção socialistas. Tratava-se, na verdade, de reproduzir nos quadros de uma economia centralmente planejada uma estrutura industrial análoga à dos países mais adiantados, que naturalmente eram e ainda são capitalistas. Isto significava inclusive adotar, adaptando-os, os próprios métodos de produção que asseguram ao trabalho, nas economias capitalistas mais adiantadas, elevada produtividade. Lênin, talvez o mais clarividente líder revolucionário a esse respeito, escreveu:

> A tarefa que o governo soviético deve colocar ao povo em toda sua latitude – é aprender a trabalhar. O sistema de Taylor, a última palavra do capitalismo e esse respeito, é, como todo progresso capitalista, uma combinação da refinada brutalidade da exploração burguesa e algumas das maiores conquistas científicas no campo da análise de movimentos mecânicos durante o trabalho, a eliminação de movimentos supérfluos e desajeitados, a elaboração de métodos corretos de trabalho, a introdução do melhor sistema de contabilidade e de controle etc. A República Soviética precisa a todo custo adotar tudo o que é valioso nas conquistas da ciência e da tecnologia nesse campo. A possibilidade de construir o socialismo depende exatamente do nosso sucesso em combinar o poder soviético e a organização soviética da administração com as conquistas

> mais modernas do capitalismo ("As tarefas imediatas do governo soviético", transcrito de Lênin, 1976, p.25).

Essas proposições, formuladas em abril de 1918, cerca de meio ano após a conquista do poder, e aprovadas por unanimidade pelo Comitê Central do Partido Comunista, foram devidamente postas em prática nos anos e décadas que se seguiram. Lênin não tinha nem deixou que ninguém alimentasse ilusões quanto ao seu significado: a proposição era transplantar a organização social e econômica do capitalismo mais avançado na União Soviética.

> Para deixar as coisas até mais claras, tomemos o exemplo mais concreto de capitalismo de Estado. Todo mundo sabe qual é esse exemplo. É a Alemanha. Aqui temos a "última palavra" em moderna engenharia capitalista em grande escala e organização planejada, *subordinada ao imperialismo Junker-burguês*. Cruze as palavras sublinhadas e, em lugar de *Estado* Junker-burguês imperialista, ponha *também um Estado*, mas um de tipo social diferente, de conteúdo de classe diferente – um Estado *soviético*, ou seja, um Estado proletário, e você terá a *soma total* das condições necessárias ao socialismo ("Infantilismo esquerdista e a mentalidade pequeno-burguesa", transcrito de Lênin, ibid., p.41).

Todo o problema, naturalmente, estava e está em se é possível separar o modo de produção, ou seja, a maneira como se organiza, comanda e efetua a produção, da natureza social do Estado: afinal o que garantia o conteúdo de classe proletário do Estado Soviético era apenas a vontade *subjetiva* dos seus dirigentes, o fato de *desejarem* que as novas forças produtivas fossem postas a serviço da classe trabalhadora. Mas, ao mesmo tempo que alimentavam esses desejos, as exigências irrecusáveis do transplante dessas forças produtivas levaram os dirigentes do Estado soviético não só a adotar a estrutura hierárquica de controle social da produção, própria do capitalismo, mas inclusive a adaptá-la agravando os seus aspectos hierárquicos e suprimindo os contracontroles dos trabalhadores – partidos e sindicatos independentes do governo, direito de greve – que no capitalismo mais avançado o proletariado logrou conquistar.

Não resta dúvida de que, tanto na União Soviética como nos demais países em que revoluções proletário-camponesas foram vitoriosas, o caráter do Estado *teve* – em geral, ao cabo de muitos conflitos intestinos e expurgos – que se adaptar ao modo de produção copiado do capitalismo mais avançado (do "capitalismo de Estado", segundo Lênin). Isto quer dizer que o Estado "soviético" ou "revolucionário" se tornou, em graus variáveis conforme o tempo e o lugar, mas sempre evoluindo no mesmo sentido, instrumento de uma ditadura *sobre* a classe trabalhadora, ditadura esta exercida pela burocracia, quer se considere esta última uma camada, classe ou casta. Essa evolução histórica mostrou que o desenvolvimento desigual e combinado das forças produtivas, produzida pelo capitalismo, não deu lugar a uma dualidade ou multiplicidade de socialismos, mas a uma multiplicidade de movimentos e de Estados que se pretendem "socialistas", quando, na verdade, seu papel histórico é realizar, em determinados países e em determinados períodos, o desenvolvimento *possível* das forças produtivas, cujo modelo e cujo horizonte é dado precisamente pelos países capitalistas mais adiantados.

Não se pretende, com isso, negar que, para os países em questão, esses regimes, que chamaremos por amor à brevidade de *burocráticos*,[1] representam uma forma de *acelerar* o desenvolvimento. Antes pelo contrário, a própria debilidade das forças que lutavam pela revolução burguesa indica que, se revoluções proletário-camponesas não tivessem sido vitoriosas nesses países, é provável que o desenvolvimento das forças produtivas ter-se-ia mantido em nível sumamente baixo. Os regimes burocráticos adotaram métodos de planejamento centralizado que se mostraram bem adaptados e eficientes no transplante de forças produtivas desenvolvidas pelo capitalismo monopolista – e isto certamente *não* é coincidência – e o rompimento com o imperialismo, ou seja, com sua inserção tradicional na divisão in-

---

1 Não há por que entrar aqui na polêmica a respeito do caráter de classe desses regimes e que contrapôs interpretações diferentes, tais como capitalismo de Estado, coletivismo burocrático etc. De acordo com o costume de denominar cada regime histórico pelo seu grupo dominante (regime feudal, regime burguês), parece preferível utilizar no caso em questão a expressão "regime burocrático", sem prejulgar a questão.

ternacional do trabalho, abriu novas possibilidades de desenvolvimento que a hegemonia dos interesses ligados ao Setor de Mercado Externo (a oligarquia terratenente ou mineira e a chamada "burguesia compradora") anteriormente obstruía. Nesse sentido, um estudo comparativo entre o desenvolvimento resultante de revoluções proletário-camponesas e o que resultou de revoluções burguesas em países não desenvolvidos mostraria mais de um paralelismo à primeira vista surpreendente. Só a título de exemplo, poder-se-ia mencionar as *joint-ventures* entre capital estatal e capital multinacional, que hoje se multiplicam tanto em países de regime burocrático como em países não desenvolvidos indubitavelmente capitalistas.

É preciso não esquecer também que, a par de um desenvolvimento mais acelerado das forças produtivas, os regimes burocráticos realizaram ampla redistribuição da renda, eliminando os antigos grupos privilegiados e elevando o nível de ganhos e o padrão de vida da grande maioria dos trabalhadores menos qualificados, assegurando-lhes o acesso aos serviços sociais básicos (educação, saneamento, saúde etc.) e o benefício da segurança no emprego, o que constituía, com certeza, uma parte importante dos seus anseios e demandas. O que, no entanto, os regimes burocráticos *não* asseguraram aos trabalhadores foi o exercício de seus direitos básicos – partidos e sindicatos independentes, direito de greve –, que passam, por isso, a se tornar os aspectos centrais dos confrontos de classe que neles se verificam.

# 5

# Igualdade, liberdade e socialismo

A primeira etapa da implantação dos regimes burocráticos, resultantes de revoluções proletário-camponesas vitoriosas, se caracterizou, em geral, pela eliminação das antigas classes proprietárias exploradoras e seus privilégios e uma elevação do consumo das camadas mais empobrecidas. Essa transformação revolucionária se realiza tendo por objetivo declarado a marcha em direção à mais completa igualdade social, à construção do socialismo mediante a eliminação das distinções de classe.

O que acontece, no entanto, logo a seguir ou após um certo intervalo, em meio a crises, avanços e recuos, mas com a regularidade de uma *lei histórica*, é a gradativa introdução de *novas desigualdades*, de novas distinções de classe, no plano econômico, social e político. Essa tendência se tornou uma característica geral de todos os regimes burocráticos e é ela que os distingue essencialmente de qualquer projeto de fato *socialista*. Na União Soviética, as novas desigualdades foram criadas logo após a Revolução de Outubro, tendo sido aprofundadas e consolidadas na época de Stálin. Na China, as novas desigualdades tiveram altos e baixos, tendo sofrido sério ataque durante a chamada Revolução Cultural, mas agora (sobretudo após a morte de Mao) estão sendo gradativamente reforçadas. Em Cuba, durante alguns anos após a Revolução, a luta a favor dos incentivos morais limitou o estabelecimento das novas desigualdades, mas, após o fracasso da campanha pela produção de 10 milhões de toneladas de açúcar, em 1970, a tendência predominante passou a ser também o recurso aos incentivos materiais, com a consequente introdução das novas desigualdades.

A base das novas desigualdades está tanto na instauração de uma hierarquia autoritária no comando da vida econômica – desde a comissão central de planejamento e os ministérios até as empresas –, quanto no estabelecimento do princípio de que a desigualdade de ganhos deve se basear não na diferença de necessidades, mas na diferença de produção realizada ou de função (improdutiva) exercida. No caso, a monopolização do mando econômico pela burocracia é condição necessária para a imposição de diferença de salário por "mérito", seja este medido por responsabilidade na função, grau de qualificação ou quantidade produzida. Como essas diferenças de ganhos não podem ser decididas pelos próprios trabalhadores, que continuamente apresentam a tendência a equalizar seus ganhos, é preciso que haja alguma "autoridade" para tomar essa decisão "por" eles.

Vale a pena citar aqui a análise do problema do Estado "socialista", que no fundo justifica a dominação burocrática, feita por Trótski:

> É certo que a luta de todos contra todos nasce da anarquia capitalista. Porém, a socialização dos meios de produção não suprime automaticamente "a luta pela existência individual". E este é o eixo da questão.
>
> Ainda na América do Norte, sobre as bases do capitalismo mais avançado, o Estado socialista não poderia dar a cada um tudo o que necessita e se veria obrigado, portanto, a estimular todo mundo a produzir o mais possível. A função de *estimulador* lhe corresponde naturalmente e não pode deixar de recorrer, modificando-os e suavizando-os, aos métodos de retribuição do trabalho elaborados pelo capitalismo... O Estado que assume a tarefa da transformação socialista da sociedade, estando obrigado a defender pela imposição a desigualdade, ou seja, os privilégios da minoria, permanece, em certo grau, sendo Estado burguês, ainda que sem burguesia (Trótski, 1964, p.64 e 65).

Trótski justifica a continuada persistência do Estado, isto é, da dominação política, durante a chamada "construção do socialismo", pela *necessidade* de estimular a classe trabalhadora a produzir. É preciso, em primeiro lugar, questionar a ideia de que essa "necessidade histórica" leva a classe trabalhadora a "aceitar" a tutela da burocracia. Na realidade, quase sempre foi necessário usar a força para quebrar a resistência operária e camponesa a essa tutela e a força continua sendo usada para garantir aquela aceitação, em todos os países de regime burocrático. Em segundo lugar, convém examinar melhor *por que* o estímulo à produção teria que se fazer à base dos "métodos de retribuição do trabalho elaborados pelo capitalismo".

As forças produtivas que o Estado burocrático procura transplantar foram desenvolvidas no capitalismo, num contexto em que a produção tem por fim proporcionar *lucros*, ou melhor, proporcionar a maior lucratividade possível em relação ao valor do capital aplicado. Isto significa que essas forças produtivas não são neutras em relação às relações de produção, mas são frutos de um tipo determinado de relações de produção, quais sejam, as que caracterizam o capitalismo.

As relações capitalistas de produção são, como é conhecido, de exploração: o trabalhador não se apropria do produto do seu trabalho e o salário que recebe é de valor menor que o produzido pelo seu trabalho. O trabalhador é contratado por um salário que corresponde, aproximadamente, ao custo de reprodução de sua força de trabalho e que resulta do equilíbrio momentâneo de forças entre capitalistas e assalariados, sendo acertado, em geral, com a intermediação ativa do Estado. Uma vez fixado o salário, interessa ao empregador extrair o máximo de produção do trabalhador, pois a concorrência entre os capitais individuais obriga cada um deles a minimizar seus custos de produção. Ao mesmo tempo, interessa ao trabalhador resistir à pressão no sentido de maximizar a produção, já que dessa resistência depende o seu bem-estar, a sua saúde e, no limite, sua sobrevivência. A defesa contra a fadiga excessiva, contra o perigo de acidentes de trabalho e de doenças profissionais são momentos essenciais dessa luta contínua dos trabalhadores contra a pressão avassaladora do capital para arrancar de cada assalariado o máximo de produção.

A principal forma utilizada pelo capital para maximizar a produção é tentar se apropriar, de todas as maneiras, do controle sobre o processo de trabalho, o que só lhe foi possível mediante mudanças tecnológicas que separavam o planejamento e a direção do trabalho de sua execução. Isto foi possível alcançar, como o demonstrou magistralmente H. Braverman (1974), a partir da invenção da "administração científica" por Taylor, que continua sendo aplicada e aperfeiçoada até hoje. A tecnologia da primeira fase da revolução industrial ainda concentrava no trabalhador qualificado – no mestre e no oficial – os conhecimentos e aptidões que lhe permitiam, em boa medida, autodeterminar o seu trabalho no que se refere tanto à forma de executá-lo como ao seu ritmo. As inovações, sobretudo a partir da chamada segunda revolução industrial, foram deliberadamente orientadas no sentido de separar as funções *intelectuais* de planejamento e direção das funções *manuais* de execução, de modo a permitir que as primeiras pudessem ser assumidas por assalariados especializados – engenheiros, projetistas, programadores, cronometristas etc. – com o encargo específico de obter do trabalhador manual a máxima produtividade. A famosa divisão entre trabalho intelectual e trabalho manual, que causou e causa tanta miséria aos que estão condenados à execução de tarefas monótonas, repetitivas e destituídas de sentido, não foi uma decorrência "natural" do progresso técnico, mas o resultado da luta de classes que está inscrita na essência das relações capitalistas de produção – na relação de salariado.

De modo que se pode concluir que nem em 1918 era nem hoje é possível aquilo que Lênin pretendia, ou seja, separar o modo de produção do caráter social (isto é: de classe) do Estado. A implantação de um modo de produção que foi desenvolvido a partir de relações de produção antagônicas e de exploração condiciona o estabelecimento de relações de produção que não podem deixar de ser, em alguma medida, antagônicas e de exploração. E isto se dá porque, nas palavras de Braverman, "'o modo de produção' que vemos ao redor de nós, a maneira com que os processos de trabalho são organizados e levados a cabo, é o 'produto' das relações que conhecemos como capitalistas" (1974, p.21).

Daí a necessidade, assinalada por Trótski, entre outros, de "estimular todo mundo a produzir o mais possível", na verdade, de *coagir* os trabalhadores manuais a se submeter às diretrizes e exigências dos que têm a autoridade e a incumbência de dirigir o processo de produção. Lênin, que tinha o dom da franqueza, afirmou: "no que concerne à significação dos poderes ditatoriais de indivíduos do ponto de vista das tarefas específicas do atual momento, é preciso dizer que a indústria de máquinas em grande escala – que é precisamente a fonte material, a fonte produtiva, o fundamento do socialismo – exige absoluta e estrita *unidade de vontades*, que dirige os trabalhos conjuntos de centenas, milhares e dezenas de milhares de pessoas. A necessidade técnica, econômica e histórica disso é óbvia, e todos os que pensaram acerca do socialismo sempre a consideraram como uma das condições do socialismo. Mas como se pode assegurar estrita unidade de vontades? Em milhares subordinando sua vontade à vontade de um" ("As tarefas imediatas do governo soviético", transcrito de Lênin, 1976, p.35).

Na verdade, pode-se duvidar que essa necessidade seja tão óbvia assim. Cada processo de produção pode ser organizado de mais de uma maneira e a divisão técnica do trabalho, do mesmo modo que a social, admite mais de uma variante. Há experimentos que mostram que tanto as tarefas intelectuais e manuais podem voltar a ser reunidas na mesma equipe de trabalho como se pode também eliminar uma parte significativa das tarefas manuais através da automação. Tanto uma como outra solução requerem, no entanto, avanços tecnológicos, ou seja, o desenvolvimento de *novas* forças produtivas. E esse desenvolvimento seria muito mais fácil – isto, sim, é óbvio – onde as forças produtivas já se encontram em seu nível mais elevado. Na América do Norte, um poder socialista não somente poderia, ao contrário do que pensava Trótski, "dar a cada um tudo o que necessita", mas poderia (e deveria) inclusive passar o mais depressa possível ao desenvolvimento de *novas* forças produtivas, à base de *novas* relações – não autoritárias e não antagônicas, isto é, *socialistas* – de produção. Mas seria bem mais difícil que isso se pudesse realizar em países, como a União Soviética, Iugoslávia, China ou Cuba, em que, quando da vitória da revolução nem havia indústria de máquinas ou, mais genericamente, em que predominava o atraso no desenvolvimento das forças produtivas.

O socialismo, portanto, não pode ser implantado de imediato em países atrasados, porque faltam para tanto as precondições materiais. Não é preciso concluir daí, no entanto, que nesses países, que hoje englobam a maior parte da população mundial e em alguns dos quais a luta pelo socialismo apresenta perspectivas mais favoráveis do que nos países mais adiantados, seja preciso "esperar" que o capitalismo cumpra o seu papel histórico de desenvolver as forças produtivas. Essa conclusão seria errônea por dois motivos: 1. porque em muitos desses países o capitalismo – ao menos em nossa época – é incapaz de cumprir esse papel; 2. porque a *forma* como se desenvolvem as forças produtivas, embora genericamente "capitalista" ou "burocrática", tem enorme importância do ponto de vista dos interesses dos trabalhadores. Não é de modo algum indiferente para estes que a industrialização se faça em moldes autoritários e, no limite, totalitários, com máxima utilização de métodos coatores e repressivos tanto em nível de empresa como no plano político e ideológico mais geral, ou se dê de forma relativamente democrática, assegurando-se à classe trabalhadora certo grau de autodefesa, sob a forma de sindicatos e partidos próprios e direito de greve.

Nos países em que as forças produtivas ainda não estão plenamente desenvolvidas, a eliminação das classes dominantes *capitalistas* mediante revoluções proletário-camponesas *não* tem que dar forçosamente lugar à sua substituição por uma burocracia tão ou mais despótica. O domínio burocrático encontra sua justificativa histórica na necessidade de desenvolver forças produtivas que requerem, pela sua natureza, trabalho coagido na medida em que se baseiam na separação entre trabalho manual e trabalho intelectual, ou seja, nas palavras de Lênin, "em milhares subordinando sua vontade à vontade de um". Mas essa justificativa histórica é abstrata demais, isto é, demasiado pobre para explicar a implantação de um novo domínio de classe, sem levar em conta o modo como se organizou a tomada do poder e o seu exercício pelas forças revolucionárias. O fato fundamental é que, em todas as revoluções proletário-camponesas até agora vitoriosas, a liberdade de crítica e de fazer oposição, apelando diretamente ao julgamento da massa de trabalhadores comuns, jamais foi respeitada. O comando revolucionário estabeleceu sempre o seu domínio *sobre* aquela massa, praticamente desde a tomada do poder, mantendo a todo custo o seu caráter monolítico em relação a ela. Toda e qualquer divergência foi sempre limitada aos círculos dirigentes, sendo discutidas e resolvidas (por votos ou golpes de mão) sem que a população como um todo jamais pudesse intervir. Aos vencidos, embora raramente convencidos, só restava se conformar, sendo impiedosamente reprimidos e denunciados como "antipartido" etc. caso persistissem em lutar pelos seus pontos de vista.

Tudo isso não se deu por acaso. O poder revolucionário jamais instituiu canais de consulta que dessem à massa dos cidadãos comuns a última palavra na resolução de divergências e na seleção de alternativas. O pretexto, genericamente utilizado, de que era preciso instaurar uma ditadura para quebrar a resistência das antigas classes dominantes é inteiramente inconsistente. As antigas classes dominantes, uma vez expropriadas, só podiam se opor à revolução mediante o uso do direito democrático de propagar sua ideologia burguesa – o que lhes deveria ser garantido – ou recorrendo à resistência armada. Na luta armada, as forças revolucionárias sempre tiveram que depender muito mais do apoio e da iniciativa das massas do que da repressão a divergências no seu próprio seio. O pretexto de que a democracia "popular" não poderia assegurar os direitos do inimigo de classe pressupõe que este teria, *depois* de ser expropriado, possibilidade de ganhar o apoio da maioria da população, o que, além de improvável, trai o caráter elitista e autoritário dos que o formulam. Afinal de contas, ou o socialismo corresponde aos anseios da maioria dos trabalhadores ou é apenas uma contrafação, imposta por uma minoria iluminada em processo de se tornar nova classe dominante. O pretexto adquire credibilidade à medida que o socialismo é entendido como uma fórmula de governo e de organização socioeconômica, dada de uma vez por todas, e que por isso pode ser desligada dos anseios dos trabalhadores. O socialismo seria assim o produto de uma "consciência de classe", desencarnada da classe real, tal qual ela existe concretamente, para ser imposta pelos que exercem o poder. Essa concepção metafísica do socialismo tem servido de justificativa para todo tipo de práticas autoritárias dirigidas de fato não contra a ex-burguesia, mas contra os que procuram interpretar os anseios reais dos trabalhadores.

A metamorfose de revolucionários em burocratas não se dá por encanto, por efeito da sua investidura no poder. Ela já está preparada por toda uma prática política *anterior* à conquista do poder. É inegável que as formas de organização dos partidos que realizaram revoluções vitoriosas já eram fortemente burocratizadas, muito antes que a revolução se desencadeasse. Esse fato soe ser atribuído às condições de clandestinidade, naturalmente adversas à prática da democracia, em que esses partidos foram, na maioria das vezes, obrigados a atuar antes da tomada do poder. Mas essa explicação é pouco satisfatória, já que a mesma deformação burocrática pode ser detectada nos partidos comunistas e mesmo em muitos partidos trabalhistas ou social-democratas que gozam de todas as prerrogativas da democracia liberal.

Na realidade, o viés burocrático é, em maior ou menor grau, uma característica de todos os partidos de massa que atuam em países de regime capitalista. Esse viés decorre da transposição, ao plano político, da divisão entre trabalho intelectual e manual que impera na vida econômica. Quanto mais o capitalismo se desenvolve, tanto mais ele reduz a grande maioria dos trabalhadores a meros executores de ordens, impostas de cima para baixo, cujo sentido mais geral não lhes é dado entender. O trabalhador é treinado, desde a escola, a obedecer sem indagar por que deve fazer o que lhe é mandado. Nenhuma faculdade mental superior lhe é exigida em sua atividade produtiva. Sua eficiência no trabalho será tanto maior quanto mais conseguir automatizá-lo. É aqui que se encontra a raiz da famosa "massificação" do povo que o capitalismo sistematicamente enseja. Basta comparar a atividade de um operário da indústria ou dos serviços – um operador de máquina – com a de um camponês, de um artesão ou de um pequeno comerciante, para ver que estes últimos desenvolvem muito mais iniciativa própria, se baseiam muito mais em seu próprio julgamento e aprendem muito mais com a experiência do que o primeiro. O que o capitalismo ensina ao operário é basicamente a disciplina, a capacidade de agir em uníssono, de participar de atividades coletivas mediante as quais os esforços coordenados de muitos indivíduos se traduzem em obras gigantescas.

O trabalhador utiliza muito naturalmente essa capacidade de agir coletivamente na luta pelos seus interesses. A greve é a grande contra-ação coletiva do trabalhador, que transforma sua fraqueza individual em força capaz de fazer frente ao capital e, em certas condições, até ao Estado. Desse modo, a disciplina fabril torna-se a base da disciplina política do movimento operário. Mas, ao apreender o valor de sua unidade, os trabalhadores tendem a manter o mesmo tipo de disciplina militar que lhes é incutido nas fábricas, dispondo-se a seguir de modo algo passivo líderes aos quais atribuem conhecimentos que a sua situação de classe lhes veda alcançar. Os partidos operários são em geral dirigidos por intelectuais de origem burguesa ou por ex-operários intelectualizados. A deformação burocrática se manifesta no fato de que esses dirigentes, que na versão leninista de organização política se consideram a "vanguarda" da classe operária, na realidade *monopolizam* toda a atividade de direção, deixando aos militantes de base o trabalho político braçal. Não há, em geral, um esforço sério de educação política das bases e sobretudo as decisões sobre alternativas táticas e estratégicas não são sistematicamente submetidas ao voto de todos os militantes.

A dicotomia entre direção e base, entre vanguarda e massa, reflete uma prática de dominação burocrática na atividade político-partidária (e também na atividade político-sindical), que prepara imanentemente a implantação do mesmo domínio em toda a sociedade após a tomada do poder. Se se quiser evitar que o resultado da revolução vitoriosa seja meramente a substituição de uma dominação de classe por outra, é vital que o conjunto da atividade dos partidos operários seja submetido a uma revisão crítica rigorosa. E, para começar, é preciso abandonar a concepção de que o socialismo é um sistema socioeconômico que possa ser definido independentemente das aspirações *manifestas* dos trabalhadores. Um "socialismo" que é concebido por direções intelectualizadas do movimento operário e que, uma vez no poder, é *imposto* aos trabalhadores em nome de leis abstratas da história, só pode ser um verniz ideológico a encobrir a dominação e a exploração dos trabalhadores pelos que pretendem "representá-los".

Um movimento realmente socialista, isto é, cuja vitória não possa dar lugar a um regime burocrático, só pode se constituir como intérprete das demandas da classe trabalhadora, devendo estar organizado de tal modo que os seus intelectuais – já que é impossível prescindir deles – tenham que se submeter o tempo todo ao referendo das bases. Isto significa que o movimento tem que respeitar o direito de divergência das minorias, devendo criar instituições específicas que levem as polêmicas entre os dirigentes até as bases, para que estas – e mais ninguém – as decidam. É dessa maneira que se pode começar a superar a divisão entre trabalho intelectual e trabalho manual no seio do próprio movimento socialista, assegurando condições para que a mesma superação possa ao menos ser iniciada após a tomada do poder. E não se aleguem que dessa maneira a tomada do poder fica impossível, pois a luta pelo socialismo não pode ser travada como um duelo em que os dois estados maiores – o da direita e o da esquerda – põem suas disciplinadas tropas em campo, pertencendo a vitória ao lado mais forte. Ou a tomada do poder resulta de um movimento irresistível da grande maioria da população, conscientemente mobilizada, ou ela em nada servirá à autoemancipação dos trabalhadores.

Nos países não desenvolvidos, a revolução socialista só pode começar após a expropriação das antigas classes dominantes, quando o desenvolvimento das forças produtivas tiver que se realizar enfrentando a inevitável contradição entre o trabalho ainda alienado da massa dos trabalhadores comuns e as demandas destes no sentido da abolição de toda hierarquia decorrente da separação entre trabalho de direção e trabalho de execução. A instauração de ampla democracia política, com pluripartidarismo, liberdade de expressão, de reunião, de greve etc. e com contínua consulta ao conjunto dos cidadãos será então a única garantia de que essa contradição não seja resolvida pela lógica "econômica", que, ao dar prioridade à acumulação, impõe aos trabalhadores a dominação burocrática de seus próprios dirigentes. Verifica-se assim que liberdade e igualdade não são apenas *objetivos* a ser alcançados mediante a realização do socialismo, mas *meios* para que o socialismo seja ele mesmo, isto é, a melhor resposta possível às demandas dos trabalhadores. Na difícil e crucial fase de transição ao socialismo – que nos países não desenvolvidos é ocupada pela superação do seu atraso econômico –, a vigência da maior liberdade possível e a instauração da maior igualdade possível são os únicos meios de preservar a indispensável hegemonia política dos trabalhadores, em sua maioria ainda manuais, em relação aos que detêm a competência necessária à execução do trabalho intelectual.

# 6

# A luta pelo socialismo onde as forças produtivas estão mais desenvolvidas

Porém, uma vez alcançado o desenvolvimento máximo das forças produtivas em moldes capitalistas ou burocráticos, resta saber ainda como instaurar relações *novas* de produção – que sejam socialistas ou que, de alguma maneira, induzam uma transformação social na direção do socialismo – e que sejam ao mesmo tempo "compatíveis" com as forças produtivas herdadas do capitalismo, isto é, que façam a economia funcionar no nível de desenvolvimento já logrado. Como essas relações de produção não podem mudar *de uma vez* nem *o que* é produzido, ou seja, os padrões de consumo das massas, nem o *modo* como se organiza e efetua a produção, ou seja, as técnicas de produção (que implicam a divisão entre trabalho intelectual e trabalho manual), a essência dessas novas relações de produção só pode ser a passagem da *hegemonia*, isto é, de uma parte decisiva do poder último de decisão da minoria que monopoliza o saber e a competência para a grande massa dos trabalhadores comuns. Em outras palavras, as novas relações de produção, que devem propiciar o desenvolvimento inevitavelmente gradativo de novas forças produtivas, compatíveis com um arranjo social plenamente igualitário e plenamente livre, só podem se instaurar no plano *político*, ou seja, mediante o estabelecimento de um novo tipo de Estado.

Esta é a outra forma como se apresenta o problema da "transição ao socialismo". Trata-se de conseguir que o poder último de decisão esteja firmemente nas mãos da coletividade dos trabalhadores comuns, ou seja, do trabalhador coletivo enquanto a direção efetiva da vida econômica e, em parte, da vida social é ainda monopolizada pela minoria privilegiada que, pelo seu treinamento e pela sua experiência, possui a competência indispensável para exercer esse poder. O problema está em encontrar formas de a maioria controlar e colocar a seu serviço aqueles que inevitavelmente tendem a falar em seu nome e, assim legitimando seu papel, usar os poderes de que dispõem para perpetuar-se nele, em lugar de preparar sua superação e eliminação como grupo social separado.

Este não é um problema que possa ser solucionado por meio de fórmulas nem por um esforço apenas teórico. A solução se encontra na prática social ou, mais precisamente, na luta de classes. Esta não cessa, como Mao já reconheceu, com a vitória da revolução e a expropriação das classes dominantes. O que a experiência histórica mostra é que a única maneira de assegurar a hegemonia do trabalhador coletivo é impedir que a camada dirigente se una e se feche num conjunto de instâncias inacessíveis ao resto da sociedade, que Orwell (1949) chamou de "Partido Interno" e que nos regimes burocráticos tomam a forma de direções do partido único, dos sindicatos, das academias, das forças armadas, das empresas etc. Não importa que esse fechamento se autodenomine "ditadura do proletariado", seu sentido real é a unidade forçada – pela eliminação de qualquer divergência e *ipso facto* de qualquer dissidência – da camada dirigente. A repressão não se dirige tanto contra a massa dos trabalhadores comuns – que é mantida à margem do jogo político – quanto contra qualquer oposição ou crítica organizada que possa surgir no seio mesmo dos que detêm o monopólio dos instrumentos intelectuais de poder.

A experiência tanto dos regimes capitalistas quanto dos regimes burocráticos é que a unidade e o fechamento do que se poderia chamar de "intelectualidade" artística, científica, técnica e político-administrativa não é de modo algum natural ou espontânea. Ela é *imposta*, à custa dos próprios valores intelectuais, cuja vigência exige o livre debate, o confronto de pontos de vista opostos etc. Sempre que a intelectualidade se encontra razoavelmente protegida da coerção, ela tende a se dividir. Se uma parte, como é inevitável nas sociedades hodiernas mais desenvolvidas, exerce o poder, outras partes exercem a crítica desse poder. É nisto que reside a única possibilidade de o trabalhador coletivo se tornar hegemônico e de fato controlar os que realizam o trabalho intelectual. Na medida em que o poder, ainda que exercido por uma minoria privilegiada, for contestado por outras minorias em princípio igualmente competentes, os vários grupos têm que apelar para os "outros", os trabalhadores comuns, procurando ganhar seu apoio em troca da defesa de seus interesses. Isto permite que os trabalhadores comuns selecionem – através de disputas democraticamente conduzidas e resolvidas mediante consultas eleitorais – as políticas que atendam suas demandas e anseios, assegurando assim a própria construção do socialismo.

Esse controle da intelectualidade pela massa já existe em princípio nos países capitalistas adiantados, nos quais a vida política se rege por normas democráticas. Mas esse controle é formal e inefetivo, na medida em que a competição individual, fundada na propriedade privada, aliena grande parte dos trabalhadores comuns de participação ativa na vida política, inclusive nos partidos que se apoiam na classe operária, o que faz que a separação entre elite do poder e povo constantemente se reproduza. A ideologia da competição, que permeia a classe trabalhadora e que se manifesta sob a forma de racismo, sexismo, bairrismo, chauvinismo etc., faz que os controles democráticos de que dispõem os trabalhadores comuns *não* sejam usados para induzir o desenvolvimento de novas forças produtivas que tornem a coerção, o autoritarismo e o privilégio desnecessários. A luta dos socialistas é, portanto, realizar no campo da ação política e social a homogeneização – e portanto a unidade dos trabalhadores que o desenvolvimento capitalista de fato produziu no campo econômico. Realmente, como Marx e Engels previram há mais de 130 anos, a grande maioria dos trabalhadores foi reduzida, nos países adiantados, à condição de assalariados. Só que esse processo levou muito mais tempo do que os autores do *Manifesto* anteciparam, tendo-se completado na Grã-Bretanha apenas no fim do século XIX e na maioria dos países industrializados apenas a partir de meados do XX.[1]

Na atual etapa histórica, embora a classe trabalhadora, nos países industrializados, esteja organizada em partidos de massa e em sindicatos de massa, ela está de fato profundamente dividida, cada grupo de raça, sexo, idade, religião, língua, região, indústria etc. competindo por vantagens materiais. Para superar essa múltipla divisão, que o capitalismo incessantemente fomenta e reproduz e a classe dominante astutamente explora, está surgindo um certo número de movimentos de libertação: da mulher, do jovem, de grupos raciais ou étnicos oprimidos etc. Esses movimentos são efetivamente de *libertação* e não meramente porta-vozes de interesses seccionais, na medida em que colocam o seu caráter comum de movimentos proletários e veem no capitalismo, ou seja, na propriedade privada dos meios de produção, a base atual sobre a qual todas as opressões e particularismos do passado se produzem.

O Estado de novo tipo, isto é, um Estado a serviço da maioria dos trabalhadores comuns, será construído pelo movimento conjunto de todos os movimentos de libertação, cuja vitória, ainda nos limites do capitalismo, se traduzirá na unificação efetiva – ideológica e política – de todos os subsetores do proletariado: trabalhadores da cidade e do campo, da produção material e dos serviços, do sexo feminino e masculino, nativos e migrantes, das várias etnias e credos religiosos etc. etc. O estado democrático-burguês, que se mantém à base da competição entre todos esses subsetores, fomentada pela ideologia da propriedade privada já não mais dos meios de produção mas dos meios de consumo – no fundo pela diferenciação competitiva dos padrões e estilos de vida –, não terá como sobreviver contra uma maioria decidida a abolir as desigualdades sociais, cuja fundamentação no "mérito" se torna cada vez menos aceitável.

É esta a perspectiva que se delineia, a partir do novo caráter que a luta de classes vem assumindo, sobretudo após 1968. Naquele ano,

---

1 Na França, p. ex., a participação dos assalariados na população ativa era de 57% em 1906, atingindo 60% em 1954 para subir a 76% em 1968 (Albers et al., *Klassenkämpfe in Westeurope*, p.29).

enquanto os jovens estudantes e trabalhadores da França desencadeavam greves de massa dirigidas contra *todas* as desigualdades, a Revolução Cultural colocava em xeque a dominação burocrática na China, questionando a divisão entre trabalho manual e trabalho intelectual e correntes democráticas alcançavam o poder na Checoslováquia, de onde foram derrubadas, após uma efêmera primavera, pelas tropas invasoras da União Soviética e países aliados. Todos esses movimentos foram derrotados, mas, não obstante, eles imprimiram à luta de classes um novo sentido. A Revolução Cultural foi praticamente encerrada no início dos anos 1970 e agora está sendo revertida, sobretudo após a morte de Mao, em 1976. Mas a crítica que ela suscitou do poder burocrático, não só na China, mas nos países capitalistas adiantados, não cessou e está sendo aprofundada, abrindo um amplo campo de estudos teóricos e de práticas de libertação.[2] A invasão da Checoslováquia foi, por sua vez, a causa imediata do rompimento da maioria dos partidos comunistas dos países capitalistas adiantados com a União Soviética, dando origem ao chamado "eurocomunismo", cuja evolução em direção a posições antiautoritárias apenas começou. Finalmente, o "Maio de 1968" na França foi apenas a culminação de um movimento de renovação do socialismo – a Nova Esquerda –, que, apesar das derrotas, dos desvios e dos refluxos sofridos, na realidade representa os anseios e demandas do proletariado que o capitalismo pós-keynesiano gestou durante os últimos vinte anos.

Está claro, hoje, que as proposições da Nova Esquerda não deram lugar ainda a amplos movimentos organizados que possam, a partir de uma doutrina bem definida, aspirar ao poder. Os movimentos de

2 Vale a pena referir aqui o estudo já citado de Braverman; o trabalho de Bettelheim sobre *A luta de classes na União Soviética*; e os estudos sobre a divisão capitalista do trabalho de Marglin, What do Bosses Do? Origins and Functions of Hierarchy In Capitalist Production, Part I, *Review of Radical Political Economics*, v.6, n.2, p.60-112, 1974; Gorz, Divisão do trabalho, hierarquia e luta de classes, em: Marglin et al., *Divisão social do trabalho, ciência, técnica e modo de produção capitalista*. E, acima de tudo, a principal obra de crítica dos regimes burocráticos, escrita na Alemanha Oriental mas publicada apenas no Ocidente: Bahro, *Die Alternative: Zur Kritik des real existierenden Sozialismus* (A alternativa: para a crítica do socialismo realmente existente). Bahro foi condenado, devido à publicação do livro, a oito anos de prisão.

massa que em seu nome foram suscitados revelaram-se, em geral, efêmeros, a maioria degenerando em seitas, muitas das quais com os mesmos vícios da velha esquerda burocratizada. Não obstante, as organizações tradicionais da classe operária estão sendo cada vez mais permeadas pelas ideias que representam essas novas demandas e anseios e que, por isso mesmo, requerem uma reformulação radical tanto da ideia do que seja o socialismo como da prática de lutar por ele. Não só se avolumam as "greves selvagens" como se ampliam os objetivos da luta operária. Se antes esses objetivos se limitavam à retribuição do trabalho, sob a forma de salários e de benefícios sociais, agora cada vez mais se questionam as condições de trabalho e a própria hierarquia salarial. Por exemplo, as lutas operárias na Europa entre 1967 e 1970 foram assim caracterizadas: "A maior parte dos conflitos neste período têm sido organizados pelos trabalhadores mesmos, que elegeram comitês de greve representativos; o conflito mesmo é travado sob o controle de assembleias gerais de trabalhadores que não rejeitam as estruturas sindicais existentes mas utilizam a estrutura mais apta, mesmo se ela é oficial (*shop-stewards* na Grã-Bretanha, *Vertrauenseute* na Alemanha Ocidental) ou as criam (comitês de fábrica ou de base na França, com eleições de delegados na Itália). As divergências com certas estruturas sindicais *esclerosadas* são numerosas sobre as formas e limites da greve: o recurso à ilegalidade não é um obstáculo à ação. Depois, sobre o conteúdo das reivindicações: contrariamente ao que alguns quiseram aí ver, não se tratou jamais de greves insurrecionais, mas antes de greves reivindicatórias, nas quais a reivindicação salarial e a defesa do poder de compra tinham um caráter dominante. Entretanto, na medida em que esses conflitos permitiam uma ampla expressão direta dos trabalhadores, a contestação do arbítrio patronal e de toda a vida cotidiana no lugar de trabalho era ressaltada, confusamente no início do conflito, de maneira mais estruturada à medida que a luta se desenvolvia: recolocação em causa das condições de trabalho, das cadências, do clima policial na fábrica, da hierarquia das classificações etc.".[3]

---

3 Capdeville; Oppenheim, Les Luttes sociales en Europe: les conditions et les perspectives, *La Nef*, n.51, p.13, abr.-jun. 1973 (número consagrado às lutas sociais na Europa).

Interessa notar, em primeiro lugar, que se torna cada vez mais frequente a iniciativa das bases. Os sindicatos, depois de negociações e eventualmente de greves, assinam contratos de trabalho de longa duração. Interessa ao patronato prolongar ao máximo o prazo dos contratos dispondo-se a fazer mais concessões em troca de um aumento de sua duração. Enquanto o contrato estiver em vigor, supõe-se que os trabalhadores não devem apresentar novas reivindicações. As direções sindicais, para reforçar sua credibilidade, como representantes dos trabalhadores, tendem a se aliar aos empregadores na exigência de que esse pressuposto seja observado.

Acontece que, uma vez assinado o contrato, cabe às empresas, isto é, aos seus administradores profissionais, recuperar sob a forma de maior produtividade o valor que foi cedido aos assalariados, sob a forma de aumentos salariais e outras vantagens monetárias e não monetárias. Para alcançar esse resultado, a cadência da produção é aumentada, trabalhadores mais qualificados e por isso mais caros são substituídos por máquinas ou por outros menos qualificados e portanto mais baratos, certos produtos são substituídos por outros, e assim por diante. Essas medidas, em geral, prejudicam os trabalhadores, seja porque os obrigam a trabalhar mais intensamente, seja porque fazem que parte deles perca o emprego. É inevitável que eles reajam, e a greve "selvagem" é a saída natural, à medida que os trabalhadores se veem diante de uma frente única de burocratas da empresa, do seu próprio sindicato e do Estado. A nova forma assumida pelas lutas de classe contrapõe, pois, os trabalhadores manuais e seus representantes diretos – "*shop stewards*", comitês de empresa etc. – ao conjunto da burguesia e da burocracia, inclusive os dirigentes que, em princípio, os representam no plano sindical e, às vezes, no plano político-partidário (a maioria das greves selvagens, p. ex., na Inglaterra, se dirigia, até 1979, contra a direção do Partido Trabalhista, que se encontrava no poder).

Um outro aspecto importante é que essas lutas objetivam tanto a repartição do produto entre capital e trabalho como a própria divisão entre trabalho intelectual e trabalho manual. Há uma rebeldia latente contra um arranjo social que privilegia, a partir da escola, uma minoria que exerce todo o poder, no âmbito das empresas, condenando todos os demais a permanecer, por toda a vida, em posições subalternas, executando atividades que em nada contribuem para o seu desenvolvimento como seres humanos. Exatamente porque as greves selvagens são movimentos de defesa do trabalhador, muitas vezes dirigidos contra medidas que pretendem lhe extorquir maior volume de trabalho sem compensação financeira, é que elas tendem a questionar a própria autoridade da administração de sozinha impor as normas de trabalho. Assim, é comum que os trabalhadores protestem contra medidas de intensificação do trabalho, exigindo que sua adoção seja previamente negociada com eles. Do mesmo modo, são questionados os direitos da administração de impor unilateralmente mudanças nas linhas de produtos e nos métodos de produção, sobretudo os que implicam demissões de parte dos trabalhadores.

Além disso, os sindicatos, encorajados e pressionados por movimentos desse tipo, procuram renegociar a própria escala de salários, com o objetivo de reduzir o número de diferentes categorias salariais – cuja multiplicação facilita a tarefa da administração de dividir os trabalhadores – e de reduzir a distância entre os vários níveis salariais, além de eliminar as variadas formas de discriminação de que diferentes grupos de assalariados são vítimas. Assim, nas negociações nacionais entre sindicatos, empregadores e governo, por ocasião da greve geral de maio de 1968, na França, acordou-se "a revisão dos contratos salariais por comissões paritárias, de empregadores e sindicatos, que devem rever os níveis de qualificação, fixar de novo os sistemas de prêmios e eliminar a discriminação contra mulheres, jovens e assalariados mais velhos" (Albers et al., 1971, p.51).

Para garantir conquistas dessa espécie, mostrou-se a necessidade de assegurar aos trabalhadores o exercício de seus direitos sindicais na própria empresa. No mesmo protocolo de negociação, antes mencionado, acordou-se "ampliar os direitos sindicais na empresa: formação de seções sindicais na empresa, proteção dos delegados sindicais conforme seu *status* de conselheiros da empresa, liberdade de expressão mediante distribuição da imprensa sindical, comunicados em jornal mural etc., direito de reunião dos membros de cada seção uma vez por mês, e assim por diante" (ibid., p.51). Essas reivindicações estão sendo levantadas em quase todos os países capitalistas adiantados, com apoio crescente de empregados administrativos e técnicos, e tendem a constituir dentro das empresas um corpo unificado de assalariados não dirigentes capaz de se opor de modo cada vez mais efetivo ao grupo de "funcionários do capital" – sejam estes burgueses ou burocratas – que detêm o poder "legal" e a responsabilidade de manter o empreendimento economicamente viável, ou seja, competitivo nos diversos mercados em que atua.

Para resumir e terminar, a luta dos trabalhadores na Europa e, em certa medida, também nos Estados Unidos se dirige cada vez mais contra os esteios da sociedade de classes, qual seja, a dominação e a alienação da grande maioria dos trabalhadores não dirigentes que decorrem de uma organização produtiva, que se mostra cada vez menos necessária e por isso mesmo cada vez menos defensável. É importante salientar que a superação da organização autoritária da produção somente se delineia nos países, e dentro destes, nos ramos em que as forças produtivas estão mais desenvolvidas. Nesses ramos, tanto o nível salarial quanto o nível cultural dos trabalhadores são mais elevados, o que os leva a combinar demandas econômicas com demandas políticas no lugar de trabalho. São essas demandas políticas, que se somam a outras mais gerais, de feministas, estudantes, grupos raciais etc., que constituem a forma hodierna de socialismo.

Nos países de regime burocrático, nos quais as forças produtivas já se encontram bastante desenvolvidas, os mesmos tipos de demandas políticas constituem um dos móveis principais das lutas dos trabalhadores. Eis, por exemplo, como um trabalhador húngaro analisa seu relacionamento com os tecnocratas que lhe fixam as normas de produção: "Eles nem precisam admitir o que todo mundo sabe, ou seja, que eles não podem contar com qualquer informação vinda de nós, que realmente operamos as máquinas. Ao contrário, toda sua 'ciência' objetiva superar nossa sabotagem instintiva, incessante. Talvez em alguns lugares essa ciência inimiga realmente tenha os meios de evitar a sabotagem e de averiguar do que nós somos capazes, aqui e agora, como trabalhadores assalariados, cumprindo uma vontade alheia. Mas ela não tem ideia do que faríamos ou poderíamos fazer em seu lugar, por nossa própria conta [...]. O primeiro objetivo de uma ciência técnica sob o controle dos trabalhadores seria um aumento da produção que reduzisse a quantidade de trabalho necessária para realizá-la. Obviamente, isto só seria possível se o que acontecesse com os lucros também estivesse sob seu controle" (Harashti, 1977, p.132 e 133).

Esse trecho reflete bem as aspirações dos trabalhadores da Europa oriental que, em mais de uma ocasião, se rebelaram contra imposições burocráticas, seja sob a forma de um aumento das formas de produção (como na Alemanha Oriental em 1953), seja sob a forma de aumentos de preços (como na Polônia, em 1970 e em 1976). Condições análogas de trabalho e de vida, em países capitalistas ou de economia centralmente planejada, dão lugar a demandas e anseios fundamentalmente idênticos. A satisfação dessas demandas essencialmente por liberdade, igualdade e autodeterminação só pode ser realizada num novo arranjo social – o único que merece o nome de socialismo.

Na realidade, a formulação dessas demandas tende a se difundir hoje não só nos países industrializados, mas também nos países que estão se industrializando e nos quais processos modernos de produção já se encontram implantados. No Brasil, não por acaso, os trabalhadores metalúrgicos e das indústrias químicas tendem a levantar reivindicações que ultrapassam o nível meramente salarial, o que mais uma vez mostra que o socialismo é uma aspiração que se universaliza à medida que as formas mais adiantadas de organização e exploração do trabalho vão sendo adotadas mesmo em países ainda pouco desenvolvidos.

É preciso ainda acrescentar que essa luta por novas e diferentes relações de produção encontra os seus correspondentes na luta dos estudantes para participar da organização do ensino, dos moradores dos bairros pobres para controlar os serviços comunitários, das mulheres contra a escravidão do trabalho doméstico e de todos os discriminados e oprimidos contra as normas sociais que os prejudicam.

# 7

# As novas formas de luta pelo socialismo

O socialismo que decorre das lutas atuais dos trabalhadores dos setores economicamente mais avançados constitui uma reformulação profunda do que se concebia como socialismo há apenas algumas décadas. A reformulação mais drástica é provavelmente a rejeição da ideia de que o socialismo deve ser implementado a partir da conquista do poder político, o que implicava a noção de que o socialismo seria, em essência, realizado por um poder político que a tanto se propusesse. A lógica do raciocínio se baseava no pressuposto de que o socialismo resultaria da socialização dos meios de produção, entendida como abolição da propriedade privada destes.

Ora, hoje, após diversas tentativas fracassadas de chegar ao socialismo dessa maneira, sabemos que socializar só pode significar submeter os meios de produção ao controle coletivo do conjunto dos trabalhadores. Como vimos, porém, a natureza das forças produtivas atualmente disponíveis faz que o controle *imediato* da produção social seja exercida por uma camada de técnicos e administradores – e enquanto isto tiver que ser assim a essência da socialização não consiste em subordinar formalmente essa camada a um poder dito "proletário" ou "socialista", mas em submetê-la *de fato* à hegemonia da classe trabalhadora. Mas isto significa que, em lugar de "conquistar" o poder político, o que os socialistas têm que fazer é dividi-lo de tal modo que as decisões finais sejam tomadas, direta ou indiretamente, pela classe trabalhadora. Em outras palavras, se a burguesia dividiu o poder político em três ramos independentes – executivo, legislativo e judiciário – para impor sua hegemonia, o proletariado não pode reunificá-lo, a pretexto de sua conquista, sem acabar por ser dominado pelos que de fato o exercem.

O Estado de novo tipo terá que ter o seu poder também dividido, de modo que o seu exercício seja confiado a representantes eleitos das diversas correntes de opinião ou coligações de interesses em que se divide a população. Não há por que especular agora se o Estado de novo tipo irá conservar a tradicional divisão de três poderes e mais os usuais três níveis de poder nacional, regional e local ou se outras divisões serão experimentadas. O mais provável é que diferentes tipos de estruturação do poder serão ensaiados em vários momentos e em diversos países. O que importa é o princípio geral. Se socialismo significa o controle dos controladores por parte da massa de cidadãos comuns, o poder terá que ser consideravelmente descentralizado, provavelmente mais do que nas repúblicas (ou monarquias) burguesas mais democráticas. Essa descentralização deve fazer que as divergências e conflitos sejam trazidos a público e que a participação dos cidadãos na sua resolução lhes seja uma fonte insubstituível de educação política.

Ora, se este é o Estado que pode levar ao socialismo e que portanto deve levar ao seu próprio perecimento, o instrumento para sua conquista dificilmente poderá ser um partido monolítico que tenha como objetivo imediato arrancar o poder da burguesia para unificá-lo em suas mãos. O instrumento será antes uma ampla frente de massas, na qual convivam diversas correntes e que, à medida que conquiste *algum* poder, em nível local ou de empresa ou de sindicato, o utilize de imediato para subordiná-lo ao conjunto de cidadãos sobre o qual ele é exercido. *A luta pelo socialismo torna-se assim uma prática de libertação.* A própria frente política deve ser um modelo dessa prática, no que respeita à vigência da mais completa democracia interna. O seu objetivo imediato é antes transformar o poder do que propriamente conquistá-lo. Dessa maneira, o socialismo acabará sendo implantado à medida que a frente política revolucionária for capaz de destruir as estruturas autoritárias nas mais diversas instituições, no Estado e nas empresas, nas escolas e nos centros científicos, nos sindicatos e nas forças armadas, nas Igrejas e nas famílias.

Isto significa também que o âmbito da luta pelo socialismo é muito maior que o plano político convencional. Não é só o poder do Estado que tem que ser transformado, mas todo poder exercido autoritariamente: do patrão na empresa, do professor na escola, do oficial no Exército, do padre na igreja, do dirigente no sindicato ou no partido e, por fim, mas não por último, do pai na família. De todos estes, provavelmente a soberania do Estado e a autocracia patronal ou gerencial na empresa são as formas fundamentais de poder, cuja transformação condiciona as demais. Mas nem por isso há qualquer razão para restringir a prática de libertação a essas duas instituições. A luta pelo socialismo requer a mobilização de toda a população e, portanto, as lutas antiautoritárias têm que ser suscitadas em todas as instituições no pressuposto, confirmado pela experiência, que as práticas de libertação tendem, em geral, a se reforçar mutuamente, à medida que a legitimidade de todas é reconhecida, ao passo que a tentativa de se considerar uma luta específica como prioritária e contendo em si a solução das demais – "uma vez conquistado o poder e eliminada a propriedade privada dos meios de produção, tudo o mais se resolve sem atrito nem demora" – só tende a dividir os movimentos de libertação e sectarizá-los.

O socialismo só será alcançado após uma extensa e vitoriosa prática de libertação, que abra caminho, ao mesmo tempo, ao desenvolvimento de novas forças produtivas e à socialização completa do trabalho intelectual.

# Referências bibliográficas

ALBERS, D. et al. *Klassenkämpfe in Westeurope*. Hamburgo: Rowohlt, 1971.

BAHRO, Rudolf. *Die Alternative*: Zur Kritik des real existirenden Sozialismus. Colônia: Europäische Verlagsanstalt, 1977.

BETTELHEIM, C. *A luta de classes na União Soviética*: segundo período (1923-1930). Rio de Janeiro: Paz e Terra, 1983.

______. *A luta de classes na União Soviética*: primeiro período (1917-1923). Rio de Janeiro: Paz e Terra, 1976. (Coleção Pensamento Crítico, v.6.)

BRAVERMAN, H. *Labor and Monopoly Capital*. Nova York: Monthly Review Press, 1974. [Ed. bras.: *Trabalho e capital monopolista*: a degradação do trabalho no século XX. Rio de Janeiro: Guanabara, 1987.]

CAPDEVILLE, J.; OPPENHEIM, J.-P. Les Luttes sociales en Europe: les conditions et les perspectives. *La Nef*, n.51, p.13, abr.-jun. 1973.

ENGELS, Friedrich. *Anti-Dühring*. Berlim: Leipzig, 1878. [Ed. bras.: *Anti-Dühring*. São Paulo: Boitempo, 2015.]

GORZ, André. Divisão do trabalho, hierarquia e luta de classes. In: MARGLIN, S. et al. *Divisão social do trabalho, ciência, técnica e modo de produção capitalista*. Porto: Publicações Escorpião, 1974. (Coleção Cadernos O Homem e a Sociedade.)

HARASHTI, Miklós. *A Workers State*. Harmondsworth: Penguin, 1977.

LENIN, V. I. *Lenin on the Development of Heavy Industry and Electrification*. Moscou: Progress Publishers, 1976.

MARGLIN, S. What Do Bosses Do? The Origins and Functions of Hierarchy in Capitalist Production, Part I. *Review of Radical Political Economics*, v.6, n.2, p.60-112, 1974.

MARX, Karl; ENGELS, Friedrich. *Manifesto comunista* (1848). São Paulo: Boitempo, 1998.

ORWELL, George. *The Road to Wigan Pier*. Middlesex: Penguin Books, [1937] 1972.

______. *Nineteen Eighty Four*. Nova York: Harcourt Brace and Company, 1949. [Ed. bras.: *1984*. São Paulo: Companhia Editora Nacional, 1973.]

SINGER, Paul. *Curso de introdução à economia política*. Rio de Janeiro: Forense Universitária, 1975.

TROTSKY, L. *La revolución traicionada*. Argentina: Proceso, 1964.

# *Economia socialista*

# Apresentação

*Luiz Inácio Lula da Silva*

Em meados de 1999, visitei Antonio Candido para conversar um pouco sobre nosso país, nossos desafios e nossas esperanças. Além de saborear as deliciosas histórias que ele sempre conta, fui brindado com algumas doses da espantosa sabedoria que jorra do alto daqueles 82 anos de uma vida bem vivida, repleta de lutas e marcada por absoluta coerência de ponta a ponta.

Fiz a ele um pedido que apresentei como convocação. Solicitei que emprestasse sua enorme autoridade intelectual, moral e política para estimular a retomada de alguns debates fundamentais para despertar a criatividade e reanimar o ímpeto de uma esquerda que, mesmo representando o que há de mais promissor em nossa terra, nunca está imune aos vícios do acomodamento e ao apego à rotina.

Trocamos ideias sobre alguns temas prioritários e sobre possíveis alternativas para romper o marasmo intelectual que vinha caracterizando nosso país, sob o já longo reinado de Fernando Henrique Cardoso (FHC).

Antonio Candido ficou de pensar. Algum tempo depois, convidou Paul Singer e Francisco de Oliveira, e eles três, junto com Paulo

Vannuchi, meu assessor no Instituto Cidadania, realizaram inúmeras reuniões e consultas até conceber os Seminários Socialismo e Democracia, que o Instituto promoveu em parceria com a Fundação Perseu Abramo e a Secretaria Nacional de Formação do PT, de abril a junho deste ano.

Foram realizados seis seminários que abordaram o socialismo a partir de vários ângulos, para um plenário sempre superior a cem pessoas, entre dirigentes do Partido dos Trabalhadores (PT), da Central Única dos Trabalhadores (CUT), parlamentares, lideranças de movimentos populares, membros de equipes de governo, ONGs, intelectuais, estudantes e convidados em geral. Já na carta-convite para o evento, explicamos que nossa ideia era *discutir o que queremos entender por socialismo hoje, para o Brasil e para o mundo. E que não existia, de nossa parte, qualquer concepção prévia de socialismo e de como alcançá-lo. Queríamos retomar um clima de discussão aberta, no qual pudéssemos expor livremente todas as nossas certezas e dúvidas. Sem exclusão de nenhuma corrente ou facção.*

Com este pequeno livro estamos iniciando a publicação do conteúdo básico desses seminários. Por razões de ordem editorial, começamos com o tema Economia Socialista, que na verdade foi o segundo da série. Todos os demais serão também publicados em fascículos como este. Neste volume temos o excelente texto que Paul Singer produziu para o seminário, o comentário de João Machado, o resumo de sete intervenções do plenário e duas intervenções finais de Singer e Machado, revisadas por eles. Vale registrar ainda que os trabalhos do dia foram coordenados pela companheira Zilah Abramo, vice-presidente da Fundação Perseu Abramo.

Queremos que este material seja amplamente divulgado em todo o país, que seja reproduzido, que estimule outros textos e publicações, afastando todas as ameaças de inércia e de mesmice. Queremos que seminários desse tipo sejam realizados nos vários estados, repetindo o produtivo ambiente de franqueza, polêmica, respeito e seriedade que marcou os seminários. Sobretudo nas atividades de formação política, a contribuição deste caderno pode ser muito grande.

O êxito e a ampla aprovação obtidos nesta primeira fase tornam obrigatório o prosseguimento das discussões em 2001, focalizando aspectos cada vez mais concretos e específicos do tema. Já era essa a ideia dos organizadores dos seminários. Eles agora cuidarão da tarefa com ânimo redobrado, escalando adequadamente a rica pluralidade de craques ainda não convocados, entre dirigentes partidários, sindicalistas e intelectuais.

Penso que dessa forma estaremos construindo, juntos, uma compreensão do socialismo que esteja realmente à altura das exigências do novo século e que nos habilite a lutar por vitórias que são imperativas e inadiáveis no grave cenário de crise social, injustiças e desigualdades que vem sendo imposto aos brasileiros já de longa data.

*São Paulo, junho de 2000*

# Prefácio

*Antonio Candido*

Esta série de seminários é um começo. Vamos analisar a experiência que ela produzir a fim de preparar a série do ano que vem, levando em conta os resultados, retificando o planejamento, recolhendo as opiniões. Felizmente, o que não falta no PT são pessoas capazes de atuar como expositores e comentadores. Elas serão progressivamente convidadas, atendendo sempre à gama de opiniões que caracteriza o partido.

Sabemos que o pragmatismo das ações políticas deve ser equilibrado pela referência constante aos princípios teóricos, que para nós se encarnam na palavra socialismo. Sabemos também que no momento há muita hesitação e muita dúvida a respeito do socialismo. A derrocada da União Soviética e a descaracterização da social-democracia na Europa são fatores que contribuíram para gerar esses sentimentos. Mas o socialismo é algo mais vasto que suas manifestações históricas e continua a ser o caminho mais adequado às lutas sociais que tenham como finalidade estabelecer o máximo possível de igualdade econômica, social, educacional como requisito para a conquista da liberdade de todos e de cada um.

Isso mostra que o socialismo é conceito e realidade válidos e legítimos, tornando necessário estudá-lo, debatê-lo, ajustá-lo ao tempo. Só assim um partido como o PT evitará o risco de perder sua bússola ideológica na dispersão das necessárias operações táticas. De fato, sabemos que a referência constante à reflexão e ao debate é indispensável nas organizações políticas de esquerda, porque sem isso elas podem desfigurar seus componentes mais válidos e naufragar no oportunismo. Há uma solidariedade profunda entre teoria e ação, e uma das contribuições mais importantes do marxismo é a ideia de que pensar corretamente a sociedade leva à necessidade de transformá-la. E nisto reside uma das razões de ser do socialismo.

Esperemos que esses seminários sejam o começo de uma atividade permanente, que ajude o PT a conservar sua capacidade de luta política correta. Mesmo porque, na diversidade de nossas tendências internas, há um grande ponto de encontro, que mantém nossa comunhão e nossa solidariedade fraternal acima das diferenças: esse ponto de encontro é precisamente o socialismo.

# 1

# Economia socialista

*Paul Singer*

## *Crítica da visão clássica*

Marx e Engels nos legaram uma crítica profunda e penetrante do capitalismo como modo de produção, mas sua visão científica do socialismo deixa muito a desejar, sobretudo no delineamento de sua organização econômica e de seu ordenamento social e político. Engels,[1] em seu imortal opúsculo *Socialismo utópico e socialismo científico*, mostra de forma magistral como a instauração do socialismo poderia vir a decorrer da própria evolução contraditória do capitalismo, particularmente em sua fase monopolista.

"A contradição entre a produção social e a apropriação capitalista se apresenta pois como *antagonismo entre a organização da produção na fábrica individual e a anarquia da produção na sociedade inteira.*" O antagonismo provém do fato de a organização fabril da produção ser

1 Os trechos citados da obra de Friedrich Engels, *Socialismo utópico e socialismo científico*, tiveram a tradução revista à luz da versão alemã contida em *Marx-Engels Werke*, v.19. As partes em itálico foram sublinhadas por Paul Singer.

planejada e o relacionamento das fábricas entre si e com fornecedores e consumidores ser condicionado pela competição em mercados, daí a anarquia da produção no plano social. Dessa contradição, Engels deduz a necessidade da centralização do capital:

> O fato de a organização social da produção no interior da fábrica ter se desenvolvido a ponto de se tornar incompatível com a anarquia da produção na sociedade, fora e acima dela, se torna palpável mesmo ao capitalista pela concentração violenta dos capitais, que se dá durante as crises por meio da ruína de muitos capitalistas grandes e de um maior número ainda de pequenos.

Engels identifica a concentração dos capitais como manifestação do caráter social que a produção capitalista vai adquirindo, sobretudo quando a empresa toma a forma de sociedade anônima.

> É esta contrapressão das forças produtivas em poderosa expansão contra o seu caráter de capital, esta imposição crescente do reconhecimento de sua natureza social que constrange a própria classe capitalista a tratá-las mais e mais, na medida em que isso é ao todo possível dentro do relacionamento capitalista, como forças produtivas sociais. Tanto a conjuntura de alta industrial, com seu inchamento financeiro ilimitado, como a própria crise, pela quebra de grandes empresas capitalistas impelem imensas massas de meios de produção para tais formas de socialização, que se apresentam nas diversas formas de sociedades anônimas.

A partir dessa identificação, Engels mostra que a incompatibilidade entre a anarquia da produção no mercado e a concentração cada vez maior dos capitais acaba por exigir a intervenção do Estado, que se apropria de diversas empresas.

> Como tais trustes na primeira piora dos negócios tendem a se romper, eles induzem uma socialização ainda mais concentrada: o ramo industrial se converte numa única sociedade por ações, a concorrência cede o mercado interno ao monopólio dessa única empresa. [...] Com os trustes, a livre concorrência se torna monopólio, a produção sem plano

da sociedade capitula diante da produção planejada da *sociedade socialista em irrupção* [...] Nenhum povo toleraria uma produção dirigida por trustes, uma exploração tão descarada de todos por um pequeno bando de rentistas. Assim ou assado, com ou sem trustes, o representante oficial da sociedade capitalista, o Estado, tem de finalmente assumir a direção da produção.

Engels monta a seguinte equação: 1. O desenvolvimento das forças produtivas expande a produção fabril, tornando-a maior, mais concentrada e mais planejada, *portanto mais social.* 2. Isso torna insuportável a contradição entre a produção cada vez mais social dentro da empresa e a anarquia da produção (causadora das crises) no mercado. Sobretudo quando a produção social se torna monopolista, tendo por isso de ser assumida pelo Estado. 3. A sociedade socialista irrompe com a socialização da produção pelos trustes ou pelo Estado.

Mas ele adverte contra o engano de se enxergar a estatização em si de setores produtivos como um avanço rumo ao socialismo.

> Apenas no caso em que os meios de produção ou de transporte tenham *realmente* "*entwachsen*" [crescido para além da possibilidade] de ser dirigidos por sociedades anônimas, em que, portanto, a estatização tenha se tornado *economicamente* inevitável, só neste caso ela significa, mesmo que seja o Estado atual que a realize, um progresso econômico, o atingimento de um novo primeiro passo para a apropriação de todas as forças produtivas pela própria sociedade.

Ele chama a atenção contra um novo falso socialismo, "recentemente surgido, [...] que declara simplesmente *qualquer* estatização, mesmo as bismarckianas, como sendo socialista".

Assim, chegamos à concepção de revolução socialista:

> O Estado moderno, qualquer que seja sua forma, é uma máquina essencialmente capitalista, Estado dos capitalistas, o capitalista coletivo ideal. De quanto mais forças produtivas ele se apropria, tanto mais se torna verdadeiro capitalista coletivo, tanto mais cidadãos ele explora. Os trabalhadores continuam assalariados, proletários. A relação capitalista

não é superada, é antes levada ao extremo. Mas, no extremo, ela se inverte. A propriedade estatal dos meios de produção não resolve o conflito, mas abriga em si a solução do conflito, a receita da solução.

A solução só pode estar no real reconhecimento da natureza social das forças produtivas modernas, no ajustamento do modo de produção, apropriação e troca ao caráter social dos meios de produção. E isso só pode acontecer pela apropriação aberta e direta pela sociedade das forças produtivas, que superaram qualquer outra direção que não a sua. [...] Com esse tratamento das forças produtivas de hoje de acordo com sua natureza finalmente reconhecida, aparece no lugar da anarquia da produção social uma regulação social planejada da produção, conforme as necessidades da coletividade, assim como de cada indivíduo.

[...] *O proletariado toma o poder do Estado e converte os meios de produção em propriedade estatal.* Mas com isso ele abole a si mesmo como proletariado, abole todas as diferenças e contradições de classe e abole ainda o Estado como Estado. [...] Ao se tornar afinal realmente representante de toda a sociedade, ele se torna supérfluo. [...] O primeiro ato em que o Estado verdadeiramente aparece como representante de toda a sociedade – a apropriação dos meios de produção em nome da sociedade – é ao mesmo tempo o seu último ato independente como Estado. A intervenção de um poder estatal em relações sociais torna-se setor após setor supérflua e em seguida perece por si mesma.

Engels compartilhava com Marx (que considerava a brochura em questão "uma introdução ao socialismo científico") essa visão de socialismo como *um prosseguimento linear do desenvolvimento capitalista das forças produtivas.* Quando Engels sustenta que o capitalismo "socializa" as forças produtivas, ele tem em vista duas tendências: 1. o capitalismo, ao desenvolver as forças produtivas, impõe a sua direção em escala cada vez maior, portanto, cada vez mais "social"; 2. essa socialização crescente das forças produtivas inevitavelmente supera os limites da propriedade particular, substituindo no mercado a concorrência pelo monopólio, *o qual já contém em germe o socialismo.* Como o monopólio capitalista particular é insustentável, o Estado capitalista é obrigado a intervir, tomando para si a direção dos meios de produção que o capital particular não pode mais administrar. Ao fazer isso, o Estado, embora capitalista, aponta a solução, que só será aplicada, no entanto, quando o proletariado tomar o poder estatal: a apropriação de todas[2] as forças produtivas pelo Estado em nome da sociedade.

Essa visão do socialismo, que merece o adjetivo de "clássica", propõe como superação do capitalismo a apropriação direta dos meios de produção pela sociedade. O Estado dominado pelo proletariado é apenas um instrumento dessa apropriação, pois tão logo ela se realiza o proletariado é abolido e o Estado começa a perecer. E como a sociedade se apropria *diretamente dos meios de produção*?

> Com a apropriação dos meios de produção pela sociedade, a produção de mercadorias é eliminada e, desse modo, também a dominação do produtor pelo produto. A anarquia dentro da produção social é substituída por organização conscientemente planejada. Cessa a luta pela existência individual. Assim, em certo sentido, o homem parte definitivamente do reino animal, passa de condições de existência animais a verdadeiramente humanas. [...] Só daí em diante farão os homens sua própria história com plena consciência, só daí em diante se tornarão predominantes as causas sociais por eles movidas e produzirão em escala crescente os efeitos desejados por eles. É o salto da humanidade do reino da necessidade para o reino da liberdade.[3]

2 Na formulação de Engels, a solução para o conflito entre o desenvolvimento das forças produtivas e a anarquia da produção se restringe a "que a sociedade abertamente e sem rodeios tome posse das forças produtivas *que* '*entwachsen*' [cresceram para além] *de qualquer outra direção que não a sua*" (p.222, sublinhado por Paul Singer). De duas uma: ou a revolução consiste na estatização somente das empresas cujo tamanho exige que sejam dirigidas pela sociedade ou a revolução só pode ocorrer quando todas as empresas tiverem atingido tal tamanho. No primeiro caso, a maior parte dos meios de produção continuaria nas mãos dos proprietários privados, o que frustraria a abolição do capitalismo etc.; no segundo caso, a revolução socialista ficaria adiada para um futuro indefinido.

3 Convém notar que o salto da humanidade depende não só da revolução socialista, mas também de uma revolução do entendimento, que se daria ao mesmo tempo: "As forças socialmente efetivas atuam exatamente como as forças da natureza: às cegas, com violência, destruindo, enquanto não as compreendermos e não contarmos com elas. Tão logo as tenhamos reconhecido, entendendo sua atividade, suas direções, seus efeitos, só dependerá de nós submetê-las mais ou me-

É certamente uma visão poderosa e magistral, mas não responde a uma série de questões que hoje, um século depois, sabemos serem essenciais.

*Primeiro*: como a produção de mercadorias, causa da anarquia, é substituída pela organização conscientemente planejada? Ao que parece, Marx e Engels pensavam na generalização do planejamento interno da grande empresa capitalista a toda a economia.

Se esse foi o caso, convém lembrar que o planejamento empresarial capitalista é inteiramente autoritário. Tudo se subordina à maximização da taxa de lucro, que é de interesse exclusivo do capital. A execução do plano é imposta a todos os empregados pela gerência, escolhida e monitorada pelos representantes dos acionistas. Os interesses dos consumidores e empregados são desconsiderados ou, na melhor hipótese, só são considerados como meios para maximizar a taxa de lucros.

*Segundo*: se a socialização dos meios de produção, em si, abole as classes sociais, como passam a ser organizados a produção, a distribuição e o consumo? Se tomarmos a sério que a luta pela existência individual cessa, então devemos supor que os produtos serão apropriados livremente por todos que desejam tê-los, o que implica uma produtividade infinita do trabalho, do capital e da natureza diante de uma gama finita de necessidades sociais e individuais.

Ao que parece, Engels tinha algo assim em mente, ao dizer:

> A apropriação social da produção elimina não só os atuais entraves artificiais da produção, mas também a destruição e o desperdício positivos de forças produtivas e produtos, que hoje são os acompanhantes inevitáveis da produção e que alcançam o seu máximo nas crises. Além disso, ela libera uma massa de meios de produção e de produtos à coletividade pela eliminação do luxo imbecil das atuais classes dominantes e de seus representantes políticos. A possibilidade de assegurar a todos

---

nos a nossa vontade e por meio delas realizar nossos objetivos. Isso vale sobretudo para as portentosas forças produtivas de hoje. [...] Mas, uma vez entendidas em sua natureza, elas podem ser transformadas nas mãos dos produtores associados de dominadores demoníacos em servos dóceis" (p.222-3).

os membros da sociedade, mediante a produção social, não apenas uma existência material plenamente satisfatória e que se torna dia a dia mais rica, mas que lhe garante a formação e o exercício inteiramente livres de suas faculdades físicas e espirituais, esta possibilidade existe pela primeira vez, mas *ela existe.*

Os clássicos parecem ter caído num reducionismo evidente. Pensavam que, se a propriedade privada dos meios de produção é a causa da divisão da sociedade em classes, a abolição daquela implica eliminação desta. Mas a abolição da propriedade privada exige a criação de um regime de propriedade coletiva, sobre o qual eles nada tinham a dizer. E exige também a invenção de um sistema de planejamento que não pode ser a mera generalização do planejamento empresarial capitalista, pois este pressupõe o mercado e a anarquia da produção social. Um planejamento geral de uma economia nacional não pode ser a generalização dos planejamentos empresariais, cuja harmonização se faz *em mercados*, os quais a socialização dos meios de produção supostamente eliminaria de imediato.

O reducionismo de Marx e Engels teve consequências quando na União Soviética se tratou de aplicar à realidade as fórmulas do socialismo científico. Os meios de produção foram efetivamente estatizados, mas desse primeiro ato do Estado como representante autoassumido de toda a sociedade não resultou o perecimento do Estado, mas o contrário, seu crescimento monstruoso.

## *Centralização planejada × autogestão*

Como sabemos, a partir da criação da II Internacional, o "socialismo científico" de Marx e Engels tornou-se a visão aceita pela maioria dos partidos operários europeus. O socialismo, que antes dos clássicos era uma proposta de sociedade melhor, mais livre e mais justa, passou a ser o modo de produção que superaria o capitalismo, herdando deste todo o progresso econômico que ele teria suscitado e que seria a causa eficiente de sua queda inevitável. Os valores socialistas de liberdade, democracia e igualdade acabaram por ser considerados "utópicos" enquanto o capitalismo não tivesse desenvolvido todas as forças produtivas que os tornariam realizáveis. Uma vez atingido esse ponto histórico, a tarefa do proletariado revolucionário seria apropriar-se, por intermédio do Estado, dos meios de produção e passar a administrá-los centralizadamente, fundindo todas as empresas concorrentes numa única superempresa. Isso bastaria para que liberdade, democracia e justiça passassem a reinar, por razões que deveriam ser tão óbvias que dispensavam explicitação.

O socialismo científico foi posto à prova quando a Revolução de Outubro levou os bolcheviques ao poder. Durante a revolução, os camponeses se apoderaram das terras dos nobres e os operários aproveitaram o decreto do novo governo que instaurava o "controle operário" para formar conselhos de empresas, que passaram a dirigi-las. De acordo com Oskar Anweiler,

> Antes que em junho de 1918 toda a indústria fosse nacionalizada, já estava em pleno andamento a socialização das fábricas por atos espontâneos das comissões operárias. A primeira etapa da Revolução de Outubro pode ser denominada como a época da verdadeira ditadura dos verdadeiros operários da indústria. [...] O poderio dos conselhos de empresas se baseava então [...] na impotência do Estado.[4]

Como mostra o autor, a autogestão nas empresas inspirou profundo temor a Lênin de que ela seria um empecilho à reorganização da produção e ao aumento da produtividade. Travou-se então, a partir da primavera de 1918, uma grande discussão na Rússia sobre o socialismo, entre os partidários do planejamento centralizado e os partidários da autogestão. Tendo a liderança ostensiva de Lênin e de Trótski, os primeiros ganharam a parada. O debate foi importante porque contrapôs duas concepções de socialismo. Lênin sustentou que o socialismo era o sucessor do capitalismo e tinha de utilizar os seus métodos para poder se apoderar das forças produtivas desenvolvidas por ele.

---

4 Anweiler, Introdução, em Kool; Oberländer (org.), *Arbeiterdemokratie oder Parteidiktatur* [Democracia operária ou ditadura de partido], p.47.

Os seguintes excertos dão uma boa ideia dos argumentos de Lênin:

> Se não somos anarquistas, temos de admitir que o Estado, *isto é, compulsão,* é necessário para a transição do capitalismo ao socialismo. [...] Não há, portanto, absolutamente *qualquer* contradição em princípio entre a democracia soviética (*isto é*, socialista) e o exercício de poderes ditatoriais por indivíduos. Quanto à segunda questão referente ao significado dos poderes ditatoriais individuais do ponto de vista das tarefas do momento presente, é preciso dizer que a indústria mecânica em grande escala – que é precisamente a fonte material, a fonte produtiva, a base do socialismo – reclama absoluta e estrita *vontade unitária*, que dirija os trabalhos conjuntos de milhares e dezenas de milhares de pessoas. A necessidade técnica, econômica e histórica disso é óbvia e todos os que pensaram acerca de socialismo sempre a encararam como uma das condições do socialismo. Mas como a unidade estrita será assegurada? Por milhares subordinarem sua vontade à vontade de um.[5]

Lênin certamente levou as teses de Engels (e de Marx) às últimas consequências. Via nas comissões operárias sinais inequívocos de anarquismo ou sindicalismo, doutrinas que advogavam a abolição do Estado e a entrega da economia aos produtores livremente associados. Lênin opunha-se às comissões operárias porque achava necessário organizar a economia em trustes, de acordo com o modelo das economias capitalistas mais adiantadas. Propunha, como etapa intermediária entre o estágio de então da Rússia e o socialismo, o capitalismo de Estado, ou seja, os meios de produção estatizados organizados de forma a captar as forças produtivas desenvolvidas pelo capitalismo.

> Enquanto a revolução na Alemanha ainda tarda, nossa tarefa é estudar o capitalismo de Estado dos alemães, não poupar *qualquer esforço* em copiá-lo e não hesitar na adoção de métodos *ditatoriais* para apres-

5 Lênin, Immediate Tasks of the Soviet Government, em *Questions of the Socialist Organization of the Economy*, p.126-7.

> sar a sua imitação. Nossa tarefa é fazer isso ainda mais sistematicamente do que Pedro, quando acelerou a cópia da cultura ocidental pela Rússia bárbara, e não podemos hesitar em usar métodos bárbaros na luta contra a barbárie.[6]

Contra essa concepção de socialismo se levantou a Oposição Operária, dentro do Partido Bolchevista. Eram principalmente sindicalistas, que criticavam a entrega da direção das empresas a antigos capitalistas ou a "especialistas" treinados no regime anterior. A sua principal crítica era a burocratização das empresas e a alienação dos trabalhadores. Em suas teses para o X Congresso do partido, em 1921, a Oposição Operária diz:

> O sistema e os métodos da organização, que se apoiam numa pesada maquinaria burocrática, excluem qualquer iniciativa criadora, qualquer ação independente dos produtores organizados em sindicatos. Esse sistema de política econômica, que é executado de modo burocrático, sobre as cabeças dos produtores organizados, por intermédio de funcionários nomeados e especialistas duvidosos, levou a um dualismo na direção da economia e provoca conflitos constantes entre os comitês de fábrica e as direções das empresas, entre os sindicatos e os organismos econômicos.[7]

Para superar essa situação, os oposicionistas propõem entregar a direção da economia aos sindicatos.

> Durante sua existência, os sindicatos reuniram bastante experiência e ganharam pessoas com capacidade e talento para a administração técnica e econômica. Ramos inteiros de nossas indústrias bélica, mecânica, metalúrgica etc. são dirigidos por administradores operários.[8]

---

6 Lênin, Leftwing Childishness and Petty-Bourgeois Mentality [Infantilidade esquerdista e mentalidade pequeno-burguesa], em *Questions of the Socialist Organization of the Economy*, p.145.

7 As citações da Oposição Operária estão em Kool; Oberländer (org.), op. cit., p.173-8.

8 Ibid.

É evidente que a capacidade de os sindicalistas assumirem a direção das empresas estava em jogo. Lênin e a maioria do partido confiavam mais nos ex-capitalistas e nos especialistas do que nos sindicalistas.

Mas, além e acima do argumento da capacidade, estava, para a Oposição Operária, a questão política. Eles defendiam que o poder nas fábricas fosse exercido pelos operários, elegendo democraticamente os comitês de direção.

> Todos os operários e empregados, não importa em que posição e de que profissão, ocupados nas unidades econômicas, como fábricas, minas [...] dispõem diretamente dos valores que lhes foram confiados e são responsáveis perante os trabalhadores da República por sua conservação e utilização eficiente. Como participantes da organização e da direção das empresas, os operários e empregados ocupados em fábricas, oficinas [...] elegem um órgão para a direção da referida empresa: o comitê operário.[9]

Eis, em forma sintética e clara, a outra concepção de socialismo. Este se constrói não apenas nem sobretudo pela expropriação dos meios de produção, mas por sua entrega efetiva à direção coletiva dos trabalhadores. Há razões para crer que essa concepção não era inteiramente alheia ao marxismo, contando em determinadas ocasiões com o endosso de Marx e Engels. E até mesmo com o de Lênin. Em um artigo publicado em seu último ano de vida (1923), ele escreve:

> Derrubamos o domínio dos exploradores e muito do que era fantástico, mesmo romântico, mesmo banal nos sonhos dos velhos cooperadores está se tornando agora límpida realidade. Com efeito, uma vez o poder político nas mãos da classe operária, e uma vez que este poder político possui todos os meios de produção, a única tarefa que nos resta é organizar a população em sociedades cooperativas. Com a maioria da população organizada em cooperativas, o socialismo que no passado era tratado legitimamente com sarcasmo, desprezo e desdém por aqueles que estavam corretamente convencidos de que era necessário travar a

---

9 Ibid.

luta de classes, a luta pelo poder político etc., atingirá seu objetivo automaticamente.[10]

Seja como for, a concepção vitoriosa na União Soviética foi a que propunha erguer o socialismo utilizando o modo de organizar a produção e as relações de trabalho do capitalismo monopolista, então (como hoje) o mais avançado. O argumento vencedor não foi, como se poderia imaginar, o atraso da economia soviética em relação aos países mais desenvolvidos, mas que o socialismo científico consistia em liberar as forças produtivas, que o grande capital estava criando, do constrangimento do mercado, visto como causa da anarquia da produção. O socialismo passou a ser entendido como sinônimo de planejamento geral ou centralizado da produção, a substituição do mercado pela alocação administrativa dos meios de produção, a organização monopolista de todos os ramos de produção e a fixação detalhada de metas para todas as empresas – tudo isso visando à plena satisfação das necessidades individuais e coletivas.

## *A economia centralmente planejada*

A economia planejada que acabou por ser construída sobre esses princípios foi organizada ao redor de um *completo monolitismo do poder de decisão* no Estado, na economia, nas empresas, no partido único, nos aparelhos ideológicos e nas demais instituições sociais. Qualquer iniciativa independente do Estado ou do partido era encarada como um desafio à ordem constituída ou, no mínimo, como um perigo potencial para ela. O conceito de *totalitarismo* foi desenvolvido para dar conta dessa excepcional concentração do poder.

Embora em nome da democracia, o poder passou a ser estruturado de cima para baixo: em todos os níveis hierárquicos, as pessoas com poder eram designadas pelo nível de mando superior. Os indivíduos assim escolhidos se destacavam pela lealdade ao regime, pela

10 Lênin, On Co-operation, em *Questions of the Socialist Organization of the Economy*, p.359.

disciplina na execução das ordens e pela ausência de qualquer senso crítico, independência de julgamento etc.[11] Ao menos aparente. Se havia insatisfação, inconformismo, conflitos de ideias ou de interesses, eram sempre rigorosamente ocultos, imperceptíveis, inconfessos. O que permitia a potentados com propensão à paranoia (como Stálin) imaginar o poder soviético infestado de traidores e sabotadores, que era preciso periodicamente desmascarar e expurgar.

O relacionamento desse poder monolítico com o planejamento geral não foi provavelmente causal (no sentido de que um fosse a causa do outro), mas havia forte afinidade entre ambos. O monolitismo foi instaurado, nos numerosos países que adotaram o modelo soviético, por razões políticas, mas ele era certamente funcional para o planejamento geral. Para aprofundar essa questão, cabe uma breve digressão sobre planejamento em geral.

É da essência racional do homem "planejar", isto é, projetar ao futuro sua existência, colocar para si, para sua comunidade doméstica, urbana e nacional objetivos desejáveis e preparar atividades para atingi-los. Só em situações de extremo perigo ou privação deixa o homem de planejar seu futuro. Planejar a vida pessoal, comunitária, local, nacional etc. exige ter poder sobre certos recursos: sobre o próprio corpo, sobre o uso do tempo, sobre os meios básicos de sobrevivência. Escravos podiam no máximo planejar sua fuga da condição de escravo. Homens livres, dotados de direitos de cidadania, usufruindo certa segurança social, planejam muitos aspectos de suas vidas e participam da feitura e da implementação de planos nas esferas sociais em que atuam.

Planejar implica elaborar planos e implementá-los. Nesse duplo sentido, *planejar pressupõe o exercício de poder.* E esse poder tem de ser proporcional ao âmbito submetido ao plano. Quando nesse âmbito se encontra uma nação inteira, o planejador tem de dispor de grande

---

11 "Os principais critérios de seleção são confiabilidade política, lealdade e fidelidade ao partido e suas ideias (em outras palavras, à ideologia oficial). Se estas são aparentes, elas podem compensar a falta de capacidade ou de perícia profissional. O inverso não vale: nem o maior talento ou experiência profissional podem compensar a falta de lealdade, confiabilidade ou obediência" (Kornai, *The Socialist System*, p.57-8).

poder político para poder coagir os outros a *obedecer ao plano.* É difícil fugir dessa conclusão. Mesmo se toda a população concorda com os objetivos do plano – combater uma epidemia, rechaçar um ataque inimigo, salvar uma floresta da destruição –, é quase certo que parte das pessoas discordará dos meios para atingi-los.

Isso vale inclusive se o planejamento for extremamente democrático: todos os envolvidos são ouvidos antes da elaboração do plano e as propostas são exaustivamente discutidas até que o plano seja adotado por unanimidade. Isso não impede que durante sua execução uma parte das pessoas mude de opinião, deixe de concordar com o objetivo ou com os meios fixados pelo plano. Sendo grande a população e grande o período de duração do plano, essa contingência é quase inescapável. *E, nesse caso, os que mudaram de opinião e não querem mais implementar o plano têm de se conformar, pois do contrário o farão fracassar.* Qualquer plano abrangente e que dure exige disciplina dos participantes. Os responsáveis pelo plano têm de poder exigir essa disciplina, impor aos que discordam que colaborem em sua realização.

No capitalismo atual, o planejamento econômico é intensamente praticado nas grandes empresas e nos serviços públicos. Os orçamentos públicos nacionais, estaduais e municipais são planos anuais, a serem implementados pelos aparelhos estatais respectivos. Há rotineiramente planejamento em escolas em todos os níveis, nos condomínios residenciais, nos centros de veraneio e assim por diante. À primeira vista, todos estão envolvidos em vários planos, como participantes de diversas instituições regidas por planos, o que implica considerável restrição à possibilidade de escolha dos indivíduos. Não obstante, o direito individual de escolha é preservado, porque a participação é voluntária na maior parte das vezes. Em caso de arrependimento, há sempre a possibilidade de abandonar a instituição.

No capitalismo atual, a extensa centralização do capital reúne centenas ou até milhares de empresas médias e grandes em gigantescos conglomerados multinacionais. Provavelmente tais empresas seriam planejadas mesmo se atuassem separadamente; uma vez fundidas num única multiempresa, o planejamento se faz em âmbito muito maior.

O planejamento dos maiores conglomerados pode ser comparado ao planejamento geral de algumas economias do "socialismo real". O que significa que eles também tendem a exibir sintomas de burocratização, tais como rigidez, inflexibilidade, fricções entre partes componentes dessas firmas, conflitos suprimidos travados na surdina etc.

Mas há uma diferença essencial entre os dois tipos de planejamento: o capitalista é parcial, os envolvidos podem sempre deixar o emprego, o país ou a compra de seus produtos; o planejamento que segue o modelo soviético é sempre total, abrangendo ramos inteiros de produção e economias nacionais inteiras. Nenhum habitante do país tem a possibilidade de escapar legalmente do plano.[12] É por isso que se pode falar de afinidade entre poder monolítico e planejamento geral. O planejamento de toda a economia de um país, mesmo se fosse elaborado democraticamente, exigiria adesão ininterrupta de toda a população. A qual pode ser imposta com mais facilidade se todo o poder de decisão estiver concentrado nas mãos de um homem ou de uma cúpula. O que inegavelmente ocorreu nos países do socialismo real.

A funcionalidade do poder total para o planejamento geral pode ser apreciada pela descrição de Kornai da coordenação burocrática.

> Esta, no caso do capitalismo moderno, é proeminente no aparelho de Estado, nas forças armadas, grandes firmas e outras grandes organizações, e tais burocracias parciais podem ter grande poder. O socialismo clássico, no entanto, é o primeiro sistema da história a fundir essas buro-

12 "Eles não podem deixar o emprego sem licença da firma ou instituição que os emprega. Se receberem licença para mudar de emprego, eles de fato não podem mudar de patrão, porque, com exceções insignificantes, há afinal um único empregador: o Estado. É extremamente difícil mudar de residência, pois isto é impedido por restrições administrativas e falta de casas. Membros do partido não podem deixar de sê-lo; um passo tão demonstrativo poria facilmente em risco a paz de sua existência, possivelmente a sua liberdade e, numa onda de terror, suas vidas também. Mas é arriscado demitir-se até mesmo do sindicato de trabalhadores, do movimento de juventude ou de qualquer organização de massa ou profissional. [...] Nem a forma final de saída, a emigração, pode ser usada; até mesmo um pedido [de permissão para emigrar] seria perigoso" (Kornai, op. cit., p.100).

> cracias parciais numa única entidade que abarca toda a sociedade. [...] a estrutura monolítica, totalitária do poder, a propriedade estatal do grosso da produção social e a dominação da coordenação burocrática sobre outros mecanismos são três fenômenos estreitamente ligados. [...] As relações entre as firmas estatais não são coordenadas pelo mercado nem se aplica o autogoverno a elas. Em vez disso, as relações entre as firmas são coordenadas burocraticamente e dentro delas isso leva até a bancada de trabalho o mesmo sistema vertical de articulações que governa a própria empresa.[13]

Resta uma pergunta: o planejamento geral cumpre a sua promessa de superar a anarquia da produção causada pela competição em mercados, fazendo que a produção satisfaça as necessidades de toda a população, sem desperdícios e sem desemprego? A resposta tem de ser condicional: o ciclo de conjuntura típico do capitalismo é de fato eliminado pelo planejamento geral, mas em seu lugar surgem outras falhas e insuficiências.

Em situações de anormalidade, como guerras externas ou internas, o planejamento geral se mostra muito superior ao mecanismo de mercado como sistema de coordenação. Isso se dá porque, quando a oferta é muito menor do que a demanda normal, em função do esforço de guerra e das destruições que esta acarreta, o mercado produziria imensa inflação e condenaria à fome grande parte da população. Por isso, em tais situações, mesmo governos liberais controlam os preços e racionam bens de primeira necessidade e outros, o que significa substituir compra e venda em mercados por uma distribuição planejada e igualitária. Também a alocação de matérias-primas essenciais ao esforço de guerra e à sobrevivência da população é suprimida do mercado, sendo feita por ordens administrativas, ou seja, pelo poder político usando critérios políticos.

A quase totalidade dos países que aderiram ao "socialismo real" fizeram-no em situações de penúria, provocadas por guerras. Na maioria deles já vigia algum sistema de planejamento geral para fins bélicos, que os novos governos comunistas adaptaram para o período

---

13 Ibid., p.57-8.

de reconstrução. Foram nesses anos iniciais que as economias planejadas tiveram seu melhor desempenho. A desapropriação das antigas classes dominantes e a introdução de educação e saúde públicas ensejaram uma repartição mais igualitária da renda e uma rápida recuperação das indústrias e da produção agrícola. A maior parte da população pôde voltar a satisfazer suas necessidades básicas e, crescentemente, outras.

A economia centralmente planejada começou a entrar em crise quando a economia superou os efeitos da destruição bélica e a população passou a reclamar um padrão de vida semelhante ao do Primeiro Mundo, que a globalização das comunicações e do turismo trouxe aos lares dos países do "socialismo real". Na Europa oriental, a economia planejada mostrou-se incapaz de produzir bens não essenciais na quantidade e com a qualidade demandadas. Esse malogro repetiu-se em todos os países que adotaram o modelo e decorre de suas características essenciais.

Os planos gerais sempre se colocaram metas de crescimento extremamente ambiciosas, em primeiro lugar porque os países do "socialismo real" almejavam eliminar o mais depressa possível o atraso econômico que os separava dos países capitalistas mais adiantados. E em segundo lugar porque o socialismo só poderia mostrar sua superioridade em relação ao capitalismo no campo do desenvolvimento das forças produtivas. Esta é, ao menos para os marxistas, a justificação histórica da revolução socialista.

Para realizar essas metas de crescimento, cada plano fixava-as no grau máximo para os diferentes setores da economia, em seguida eram desdobradas para as divisões territoriais e dentro destas para as empresas localizadas nelas. A realização das metas exigia investimentos na ampliação da capacidade produtiva, o emprego de mais trabalhadores e o consumo de mais matérias-primas, combustível, materiais auxiliares etc. Os diretores das empresas negociavam as metas com seus superiores, exigindo em troca do compromisso com elas os recursos que consideravam necessários.

Nessa negociação, os diretores não podiam errar porque, se aceitassem metas altas demais para a quantidade de mão de obra, materiais etc., que lhes eram alocados, corriam o risco de não poder cumpri-las e serem punidos. Como sempre há ocorrências imprevistas, que podem afetar a empresa (um acidente, uma inundação, atraso no fornecimento etc.), o melhor que eles podiam fazer era pedir que as metas fossem reduzidas e que os recursos alocados cobrissem uma margem de segurança contra imprevistos.

Os planejadores de nível superior, sabendo disso, enfrentavam a pressão de seus subordinados exagerando as metas e limitando os recursos ao estritamente necessário. No final, o acordo em geral embutia bastante investimento, expansão do emprego e ampliação do fornecimento de insumos para garantir a execução das metas. Havia nesse processo um viés por uso excessivo de bens de investimento, força de trabalho e materiais. Inclusive porque os projetos de investimento, para terem mais chances de ser aprovados, tendiam a subestimar os recursos e o tempo necessários para serem completados. Quando o plano começava a ser implementado, a "fome por bens de investimento" passava a pressionar os demais setores. Como muitos desses bens eram importados, crescia além do planejado o gasto de divisas e, portanto, a necessidade de ganhá-las, o que levava a aumentar mais do que o previsto o volume de exportações.

Tudo isso transformava a economia "socialista real" numa *economia de escassez.* Dadas as prioridades do plano, as firmas acabavam por consumir uma parcela crescente de toda a produção, o mesmo acontecendo com os serviços públicos (particularmente as forças armadas) e o comércio externo, em detrimento do consumo da população. Esta se beneficiava de uma situação permanente de pleno emprego, o que constitui a principal vantagem do "socialismo real" sobre o capitalismo. Todos tinham emprego e a perspectiva de mantê-lo. O que significava que a população tinha uma renda nominal crescente, à medida que mais pessoas eram incorporadas à população ocupada.

Os planejadores fixavam o valor dos salários, o que lhes possibilitava prever com relativa exatidão a renda da população e quanto dela seria gasta em consumo. Os preços dos bens e serviços de consumo eram fixados em níveis que igualassem a procura dos consumidores à oferta das empresas produtoras desses bens e serviços.

> [...] alguns bens e serviços são oferecidos ao público grátis ou, em comparação com seus custos, a preços muito baixos, subsidiados pelo Estado. Estes, na maioria dos países sob o sistema clássico, incluem alimentos básicos (pão, açúcar, gordura etc.), transporte público, aluguel e serviços de saúde, culturais e educacionais.[14]

Essa política de preços não é casual, pois tem raízes profundas na ideologia oficial do socialismo clássico, que alcançam as grandes "promessas básicas" do sistema. A sociedade, prometeu-se, "tem ao menos de satisfazer as necessidades básicas de todos os trabalhadores e suas famílias".

O problema era que a demanda da população estava predeterminada, mas a das empresas, dos investimentos, do comércio externo etc. não. As necessidades prioritárias – da defesa, da produção, da tecnologia etc. – tinham de ser atendidas a qualquer custo. Se faltasse dinheiro para tanto, os responsáveis pelo plano cuidavam para que os bancos fornecessem o crédito necessário.[15] Isso produzia uma escassez crônica de bens e serviços de consumo, a ponto de muitos dos mais essenciais serem racionados. Na década de 1980, muitos produtos – alimentos, produtos de limpeza, gasolina, energia elétrica – eram racionados em Cuba, na Polônia, na Romênia, na União Soviética, no Vietnã e na Iugoslávia.[16]

---

14 Kornai, *The Socialist System*, op. cit., p.273.

15 "De tudo isso pode-se concluir que o setor das firmas não é 'verdadeiramente' monetizado; ele só dá essa impressão. Embora tudo seja contabilizado também em dinheiro, o setor está apenas semimonetizado. O estado semimonetizado desse setor (e o estrago feito pela passividade da política fiscal e monetária, o que dá no mesmo) está entre as causas básicas da escassez. Ele permite à demanda fugir de qualquer controle [em inglês: *run away*] em várias áreas [...] Mas, mesmo se a incluirmos entre as causas fundamentais, não é uma causa independente que pudesse ser mudada em si. A passividade da política fiscal e monetária nada mais é que uma expressão no plano financeiro do fato de que o setor das firmas é controlado por coordenação burocrática, principalmente com o arsenal do controle direto, e não por coordenação de mercado com o arsenal de preços e moeda" (Kornai, op. cit., p.277).

16 As informações sobre demanda e racionamento são da mesma obra de Kornai, p.242.

A escassez dos produtos de consumo só não era pior porque a direção do plano garantia insumos e mão de obra para as empresas que os produziam e impedia, por medida administrativa, ou seja, por ordem política, que as empresas comprassem bens alocados ao consumo. Mas, de uma forma geral, *a oferta de bens e serviços de consumo era muito menor do que a demanda solvável por eles*. As pessoas tinham dinheiro, ganho com seu trabalho, e desejavam comprar pelos preços fixados produtos que, em geral, faltavam nas lojas. A escassez era agravada pela insuficiência de investimento na distribuição, encarada como atividade improdutiva, numa interpretação equivocada do pensamento de Marx.

A escassez atingia também as empresas e os serviços públicos, igualmente prejudicados pela "fome dos investimentos". Em geral, as empresas tinham dificuldade em obter os insumos que o plano lhes destinava. O dinheiro para pagá-los não era problema, simplesmente não estavam à venda no momento em que se tornavam necessários. O que levava os diretores das empresas a empregar intermediários e pagar propinas para conseguir os fornecimentos. Para se prevenir contra a escassez, as firmas formavam estoques de insumos e ocultavam sua existência dos superiores para não serem confiscados. Obviamente, isso agravava a escassez.

As famílias faziam a mesma coisa. Tão logo surgia nas lojas algum artigo até então em falta, todos formavam filas e compravam muito mais do que necessitavam, para ter reservas. O resultado era a generalização e o agravamento da escassez. Criou-se o que os economistas chamam de "mercado de vendedor". Os vendedores sempre tinham mais clientes do que podiam atender, mas não tinham autorização para aumentar os preços que cobravam. Por isso, tratavam os clientes com indiferença, se não com desprezo, deixando-se bajular e eventualmente corromper para cumprir seu dever de vender.

Do ponto de vista de seus resultados sociais e econômicos, o planejamento social era bem diferente do capitalismo. Neste, uma parte da população não tem emprego e outra ganha menos do que precisa para satisfazer suas necessidades básicas. Nos países semidesenvolvidos, como o Brasil, os excluídos e os pobres provavelmente constituem quase a metade da população. Mas a outra metade, que tem renda suficiente e mais do que suficiente, não tem qualquer dificuldade para comprar. Os mercados de consumo são geralmente "de comprador": há mais oferta do que demanda, os vendedores se esforçam para agradar os clientes, inundam-nos de propaganda e tentam seduzi-los com sorteios, ofertas, descontos etc.

Nas economias centralmente planejadas, só a elite estatal e partidária escapa da penúria, porque tem acesso privilegiado a bens e serviços por medida administrativa: lojas exclusivas, hotéis de veraneio exclusivos, carros oficiais, moradias oficiais. Todos os outros estão sujeitos ao comércio estatal, em que faltam muitos produtos e é preciso estar alerta o tempo todo para saber onde está se formando alguma fila para pegar um lugar nela e comprar o que quer que esteja sendo ofertado antes que acabe. As pessoas, segundo Kornai, são forçadas a se ajustar, gastando o seu dinheiro com o que conseguem comprar, mesmo que esteja longe de ser o que prefeririam. Isso produziu imensa frustração, sobretudo nas camadas que, nos países capitalistas, seriam de classe média e neles usufruiriam um padrão de vida confortável. Convém lembrar que os formadores de opinião faziam parte dessas camadas.

O sacrifício dos que ganhavam melhor não decorria de uma melhor distribuição de renda, em que eram poucos os pobres e excluídos. Ele decorria de um esforço imenso para acelerar o crescimento, que com o passar do tempo passou a dar resultados cada vez menores. Faltavam as punições financeiras aos que tomavam decisões erradas de investimento, que no mercado capitalista são muito severas. E que nas empresas estatais dos países capitalistas também ficam impunes. O relato de Kornai a respeito é muito expressivo:

> Tomados em conjunto, os projetos de investimento aprovados oficialmente requerem mais insumos do que os fisicamente disponíveis. [...] A reação se dá no quadro do controle burocrático direto na maioria dos casos: as organizações mais altas intervêm, tomando decisões de improviso sobre quem deve receber o produto ou recurso no momento em falta e quem deve ficar sem. Normalmente, nenhum projeto em andamento é paralisado completamente, inclusive porque cada um tem advogados poderosos na burocracia. Em vez disso, interrupções fazem que

> certo número de diferentes projetos se desacelerem simultaneamente. Essa prática leva à dissipação do investimento, ao prolongamento severo do tempo de aprovação e de conclusão e a um grande aumento dos custos.[17]

E, numa nota de rodapé, Kornai (p.165) acrescenta:

> O processo de obter permissão leva tanto tempo que quando a decisão é tomada o projeto está obsoleto. Na União Soviética, nos anos 1980, 25% dos projetos haviam sido feitos entre dez e vinte anos antes. [...] Uma comparação de projetos de investimento num certo número de indústrias mostra que, nos anos 1960, levava de duas a cinco vezes mais tempo completar um projeto na Hungria do que no Japão.

E, no que se refere diretamente ao desenvolvimento de novas forças produtivas, o desempenho do "socialismo real" em comparação com os países capitalistas não chegou sequer a ser sofrível. Kornai (p.298-300) apresenta uma compilação de cinquenta importantes inovações tecnológicas realizadas entre a Segunda Guerra Mundial e 1983. Nada menos de 38 foram inventadas nos Estados Unidos, apenas quatro na União Soviética e uma na Romênia. As demais em outros países capitalistas. São inovações na produção civil, boa parte derivada de invenções no campo militar. Nesse período, a União Soviética investiu muito em atividades de pesquisa e desenvolvimento e alcançou certa paridade com os Estados Unidos na corrida armamentista, inclusive na competição tecnológica militar. Mas, enquanto os Estados Unidos conseguiam, a partir dos avanços na área militar, gerar grande número de inovações civis, as economias centralmente planejadas se mostravam estéreis a esse respeito.

As causas dessa esterilidade estão no próprio planejamento e não apenas em sua implementação burocratizada. A aplicação de inovações desorganiza parte da economia, à medida que processos ou produtos novos substituem os até então em uso.

17 Kornai, op. cit., cap.11.

No capitalismo, mecanismos de mercado asseguram a aplicação de inovações e distribuem ao acaso os efeitos da "destruição criadora": regiões prósperas tornam-se decadentes, milhares de trabalhadores ficam desempregados, firmas antigas quebram, categorias profissionais inteiras perdem sua qualificação, que deixa de ter utilidade. A destruição criadora é um dos pontos fracos do capitalismo, que se mostra pouco inclinado a prever ou compensar as perdas impostas. Mas, por outro lado, as forças produtivas se renovam sem cessar, impulsionando o crescimento da produtividade e revolucionando o padrão de vida.

Nas economias centralmente planejadas, a inovação tecnológica depende para sua aplicação de instâncias políticas que temem ser prejudicadas por ela. Apesar de seu poder absoluto, a cúpula está inserida em densa teia de interesses constituídos, dos quais depende a implementação do plano, que é a prioridade máxima. Não surpreende que a preocupação com os prejuízos supere o entusiasmo pelos benefícios prometidos pela inovação, na maior parte das vezes. A grande promessa de que o planejamento geral liberaria as forças produtivas da anarquia da produção ensejada pelo mercado frustrou-se inteiramente. O planejamento geral é capaz de produzir progresso tecnológico em áreas em que ele é prioritário, como foi o caso do poderio militar. Mas na produção civil ele aborta novas forças produtivas, pois a prioridade tende a ser expandir sempre mais as estruturas existentes.

## *Planejamento e mercado*

O capitalismo é uma economia de mercado em que as empresas que participam dele são planejadas. O mercado pode ser visto como um sistema de coordenação de planos particulares, inclusive das famílias e dos governos. Se consideramos os atores econômicos divididos nestas três categorias – firmas, famílias e governos – fica claro que a sua interação em mercados é a forma pela qual elaboram e tentam implementar seus planos. Firmas, famílias e governos formulam as partes econômicas de seus planos a partir de parâmetros de mercado – preços e quantidades transacionadas – e as implementam mediante compras e vendas em mercados.

Cada plano implica um centro que coordena as atividades dos participantes. Dentro do plano, as relações entre os participantes estão predeterminadas e não sujeitas ao acaso. Quando o acaso intervém, o plano malogra. No mercado, por outro lado, não há centro coordenador e as relações entre os participantes evoluem livremente de acordo com sua própria dinâmica. Nesse sentido, designar a competição em mercado como "anarquia da produção" se justifica, pois efetivamente *anarquia* quer dizer ausência de poder. E no mercado não há qualquer poder outro que o dos participantes e competidores. O resultado da *livre* competição é a rigor imprevisível e está, em parte, sujeito ao acaso. Quando os planos dos participantes do mercado são por acaso harmônicos, todos eles se realizam, e, nesse caso, o resultado da competição é o previsto por cada um dos competidores. *A anarquia decorre do fato de que os planos privados dos competidores são mantidos em segredo uns dos outros, o que impede sua coordenação prévia.* O importante aqui é o "prévio". Uma vez em ação, o mercado impõe a compatibilização dos planos privados, pela força, eliminando alguns e premiando outros. Cada competidor faz o seu lance, no escuro, sem conhecer previamente os dos outros, portanto sem poder se ajustar a eles.

Os maiores partidários do mercado são os economistas neoclássicos, que imaginam o mercado perfeito, em que os participantes têm *por pressuposição* todas as informações necessárias para agir racionalmente. Leon Walras concebeu um mercado não anárquico, em que o tempo real é substituído pelo tempo lógico, no qual todas as decisões são reversíveis. O mercado de Walras é dirigido por um leiloeiro, que recebe previamente todos os lances – ofertas e demandas – dos agentes, os estuda e os devolve a seus autores, indicando-lhes em que direção devem modificá-los para se ajustar aos outros. Os lances são feitos e devolvidos tantas vezes quantas forem necessárias para sua completa compatibilização. Aí o leiloeiro abre o mercado e tudo o que é ofertado é vendido e tudo o que é demandado é comprado.

O constructo de Walras mostra como é primitivo e falível o mercado realmente existente, com seu tempo real e sem leiloeiro. Funcionando normalmente, o mercado destrói milhares de projetos, não endossados pelos outros agentes. Como o mercado na maior parte do tempo funciona "anormalmente", impulsionado por ondas de otimismo ou abalado por pânico, seguido de letargia, o volume de projetos expandidos na alta e liquidados na baixa é muito maior.

Em lugar do leiloeiro mítico, o mercado capitalista tratou de enquadrar o tempo pela esfera financeira. A cada momento, o mercado decide o futuro de firmas, famílias e governos. Só têm futuro econômico aqueles que conseguem vender. Agora, o futuro é separado do presente e toma a forma de ativos financeiros, que são em geral títulos de crédito, públicos ou privados, ou ações de sociedades anônimas. Estes são transacionados em leilões diários, de modo que suas cotações refletem – ou se crê que refletem – o grau de apoio que têm do "público". O mercado financeiro imita parcialmente o mercado não anárquico de Walras, pois os agentes não se dividem em compradores e vendedores, podendo a cada momento ser uma coisa ou outra. Essa completa reversibilidade dos papéis permite ao agente corrigir sua posição[18] de acordo com os indicadores que o mercado vai produzindo a cada momento.

Os contratos negociados nos mercados financeiros sempre se projetam no tempo, pois seu valor decorre da renda futura que sua posse permite auferir. Se alguém compra um automóvel Volkswagen, está dando um endosso ao plano dessa firma, embora sua intenção seja meramente possuir um veículo. A participação de cada firma nas vendas totais de carros indica o grau de aceitação de seu produto e, portanto, a maior ou menor viabilidade de seu plano de produção, acumulação de capital, desenvolvimento de novos processos e produtos etc. Mas esse mesmo dado é produzido com maior frequência pela cotação das ações da Volkswagen nas bolsas de valores. Todos os dias, o pregão da Bolsa permite acompanhar, hora a hora, como o "público" avalia não o produto da empresa, mas a própria empresa.

---

18 Infelizmente, corrigir não equivale a revogar. Quando há reviravolta no mercado, a maioria dos agentes que não a previu sofre perdas pesadas. Definitivamente, o mercado financeiro é uma aproximação muito pobre e imperfeita do mercado sonhado pelos neoclássicos.

Isso indica em tempo real, a cada momento, o futuro possível do plano dessa firma, em comparação com o das demais.

No capitalismo atual, o mercado financeiro cumpre o papel que no "socialismo real" cabe à onipotente direção do plano. Como se viu na seção anterior, ela intervém na execução do plano sempre que a "fome de investimentos" ultrapassa a disponibilidade de produtos, condição quase permanente na economia da escassez. Ela trata de arbitrar entre as demandas das firmas investidoras, as exigências do balanço de pagamentos, as demandas dos serviços públicos e as necessidades dos consumidores. Isso é feito politicamente, num processo não aberto, do qual o povo está ausente. De acordo com Kornai, essa arbitragem é feita de forma não planejada, caso a caso, de improviso, repartindo a escassez e tornando "anárquica" a execução do plano.

É muito provável que, nos países capitalistas, os projetos de inversão tenham as mesmas características dos que são submetidos à direção do plano no "socialismo real", isto é, que os recursos a serem absorvidos e o tempo gasto em sua implementação estejam *severamente subestimados*. Há muito material anedótico que reforça essa hipótese. Mas, no capitalismo, os planos de investimento não são submetidos a um poder central, mas ao mercado financeiro, nas pessoas dos administradores de fundos alheios: diretores de bancos, de fundos de investimento, de pensão etc. São eles que vão arbitrar entre as firmas competidoras por financiamento, disputado também pelos governos e pelas famílias (pois dívidas públicas e de consumidores também assumem a forma de títulos negociáveis).

A arbitragem feita no mercado financeiro é completamente diferente da que ocorre no "socialismo real". Seus autores não formam um centro de poder, mas uma massa de especuladores que visa maximizar ganhos em curto prazo. Sua informação sobre os "fundamentos" econômicos das firmas, famílias e governos é precária e sua interpretação se baseia nos postulados do neoliberalismo. Pela lógica das bolsas, importa a cada agente adivinhar o que pensa a maioria dos outros, pois a previsão da maioria tornar-se-á realidade apenas porque é compartilhada pela maioria. Se esta acredita que determinado título ou ação deverá se valorizar, irá comprá-lo, o que fará que a profecia se torne realidade. E, se ela acredita o contrário, sua ação consequente fará que se desvalorize.

O resultado no mercado financeiro é que ele passa por seguidos ciclos financeiros, sempre compostos por uma fase de alta, em que uma bolha especulativa supervaloriza determinados ativos financeiros, seguida por crise, pânico, bancarrotas etc. e perda de valor dos mesmos ativos. Conforme a política econômica do governo e da autoridade monetária, o ciclo financeiro pode desencadear um ciclo de conjuntura que afeta toda a economia ou não.

A principal diferença entre a regulação financeira no capitalismo e a regulação político-administrativa no "socialismo real" é que a primeira faz a economia oscilar entre fases de grande crescimento, em que os mercados tendem a ser "de vendedor" e a escassez de produtos se traduz em inflação aberta ou reprimida, e fases de crise e depressão ou recessão, em que os mercados voltam a ser "de comprador", há superprodução, desemprego em massa e crescimento nulo ou negativo. Já no planejamento geral, a economia fica o tempo todo na fase de alta, em que a escassez se reproduz ampliadamente e a produção e o investimento perdem cada vez mais eficiência.

Parece claro que a economia socialista precisa encontrar um modo diferente de regular a economia, que seja democrático e participativo e pelo qual toda a sociedade possa manifestar suas preferências. Isso leva a crer que esse novo modo de regulação terá de ser explicitamente *político*, reconhecendo de partida que os cidadãos têm interesses, percepções e preferências diferentes e que o modo de regulação deve permitir o confronto e a negociação dessas diferenças com o fim explícito de produzir ou um consenso ou, se este for impossível, uma posição majoritária.

Mas isso não significa que a regulação por mercados possa ser inteiramente abandonada. Precisamos de mercados porque é a forma de interação que conhecemos, que permite manter as diversas burocracias separadas, evitando que um poder total se aposse da economia. O objetivo da economia socialista (sem aspas) é certamente satisfazer da melhor maneira as necessidades e preferências dos consumidores, mas não só. Nele se inclui também a desalienação do trabalhador, o que implica superar a hierarquia nas empresas e a desinformação acarretada pela divisão do trabalho. Numa economia socialista, trabalhadores e consumidores devem ser livres, o que implica poder de escolha e possibilidade de participação – direta ou indireta – nos centros de decisão sobre o destino da economia.

O modo de regulação geral, de caráter democrático e participativo, poderá ter a forma de um *parlamento econômico*, com seus membros eleitos por partidos políticos ou corporações setoriais (por ramo de produção, profissão etc.). Sua missão seria elaborar políticas fiscais e de crédito que permitissem arbitrar entre demandas competitivas por "financiamento", isto é, pelos frutos do trabalho social futuro. Além disso, esse corpo deliberativo deveria almejar a produção de conhecimentos que permitissem tornar os projetos por detrás de cada demanda mais transparentes e as projeções do futuro em que se baseiam mais consistentes. Em outras palavras, a economia socialista tem de evitar a subestimação do custo real, em recursos e tempo, dos projetos de investimento, para poder submetê-los a uma arbitragem racional.

Não haveria plano geral, do tipo soviético, mas planos particulares de firmas, famílias e governos a serem conciliados em mercados e no plano geral pelo parlamento econômico. *Mercados são essenciais para possibilitar ao indivíduo o direito de escolha, como trabalhador e como consumidor.* O qual implica o direito ao arrependimento e o direito de saída da instituição, cujo exercício teria de ser restrito pelo respeito aos direitos dos demais indivíduos.[19] Não há vantagem em sistemas de racionamento, isto é, de alocação política de bens e serviços. O que se deveria almejar seria a distribuição gratuita de produtos essenciais, tendo em vista tornar o seu consumo universal, como os serviços de saúde e de ensino. Mas isso é o oposto do racionamento, que sempre distribui produtos escassos.

---

19 Quando um indivíduo deixa uma empresa, ele tem o direito de levar consigo um valor correspondente a sua contribuição ao fundo divisível. Pelo menos, esta é a norma nas cooperativas de produção hoje em dia. Como a retirada de valor do fundo pode afetar a empresa, ela pode ser posposta ou parcelada. De forma geral, o direito essencial à saída tem por limite os direitos dos que ficam na empresa ou instituição.

O grande argumento contra a distribuição por mercados é que eles tendem a favorecer os ricos e, no caso dos mercados financeiros, a aumentar os desníveis econômicos. Ora, uma economia socialista não pode tolerar a existência de pobres. Qualquer cidadão teria de ter acesso pleno à satisfação de suas necessidades básicas, mediante a criação de uma renda cidadã suficiente. A partir desse ponto, a persistência ou não de desigualdade econômica deveria ser deixada ao parlamento econômico, dependendo da noção de justiça da maioria dos cidadãos nele representados. Há um argumento de peso, no entanto, de que alguma desigualdade econômica deve ser permitida exatamente para garantir aos indivíduos o direito de escolha entre diferentes estilos de vida. A igualdade econômica geral tornaria esse direito quase inexistente.

## *O socialismo como autogestão*

A Revolução Russa extremou uma distinção que já havia entre duas concepções de socialismo, que até então conviviam nas mesmas organizações partidárias, sindicais e cooperativas. Uma dessas concepções, como vimos na segunda seção, via no socialismo o continuador do capitalismo, ao menos durante uma longa fase de transição para o comunismo. Na União Soviética, essa concepção adquiriu caráter totalitário, ao ver no planejamento geral e na concentração do poder os princípios do socialismo. A outra via no socialismo a ruptura com a ditadura do capital nas empresas e sua substituição pela gestão coletiva dos meios de produção exercida pelos produtores livremente associados.

A concepção autogestionária era herdeira de Owen, Fourier e outros socialistas utópicos do século XIX, que imaginavam a passagem para o socialismo mediante a construção de comunidades livres e igualitárias, cujo exemplo converteria a maioria a favor da nova sociedade. Owen exerceu real liderança política na Inglaterra, na primeira metade do século passado, tendo merecido o maior respeito e consideração da parte de Marx e Engels. Ele ajudou a formar cooperativas e lhes atribuiu uma missão revolucionária, qual seja, a de organizar operários grevistas para tomar o mercado dos capitalistas. A primeira tentativa de fazer isso, na década de 1830, fracassou, mas a ideia sobreviveu e inspirou os Pioneiros de Rochdale, cuja cooperativa, fundada em 1844, tornou-se a mãe de todas as cooperativas.

O cooperativismo operário e camponês teve grande desenvolvimento na Europa e depois na América do Norte e em outras partes do mundo. Cooperativas de consumo tornaram-se organizações de massa na Grã-Bretanha, formaram centrais atacadistas que se lançaram ao comércio internacional, chegando a possuir plantações nas colônias. Cooperativas de crédito foram criadas para camponeses e para artesãos na Alemanha, também a partir de meados do século XIX, e se difundiram por toda a Europa. O mesmo aconteceu com cooperativas de produção a partir da França e com cooperativas de trabalho a partir da Itália. Pode-se dizer que o cooperativismo como desafio prático e pacífico ao capitalismo era uma realidade significativa no fim do século XIX, quando se tratou de criar a Aliança Cooperativa Internacional (ACI).

Na época, estourou um grande debate no meio cooperativista, a respeito da autogestão nas empresas criadas por cooperativas de consumo e de comercialização agrícola, as mais poderosas então. A maioria dos líderes e teóricos do cooperativismo que tomaram a iniciativa de formar a ACI eram partidários das cooperativas de produção autogestionárias e esperavam que as cooperativas de consumo as capitalizassem e lhes comprassem a produção. Mas os dirigentes das cooperativas de consumo preferiam formar empresas industriais e agrícolas, com mão de obra assalariada. Não queriam que os trabalhadores tivessem participação nos lucros e muito menos na gestão das empresas. Era claro que essa posição estava em contradição com os princípios socialistas do cooperativismo, mas tinha a seu favor o fato de que os próprios trabalhadores daquelas empresas não reivindicavam a autogestão, satisfazendo-se com os direitos sindicais e trabalhistas.

Essa luta terminou com a vitória dos que se opunham à autogestão e representavam o alvorecer de um cooperativismo de negócios, que se tornou muito comum daí em diante. O mesmo aconteceu com as cooperativas de comercialização agrícola, que se multiplicaram e fortaleceram, formando indústrias de alimentos para defender seus associados dos intermediários privados. Também nessas indústrias, os trabalhadores eram assalariados. Em muitos casos (inclusive no Brasil), as empresas agroindustriais das cooperativas agrícolas tornaram-se muito fortes economicamente. Possuíam *staffs* de engenheiros e outros especialistas, e seus dirigentes assumiam a condição de grandes executivos, o que de fato eram. Os pequenos agricultores, nominalmente donos da cooperativa, tornaram-se dependentes da direção da cooperativa para vender seus produtos a bom preço e obter insumos a crédito. A dominação e a exploração de camponeses por "suas" cooperativas passaram a ser bastante comuns, evidenciando tendências degenerativas no cooperativismo.

Não obstante, continuou viva a ideia de que trabalhadores associados poderiam organizar-se em empresas autenticamente autogestionárias e desafiar assim a prevalência das relações capitalistas de produção. No início da Revolução Russa, essa prática foi bastante geral e inspirou a Oposição Operária durante anos. Ela surgiu em outras oportunidades revolucionárias, na Guerra Civil Espanhola, na Polônia e em diversas ocasiões. O governo comunista da Iugoslávia, chefiado por Tito, após romper com Stálin, em 1948, introduziu a autogestão em todas as empresas do país, combinando-a com o planejamento geral, possivelmente na linha do que defendia a Oposição Operária, no começo dos anos 1920. Foi a mais extensa experiência de socialismo autogestionário, tendo durado quase quarenta anos. Gradativamente, o planejamento geral foi sendo substituído por uma espécie de socialismo de mercado, infelizmente distorcido pelo regime de partido único.

Outra experiência de socialismo autogestionário de vulto foi a dos *kibutzim* em Israel. São comunas que constituem cooperativas integrais, isto é, de produção e de consumo. Os meios de produção são de propriedade coletiva, o trabalho é organizado e administrado por comitês eleitos, todas as decisões mais importantes são tomadas em assembleia. A primeira geração de membros dos *kibutzim* praticou o lema comunista: "De cada um segundo suas possibilidades, a cada um segundo suas necessidades"; não circulava dinheiro na comunidade, homens e mulheres trabalhavam por igual, e recebiam *in natura* seus meios de subsistência. O primeiro *kibutz* data de 1910 e seu número cresceu continuamente, alcançando cerca de 125 mil habitantes nos anos 1980.

Falta fazer referência ao que talvez seja hoje a mais importante experiência de socialismo autogestionário: o Complexo Cooperativo de Mondragón, no País Basco (Espanha), fundado pelo padre José Maria Arizmendiarreta, a partir de uma escola profissional, em 1956. É formado hoje por mais de cem cooperativas, que se espalham pela Espanha e têm em conjunto mais de 40 mil membros. As primeiras cooperativas de Mondragón eram industriais, mas logo, em 1959, foi criada a Casa Laboral Popular, que se tornou um dos maiores bancos do país e é uma cooperativa de segundo grau, de propriedade das demais cooperativas do Complexo. Mas, em todas as cooperativas de segundo grau de Mondragón – há várias dedicadas à pesquisa tecnológica, outra de seguro social etc. –, os trabalhadores e empregados são sócios da cooperativa também.

Em seu início, o trabalho assalariado no Complexo estava limitado a 10% do total e tinha caráter temporário, a diferença entre retirada máxima e mínima era de 4 para 1 e em cada cooperativa havia um Conselho Social que representava os trabalhadores na Junta de Governo, eleita por eles. O Complexo Cooperativo de Mondragón funciona hoje como um grande conglomerado multinacional, em competição com os seus similares capitalistas.

Todas as experiências autogestionárias aqui resumidas passaram ou ainda passam por crises. Após a morte de Tito, a Iugoslávia explodiu em lutas étnicas de excepcional crueldade, que acabaram com o país e sua experiência autogestionária. Economicamente, ela havia proporcionado à Iugoslávia um desenvolvimento mais equilibrado e um autoritarismo político atenuado, em comparação com os países do "socialismo real".

Os *kibutzim* atingiram o seu apogeu nos anos 1980, mas a nova geração rebelou-se contra alguns dos princípios de seus pais e avós, como o de as crianças serem criadas separadamente dos pais, na Casa das Crianças. Gradativamente, com o aumento do padrão de vida, os gastos com serviços adquiridos fora do *kibutz* foram crescendo, tornando mais importante a disponibilidade de dinheiro. Resolveu-se dar oportunidade de estudo universitário a todos os membros e muitos passaram a trabalhar como profissionais liberais fora do *kibutz*. Tendências desagregadoras culminaram recentemente no pagamento de remunerações em dinheiro e na cobrança em dinheiro também de todos os bens e serviços consumidos. Em alguns *kibutzim* chegou-se ao extremo de diferenciar a remuneração, de acordo com critérios aceitos pela maioria, com a menor remuneração sendo igual ao salário médio do país.

Em Mondragón, a necessidade de competir no âmbito da União Europeia levou à adoção de medidas centralizadoras, com a redução da autonomia das cooperativas no complexo; aumentou a margem de trabalho assalariado e a diferença entre retirada máxima e mínima. Para uma parte dos trabalhadores, a única vantagem que o cooperativismo lhes dá é segurança no emprego. Aumenta a distância entre a cúpula de velhos cooperadores e a base de operários que não viveram os anos heroicos de sua criação, na Espanha de Franco.

As crises e tendências degenerativas indicam que o socialismo autogestionário, construído dentro de sociedades capitalistas, tem poucas possibilidades de provocar uma transformação estrutural na economia inclusiva. Os *kibutzim* e Mondragón, não obstante, tiveram uma influência política considerável, inspirando movimentos semelhantes em outros países. Hoje, o cooperativismo autogestionário assume dimensões significativas em vários países, sobretudo na Itália, na Espanha e no Canadá, e vai ganhando importância em países vítimas de desemprego em massa, como o Brasil.

A economia socialista dificilmente será alcançada por meio do mero crescimento da economia solidária, que abrange também o cooperativismo de crédito, bancos do povo, clubes de troca e outras instituições. *A importância dessas experiências é o aprendizado que proporcionam a segmentos da classe trabalhadora de como assumir coletivamente a gestão de empreendimentos produtivos e operá-los segundo princípios democráticos e igualitários.* Como ficou dramaticamente evidente na Revolução de Outubro, a falta de conhecimentos gerenciais e políticos pode representar um obstáculo decisivo ao avanço rumo a uma economia socialista, mesmo quando as circunstâncias parecem favoráveis.

A conquista de uma economia socialista será fruto, provavelmente, do avanço do movimento operário e socialista em uma série de frentes: na extensão da democracia do âmbito político ao econômico e social; da participação da população organizada na elaboração de orçamentos públicos e na gestão de equipamentos escolares e de saúde; da conquista de governos locais e regionais por coligações de esquerda que possam pôr em prática desde já políticas socialistas, inclusive de apoio e fomento a empresas autogestionárias; de novos direitos de representação operária nos locais de trabalho, com direito de exame das contas da empresa e de participação em seus centros de decisão; e por fim, mas não por último, a construção de um setor de economia solidária nas cidades e no campo, inclusive em terras conquistadas pela reforma agrária, em que produção, distribuição e consumo, crédito e seguro formem um todo multiforme e harmonioso em que se reforcem mutuamente.

## *A organização socialista da produção*

No atual patamar tecnológico, parece adequado que a produção esteja organizada em um número grande de empresas autônomas de diferentes tamanhos. Elas pertenceriam coletivamente aos trabalhadores associados ou a uma sociedade de trabalhadores e consumidores. Em nenhuma das empresas o capital seria de propriedade de terceiros, isto é, de não trabalhadores ou não consumidores. A organização das empresas deveria se submeter aos princípios do cooperativismo, particularmente ao da autogestão, que tem por base um voto por cabeça, a soberania da assembleia dos sócios e a eleição para todas as instâncias de mando. Outro princípio importante seria o da porta aberta: os indivíduos teriam o direito de ingressar na empresa e de deixá-la, evidentemente respeitando os interesses dos demais integrantes.

As empresas teriam a possibilidade de se federar, constituindo o que hoje são cooperativas de segundo grau, terceiro grau etc. Essas multiempresas socialistas também seriam administradas de acordo com os princípios da autogestão. As empresas socialistas federadas preservariam sua autonomia parcial e a base do poder de decisão teria de ser a assembleia geral de todos os sócios ou delegados eleitos por eles. Portanto, elas seriam muito diferentes das multiempresas capitalistas, que são geridas autoritariamente a partir de um centro único. A razão de federar empresas seria a economia de escala em serviços comuns (contabilidade, comercialização, pesquisa etc.) e a coordenação de atividades complementares, como o desenho de produtos que uma empresa fornece a outra.

Em nenhum tipo de empresa socialista haveria trabalhadores assalariados, a não ser em casos excepcionais em que o trabalhador, tendo a opção de se associar à empresa, prefere não o fazer. Mesmo assim, o trabalho assalariado só seria aceitável em caráter temporário, até que a empresa tenha encontrado trabalhadores que possam cumprir a função e se tornem sócios.

Um aspecto delicado é o da competição entre empresas socialistas. Esta não deveria existir, já que seria artificial criar uma oposição de interesses entre empresas socialistas. O ideal é que se formassem grandes cooperativas de consumidores – como houve muitas até meados do século XX – que pudessem se associar a um elevado número de cooperativas de produção. Em cada uma delas, a direção seria compartilhada por representantes de trabalhadores e consumidores, de modo que os interesses de ambos estivessem presentes nos planos econômicos a serem desenvolvidos. Isso tornaria a competição entre empresas desnecessária. A competição pode ser agradável aos compradores, mas implica considerável desperdício de valor, causado por estoques invendáveis ou que só podem ser vendidos a preços de liquidação. O ideal é ajustar a produção em quantidade, qualidade e preço às necessidades dos consumidores, de antemão e não por tentativa e erro, como faz a competição em mercado.

Isso permite recolocar a questão da regulação por mercado ou por órgão político representativo. *O mercado socialista difere do capitalista porque não é matriz de acumulação de capital privado.* A acumulação se dá em empresas pertencentes coletivamente a seus participantes ativos, como produtores ou consumidores. O parlamento econômico deveria desenvolver políticas de fomento que impedissem a polarização de empresas exitosas cada vez mais ricas de um lado e outras, desfavorecidas e cada vez mais pobres, de outro. As razões do insucesso das últimas deveriam ser apuradas e superadas numa ação conjunta dos sócios com os representantes dos consumidores; contando com o apoio externo de consultorias, laboratórios e centros de treinamento.

A função do mercado socialista é viabilizar a liberdade de iniciativa de pessoas ou grupos com novas ideias ou novos projetos. Eles deveriam ser encorajados a oferecer seus produtos sem constrangimento e sem ter de obter licença de alguma instância planejadora. A sociedade socialista deveria encorajar jovens, trabalhadores desempregados em função do avanço tecnológico ou de outras mudanças, consumidores insatisfeitos com bens ou serviços etc. a tomar a iniciativa de inventar novos produtos, novos processos de produção e lançá-los em competição com os existentes. A competição nesses casos deveria durar até que os consumidores estivessem decididos a adotar os produtos novos ou ficar com os velhos.

Caberia aos bancos (que provavelmente seriam públicos) financiar os projetos novos, segundo normas e diretrizes aprovadas pelo parlamento econômico. Os bancos deveriam funcionar como incubadoras ou ter ligação com incubadoras de empresas socialistas. A função do sistema financeiro seria apoiar os projetos que representantes dos consumidores considerassem de grande potencial ou significação social. *É possivelmente a forma melhor de desenvolver novas forças produtivas.* Ao mesmo tempo, o sistema financeiro teria por incumbência liquidar iniciativas fracassadas ou que esgotaram sua utilidade social. A insuficiência de demanda por seus produtos deveria ser o principal indicador de fracasso, mas se as pessoas envolvidas num desses projetos quisessem continuá-lo, a decisão final deveria caber a elas.

## *A economia socialista no sistema socialista*

O sistema capitalista engloba diversos modos de produção além do capitalista. Nele atuam, lado a lado, trabalhadores por conta própria que formam a produção simples de mercadorias, empresas públicas e privadas sem fins de lucro, produção para autossubsistência nos lares e cooperativas autogestionárias, que constituem um embrião ou "implante" socialista. O sistema é capitalista porque o modo de produção capitalista é econômica e socialmente predominante. Os outros modos de produção se submetem e se adaptam à supraestrutura legal e política que fundamenta a hegemonia capitalista.

Acredito que no socialismo não deveria ser diferente. Nos países do "socialismo realmente existente" os outros modos de produção estavam proibidos, acabando por constituir atividades econômicas ilegais e semi-ilegais. Isso viola direitos humanos essenciais. Todos os cidadãos devem ter o direito de organizar suas atividades econômicas de acordo com suas preferências, desde que não firam direitos alheios. Portanto, de todos os modos de produção conhecidos, só a servidão e a escravidão deveriam ser proibidas.

A experiência autogestionária contemporânea, no Brasil e alhures, deixa claro que muitos trabalhadores preferem ser assalariados, mesmo tendo a oportunidade de trabalhar por conta própria ou em cooperativas. Se no futuro o socialismo se tornar hegemônico, é possível e até provável que a maioria prefira integrar empresas socialistas. Para que tais empresas sejam autenticamente socialistas, é imprescindível, no entanto, que os que a elas se associarem o façam espontaneamente. O que só será possível se houver empresas capitalistas. Por conta própria, e outras oferecendo entradas alternativas na produção social.

Em suma, a economia socialista provavelmente sofrerá (por quanto tempo ninguém sabe) a concorrência de outros modos de produção. Ela estará permanentemente desafiada a demonstrar sua superioridade em termos de autorrealização dos produtores e satisfação dos consumidores. O que talvez leve à conclusão de que a luta pelo socialismo nunca cessa. Se este for o ponto que os socialistas terão de pagar para ser democratas, ouso sugerir que não é demasiado.

## *Referências bibliográficas*

ANWEILER, Oskar. Introdução. In: KOOL, F.; OBERLÄNDER, E. (org.). *Arbeiterdemokratie oder Parteidiktatur*. Breisgau: Walter-Verlag Olten, 1967.

ENGELS, Friedrich. *Socialismo utópico e socialismo científico.* São Paulo: Atena, [s.d.].

KOOL, F; OBERLÄNDER, E. (org.). *Arbeiterdemokratie oder Parteidiktatur.* Breisgau: Walter Verlag-Olten, 1967.

KORNAI, János. *The Socialist System*: The Political Economy of Communism. Princeton: Princeton University Press, 1992.

LENIN, Wladimir. *Questions of the Socialist Organization of the Economy.* Moscou: Progress Publishers, [s.d.].

MARON, Stanley. *Kibbutz in a Market Society.* Ramat Efal, Israel: Yad Tabenkin, 1993.

MARX, K.; ENGELS, F. *Marx-Engels Werke.* v.19. Berlim: Dietz Verlag, 1978.

SINGER, Paul. *A utopia militante*: repensando o socialismo. Petrópolis: Vozes, 1998.

WHYTE, William; WHYTE, Kathleen. *Making Mondragón*: The Growth and Dynamics of the Worker Cooperative Complex. Ithaca: Cornell University Press, 1996.

# 2

# Comentários

*João Machado*

## *A visão clássica e sua real incidência no PT*

Antes de mais nada, quero dizer que fico muito feliz de participar deste debate. Em primeiro lugar, acho que discutir hoje o socialismo é da maior importância, e infelizmente as possibilidades de fazê-lo de forma mais ampla têm sido muito pequenas ultimamente. Portanto, este Seminário é uma oportunidade muito especial.

Em segundo lugar, fico feliz em debater com o Paul Singer, que na minha opinião, dentro do Partido dos Trabalhadores (PT) e no âmbito do movimento mais amplo que ainda tem uma referência no socialismo no Brasil, tem sido nos últimos anos quem mais tem se empenhado para renovar essa discussão, para manter a questão do socialismo sempre atual.

Recentemente, cursei uma disciplina na Universidade de São Paulo (USP), com Paul Singer como professor, na qual o socialismo, seus problemas, suas possibilidades foram muito discutidos. E descobri então que o movimento pelo socialismo que existe hoje no Brasil é muito mais amplo do que eu imaginava. Fiquei surpreendido com a diversidade e a riqueza das experiências de formas de economia solidária existentes no Brasil e fora do Brasil. Acho que em geral os filiados do PT têm pouca noção da amplitude dessas experiências, e é muito importante divulgá-las e discuti-las mais.

Ao comentar a exposição do professor Singer pretendo privilegiar os aspectos que ele não privilegiou. Para explicar por que, é interessante relatar a pequena conversa que tivemos antes do início deste debate.

Quando cheguei aqui hoje, ele me perguntou se eu tinha recebido o texto da sua exposição. Respondi que sim, e disse que havia achado o texto muito interessante, mas que, por outro lado, achava que ele tinha posto mais ênfase na crítica ao modelo de socialismo do tipo do que tinha existido na União Soviética do que em pensar como desenvolver formas de socialismo autogestionário. E que me parecia que esta era a parte mais interessante. Paul Singer disse que concordava comigo, mas que, para uma exposição no PT, tinha avaliado que não poderia deixar de se estender na parte crítica.

Fiquei pensando em qual seria a razão dessa avaliação. E concluí que deve ser a ideia de que o peso da concepção, digamos, mais tradicional de socialismo, assemelhado ao modelo que foi posto em prática na União Soviética, ainda é grande no PT.

O professor Singer acenou com a cabeça, concordando. Sendo assim, eu tenho uma avaliação muito diferente da dele a esse respeito. Acho que provavelmente o peso atual no PT dos defensores de concepções de socialismo assemelhadas ao chamado "modelo soviético" é muito menor; na verdade, acho que é extremamente reduzido. Eu diria mais, até. A visão de Marx, ou a de Lênin, não podem ser confundidas com o que se implantou na União Soviética. E a grande maioria dos que se referenciam nelas, como eu próprio, por exemplo, não apenas tem uma visão muito crítica do "socialismo que realmente existiu", como além disso acha que é necessário repensar as ideias de Marx, ou de Lênin, ou até mesmo de Trótski (para citar um crítico fundamental do modelo de socialismo da União Soviética), sobre o socialismo à luz da experiência histórica.

Não creio que o conservadorismo na concepção de socialismo seja um problema hoje no PT. Pelo contrário, creio que o problema hoje é justamente o oposto. Ou seja, há uma tendência crescente dos filiados ao PT no sentido de reduzir o socialismo a uma ideia moral bastante vaga – alguma coisa como a defesa de uma sociedade mais justa. Já quase não se defendem, de fato, concepções que tenham um conteúdo efetivamente socialista. O problema não está, portanto, num apego a ideias socialistas do passado, está na aceitação pouco crítica de muitas ideias antissocialistas do presente.

Por isso, acho que precisamos hoje discutir as ideias que Paul Singer apresentou na segunda parte do texto. Como podemos dar atualidade à questão do socialismo hoje? Como pensar formas de caminhar na direção do socialismo que não estejam sujeitas aos problemas levantados na primeira parte da exposição?

Mas, antes de entrar nessa parte principal do debate, quero ainda fazer um rápido comentário sobre a primeira parte da exposição. Embora esteja de acordo com boa parte dela, eu questionaria algumas coisas.

Em primeiro lugar, acho que é um erro identificar qualquer planejamento centralizado com o planejamento total de todas as decisões da economia, e, em consequência, com um planejamento totalitário. Ao contrário, creio que é perfeitamente possível imaginar um planejamento centralizado não apenas do ponto de vista de um país, mas do mundo inteiro inclusive, no qual apenas *algumas* decisões seriam centralizadas. A grande maioria das decisões seriam amplamente descentralizadas.

Algumas questões seriam decididas em âmbito mundial, por exigências de racionalidade e pelo interesse coletivo da humanidade. Por exemplo, questões que envolvem o esgotamento de recursos naturais não renováveis. Ou a destinação de recursos para a pesquisa científica: não faz nenhum sentido achar que a melhor maneira de fazer pesquisa científica é por meio da concorrência entre vários países. O progresso da ciência exige mais colaboração internacional, e não a defesa do segredo comercial ou dos direitos de propriedade intelectual, como querem os "pensadores" da Organização Mundial do Comércio (OMC).

O que estou dizendo é que, se é mais racional pensar em várias questões de um ponto de vista mundial, daí não se segue que deveríamos planejar todos os detalhes da vida econômica em âmbito mundial. Isso seria um completo absurdo. E o mesmo se dá em âmbito nacional. É possível trabalhar a ideia de que *um bom planejamento centralizado teria de centralizar o mínimo necessário*; o máximo de questões deveriam ser descentralizadas. Quando chegarmos a um governo empenhado em caminhar para o socialismo, haverá muita margem para a experimentação inclusive nesta questão, sempre no espírito de descentralizar sempre que possível.

O segundo questionamento que quero fazer é importante, creio, porque se relaciona com a parte principal da nossa discussão, de como podemos lutar hoje pelo socialismo. Paul Singer insistiu muito na afirmação de que o mercado deve ser uma instituição permanente no socialismo, e de uma forma muito corajosa: não defendeu apenas a manutenção do mercado em geral, mas também especificamente do mercado financeiro como instituição permanente. Não posso concordar com isso. De fato, fico com a impressão de que, quando ele fala do mercado, na verdade está pensando em uma outra coisa, em algo que não é propriamente o mercado.

Por que defender o mercado? Os problemas do mercado não estão só na sua anarquia – a anarquia da produção capitalista é uma das críticas clássicas de Marx. Nem apenas em que o mercado favorece os mais ricos, a concentração de renda, as desigualdades, os desníveis econômicos. O problema central do mercado é que, por sua própria natureza, ele tem um tipo de racionalidade que não é racionalidade social ou humana. *O que é racional para o mercado pode muito bem não ser racional para a sociedade.* O mercado usa sempre uma forma indireta de expressar as necessidades sociais e de decidir sobre elas. Só pode avaliar e decidir alguma questão depois de transformá-la em uma questão impessoal, isto é, em que o interesse das pessoas não pode ser considerado de forma direta.

Para dar um exemplo claro: para o mercado, não importa que você seja boa pessoa, que tenha dez filhos, que passe fome. O que interessa é se você dará lucro se for contratado. Há claramente alguma racionalidade nisso, mas é uma péssima racionalidade, desumana e cruel.

Essa limitação do mercado aparece de muitas maneiras. Aparece, por exemplo, na própria economia neoclássica (a versão dominante da teoria econômica, cuja grande preocupação é mostrar que os mercados são racionais e eficientes), com toda a dificuldade que têm os economistas que adotam essa linha para tratar os "bens públicos" ou as chamadas "externalidades". Em decorrência dessa dificuldade, os economistas neoclássicos fazem algumas propostas engraçadas: por exemplo, para tratar o problema da poluição no espírito neoclássico, deve-se atribuir um preço ao direito de poluir. Assim, uma empresa poluidora poderia emporcalhar um rio pagando determinada quantia; para emporcalhar o mar o preço seria muito maior etc. A ideia é trazer o que por sua natureza não pode ser objeto de transações mercantis para dentro do mercado, eliminar as "externalidades" "internalizando-as". Idealmente, do ponto de vista neoclássico, algo semelhante deveria ser feito com os bens públicos – com o que, é claro, deixariam de ser públicos. *Tudo teria seu preço, nada seria de graça, tudo seria comprável (e, portanto, vendável)*: eis o ideal neoclássico, que expressa justamente a "racionalidade" do mercado.

Essa discussão se combina com outros temas clássicos da crítica ao mercado, que são o da alienação e o do fetichismo das formas mercantis.

Assim, o *mercado* vai muito além da ideia de que é preciso descentralizar as decisões. Como já disse, concordo plenamente com a preocupação em deixar a maior parte possível das decisões descentralizadas. Mas não diria que a melhor forma de fazer isso, principalmente quando pensamos a longo prazo, é mediante algum tipo de mercado.

O professor Singer conhece melhor do que eu os problemas que apontei na forma de tomar decisões do mercado. Mas acredita que é possível resolvê-los, de alguma maneira, no funcionamento de mercados integrados em uma economia socialista. Minha divergência é que não creio que seja possível mudar tanto a natureza dos mercados.

Mas, como o desaparecimento do mercado não é para já, o mais importante aqui é discutir as ideias que Paul Singer abordou de forma breve na última parte da exposição, que estão bem colocadas em vários livros, artigos e entrevistas suas nos últimos anos. Giram em torno da concepção de que temos de desenvolver formas de construir o socialismo de baixo para cima.

Acho que são ideias boas, principalmente porque, qualquer que seja nossa concepção de socialismo, as condições de luta para atingi-lo serão tanto melhores quanto mais criarmos formas sociais que signifiquem progresso na organização dos trabalhadores. E não creio que possa haver dúvidas de que começar a construir o socialismo de baixo para cima, no sentido proposto por Paul Singer, vai nessa direção.

## *Os "implantes socialistas"*

Uma das ideias defendidas pelo professor Singer é de que, ao longo dos últimos duzentos anos, tem sido desenvolvida uma série de "implantes socialistas" no interior das formações sociais capitalistas. Assim, seriam "implantes socialistas" algumas formas de organização econômica, como as cooperativas e outras formas da chamada economia solidária; e também formas de organização política. Esses "implantes socialistas" teriam um caráter que os leva a se chocar com o capitalismo; seria isso que justificaria dar-lhes esse nome. Creio que podemos avaliar que essa concepção é correta, e que de fato podemos assumir que o reforço e o desenvolvimento dessas formas de organização econômica e política devem ser um aspecto central de uma estratégia de luta pelo socialismo hoje.

Que várias instituições criadas nos últimos duzentos anos têm um caráter contraditório com o capitalismo fica claro em vários exemplos apresentados no livro *Uma utopia militante*. Um desses exemplos são as formas de seguridade social, que chegaram ao seu ponto mais alto nos anos do pós-Segunda Guerra Mundial: um dos centros da política dos governos capitalistas hoje é reduzir sua amplitude. Infelizmente, esses anos de predomínio neoliberal têm criado condições para que essa política de regressão social tenha conseguido resultados significativos.

Neste comentário, vou discutir sobretudo os "implantes socialistas" econômicos. Antes de mais nada, acho que a expressão "implante socialista" é boa, e que é útil dar esse nome a formas de organização e a instituições que se orientam para a satisfação de necessidades sociais e se contrapõem à lógica do mercado capitalista. Por outro lado, ao mesmo tempo que acho correto falar em "implantes socialistas" e definir seu desenvolvimento como um dos eixos de nossa estratégia, acredito que esses "implantes" têm uma fragilidade básica: seu caráter estará sempre em risco enquanto estiverem no interior do capitalismo. Estão permanentemente sujeitos à descaracterização. É certo que o risco de descaracterização de formas socialistas ou socializantes de organização não existe apenas no interior do capitalismo, como aliás a experiência da União Soviética e do seu antigo bloco mostrou. Mas creio que é correto pensar que a pressão para sua descaracterização será mais forte enquanto estiverem no interior do capitalismo, por várias razões.

O professor Singer citou exemplos de problemas enfrentados por experiências de construção de cooperativas. Talvez o caso recente mais expressivo seja justamente o da experiência do complexo de cooperativas de Mondragón, formado a partir do País Basco. Com a entrada do Estado espanhol na Comunidade Europeia, com a evolução para a União Europeia e o processo de unificação monetária, as pressões para "aumentar a competitividade" se intensificaram. A partir daí, algumas regras do movimento cooperativo começaram a ser modificadas. Talvez o mais significativo seja que a utilização do trabalho assalariado tem sido aumentada: não há dúvida de que isto vai na contramão das ideias de economia solidária.

O risco de descaracterização de formas de economia solidária existe apenas quando são incipientes. No caso de Mondragón, aliás, é bem claro que não se pode falar em incipiência. O risco vem do próprio fato de tais organizações competirem no âmbito do mercado capitalista. Isso significa que elas são forçadas, em alguma medida, a aceitar critérios de racionalidade e de eficiência capitalistas. Acontece que, no terreno dos critérios de eficiência capitalistas, dos critérios vigentes no mercado capitalista, a luta é desigual, e está perdida. Se avaliamos a performance econômica segundo a lógica do mercado, isto é, segundo a lógica do capitalismo, não há dúvida de que teremos de concluir que as formas de gestão do capitalismo são mais eficientes, embora tenham também seus problemas.

O exemplo das cooperativas de Mondragón, com o aumento do uso de trabalho assalariado – e isso se faz para que seja possível reduzir o número de trabalhadores quando for o caso, ou seja, para manter as condições de demitir trabalhadores quando o mercado o recomendar –, dá uma ideia muito clara de como o funcionamento no interior de uma lógica econômica que é adversa para os trabalhadores tem consequências negativas.

O que nos leva à necessidade de deduzir a regra de que, no desenvolvimento da economia solidária, se queremos que ele se dê de fato segundo uma orientação anticapitalista, a luta contra a lógica do mercado tem de ser permanente.

Há uma outra questão que considero muito importante e foi tocada por Paul Singer, embora ele não tenha tido tempo de desenvolvê-la. É o problema da divisão social do trabalho. Naturalmente, é muito difícil avançar muito radicalmente na superação da divisão social do trabalho, principalmente se pensamos em prazos curtos. Nas nossas experiências de organização econômica hoje é sem dúvida necessário manter formas de divisão do trabalho.

Mas o que significa construir formas de economia solidária mantendo a divisão do trabalho? Significa construir organizações em que há contraposição entre administradores e operários, entre trabalhadores mais qualificados e menos qualificados. Isso naturalmente conduz à necessidade de manter diferenças de remuneração, ainda que menores do que as que são normais no capitalismo. Desenvolvem-se diferenças objetivas de interesses. No caso de Mondragón, por exemplo, é perfeitamente razoável dizer que no seu interior há algum tipo de luta de classes. Há muitos trabalhadores cooperados que não se sentem identificados com o complexo de cooperativas – que, no entanto, é administrado em bases autogestionárias. Para muitos trabalhadores cooperados, a única grande diferença que sentem, a única grande vantagem evidente, em relação aos trabalhadores de empresas capitalistas semelhantes, é a maior garantia no emprego. Não é uma pequena questão, mormente nos dias de hoje, mas é pouco para caracterizar avanço em direção ao socialismo.

Outra experiência cooperativa que passa por problemas desse tipo são os *kibutzim* de Israel. Recentemente, têm adotado diferenças de remuneração (no início funcionavam em bases estritamente igualitárias), vêm abrindo maior espaço para o consumo privado (enquanto na origem funcionavam de modo estritamente coletivo) etc.

A partir desses problemas, temos de pensar o que é possível fazer. E quando digo temos de pensar é porque creio que para muitos problemas é difícil encontrar uma solução. Será possível fazer alguma coisa que permita tirar o máximo proveito da existência dos "implantes socialistas" que crescem hoje, inclusive no Brasil? Alguma coisa que potencialize sua contribuição à luta socialista, e reduza o risco de descaracterização?

A hipótese que levanto é que a coisa mais efetiva que pode acontecer, para dar mais força a experiências desse tipo, para que tenham mais chances de sobreviver como formas de organização com caráter socialista, com caráter solidário, para que contribuam para a superação do capitalismo, é a *existência de um movimento político-cultural socialista amplo, que lhes sirva de referência*, e no qual se integrem.

Tentando tornar um pouco mais clara a ideia: estou pensando em um tipo de movimento que não poderia ser apenas político. Não poderia ser simplesmente uma frente de esquerda, do PT com outros partidos. Teria de ser um movimento com um caráter muito mais ideológico e cultural, que travasse uma disputa nesses termos na sociedade.

Essa disputa teria de ser feita, por exemplo, em torno dos critérios de eficiência econômica. Quais são os critérios de eficiência compatíveis com uma racionalidade mais ampla, voltada para os objetivos da sociedade como um todo? Para que se possa questionar, na prática, o uso de critérios de eficiência de mercado, é preciso construir um movimento que seja uma referência tão forte que torne o fato de ser bem-sucedido do ponto de vista desse movimento mais compensador, para muita gente, do que, por exemplo, ter uma renda mais alta.

Pode ser que eu esteja sonhando alto. Mas acho difícil conseguirmos avançar em direção ao socialismo se não construirmos um movimento que recupere alguns conteúdos ideológicos clássicos do movimento socialista. O reconhecimento de ser um socialista, que luta para o bem de todos, para a construção de uma sociedade solidária, tem de se tornar *mais importante e mais desejado do que ter uma renda um pouco maior*. Enfatizando um pouco mais: acho que não basta que nós, os membros desse movimento por construir, sejamos gente que se incomoda com a pobreza dos outros, com a existência de miséria na sociedade. Acho que é essencial também que sejamos gente que teria vergonha se tivesse uma renda muito acima da média da sociedade, ou se tivesse um padrão de vida muito maior do que o considerado socialmente aceitável. Isso não significaria eliminarmos as diferenças sociais: isto só será possível, naturalmente, após um longo processo de construção socialista. Mas começaríamos a reduzir as diferenças sociais de modo significativo, e nos sentiríamos felizes precisamente por estarmos sendo consequentes com isso.

Sem a construção de um movimento político-cultural desse tipo, não vejo como os "implantes socialistas" existentes escapariam da tendência a se descaracterizar e a ser engolidos pelo mercado, isto é, pelo capitalismo, sob o peso da pressão dos critérios capitalistas de eficiência e das consequências da inevitável divisão social do trabalho.

Fico imaginando que pelo menos parte do êxito do Movimento dos Trabalhadores Rurais Sem Terra (MST) tem a ver com o fato de ele estar criando um movimento com essas características. O MST tem sido eficiente em conseguir tomar terras, e a partir daí começar a produzir. Mas vai além. Ele tenta organizar suas unidades produtivas na forma de cooperativas. E o que talvez seja mais interessante e importante: o vínculo dos trabalhadores com o movimento não se extingue quando conseguem sua terra. Após terem o seu quinhão, continuam membros do movimento e, portanto, referenciados nele, em seus objetivos. Acho que essa concepção vem permitindo que o MST crie uma coisa que não é só um movimento social de luta pela terra, ou só um movimento político. O MST é também cultural e ideológico, e ainda econômico.

Creio que podemos falar de três tipos de lutas que podem ser desenvolvidas hoje, ou seja, ainda dentro do capitalismo, e que podem reforçar "implantes socialistas" e colocar a luta pelo socialismo em um patamar superior. O primeiro é o que discuti um pouco, a luta pelo desenvolvimento de formas de economia solidária. Vou apenas mencionar os outros dois rapidamente, já que o meu tempo está se esgotando.

O segundo tipo foi mencionado também por Paul Singer na sua exposição, sem desenvolvê-lo muito. É a luta por mudanças na relação capital-trabalho nas próprias empresas capitalistas, no sentido de ampliar os direitos dos trabalhadores e de questionar o exagero de "direitos" que a propriedade capitalista confere aos capitalistas. Hoje em dia, aliás, os capitalistas estão lutando para aumentar ainda mais esses "direitos" abusivos; é o que ocorre, por exemplo, quando tentam reduzir a legislação trabalhista, facilitar as demissões, em suma, cortar todos os entraves para o capital poder fazer o que bem entende. Temos de defender medidas que vão exatamente na direção oposta.

O terceiro tipo são lutas para mudar o caráter do Estado, para democratizá-lo e criar cada vez mais formas de participação popular e de controle social sobre seu funcionamento. O Orçamento Participativo é até agora o melhor exemplo de um "implante socialista" desse tipo.

Para concluir este comentário: acho que a grande vantagem de adotarmos uma visão de luta pelo socialismo que incorpora a ideia da existência de "implantes socialistas" dentro do capitalismo, e a proposta de construir de baixo para cima um movimento pelo socialismo, é que isso torna possível, se chegamos a governos municipais, estaduais, ou ao governo nacional, *defendermos e implementarmos desde o início medidas pensadas como já tendo um caráter socialista*. E, dessa maneira, dar coerência ao que parte das administrações do PT, e talvez até de outros partidos, já começou a fazer; é o caso, por exemplo, do Orçamento Participativo. Ou seja, já vêm sendo postas em prática medidas que vão contra a lógica do capitalismo; é útil compreendê-las, dizê-las e ampliá-las.

Se entendemos as coisas dessa maneira, podemos concluir que é possível defender desde já um programa que tem elementos e uma orientação geral socialistas. E podemos, portanto, evitar o grande problema, o grande risco que, creio, existe hoje no pensamento da esquerda, tanto no mundo como no Brasil: cair na armadilha de dizer que a correlação de forças atual não permite defender um programa socialista, e a partir daí tentar pensar o que é possível fazer nessa correlação de forças. A conclusão é então: o que dá para fazer, quando chegarmos ao governo, é tentar melhorar o que existe, isto é, o capitalismo. Depois, no futuro, algum dia, quem sabe, voltaremos a pensar o que é possível fazer pelo socialismo.

Cair nessa armadilha é caminhar para descaracterizar uma identidade socialista. Entrar na discussão na forma proposta por Paul Singer permite, acho, defender com mais força, e com mais coerência, as medidas de caráter socialista que já estão sendo levadas à prática, inclusive fora de governos, como faz o MST. E não só o MST: também sindicatos têm começado a se interessar pelo movimento de cooperativas, e acho isso muito positivo.

Por último, um comentário muito rápido sobre uma das colocações do professor Singer. Acho bastante curiosa a defesa de um parlamento econômico para tentar compatibilizar ao máximo os planos das empresas e os interesses dos trabalhadores, para diminuir a anarquia e o desperdício próprios do mercado capitalista, combinada com a avaliação de que, de qualquer maneira, a decisão final dos investimentos deve ficar com o mercado financeiro, porque é preciso preservar a possibilidade de que a iniciativa de algum jovem com alguma ideia maluca, mas que pode dar certo, seja apoiada por alguém e possa ser levada à prática.

Acho que a preocupação de preservar as chances dos jovens com ideias malucas de poderem tentar pô-las em prática é correta, mas não acho que a melhor maneira de garantir isso possa ser manter o mercado financeiro. Dessa forma daríamos um crédito ao mercado financeiro que ele não merece. Acho mais razoável, por exemplo, pensar que podemos, uma vez que cheguemos a algum tipo de organização geral da economia de caráter socialista, a algum tipo de planejamento centralizado, garantir que haja um fundo para inovações; ou mais precisamente um fundo para projetos loucos, digamos assim para enfatizar. Que tenha uma forma de gestão que não seja tradicional, conservadora. Pode ser dirigido por gente bem jovem, para não sofrer muitas influências dos hábitos do passado, e tomar decisões em função de critérios nada tradicionais.

É claro que não estou aqui formalizando uma proposta para incluirmos no programa. Só quero dizer que é possível imaginar formas melhores do que o mercado financeiro para atender à preocupação colocada por Paul Singer.

A partir dessa questão, e de várias outras, eu resumiria minha divergência com o professor Singer: acho que ele termina atribuindo ao mercado um papel que certamente este não pode cumprir. As preocupações apresentadas por Paul Singer me parecem sempre importantes, orientadas por necessidades reais, por exemplo, garantir mais liberdade individual. Mas acho que todas podem ser mais bem resolvidas de outras maneiras do que por meio do mercado. A superação do mercado não é para amanhã, é claro, mas vale a pena desde já pensar em formas de garantir o máximo de descentralização, de liberdade individual, sem adotar as formas do mercado.

Termino com essa observação. Muito obrigado.

# 3

# Intervenções do público

*Aldo Fornazieri*

Eu não sou socialista e defendo que o PT não se defina como socialista, embora ache que os socialistas devam fazer parte do PT. O ponto de chegada do Paul Singer deveria ser exatamente o ponto de partida, já que defendeu que a sociedade deve ter mercado e deve ter liberdade – o que considero que não é uma sociedade socialista. Essa é a questão fundamental. Se pensamos em uma sociedade com liberdade e, portanto, com democracia, não é possível que ela seja socialista.

Sem a garantia do direito de propriedade não há garantia de direitos aos proprietários. Para que alguém seja livre, a primeira condição é que ele seja proprietário de si mesmo. Esse é o princípio originário da propriedade. Socialismo nenhum garante isso.

Em segundo lugar, para que o princípio da liberdade se efetive de fato, deve haver uma economia de mercado. Sem a economia de mercado, as pessoas são controladas por alguma entidade, por algum ente organizacional. E toda organização pressupõe duas coisas: uma oligarquia de chefes – uma elite – e uma burocracia funcional.

É por isso que os experimentos socialistas tendem ao fim. Exatamente porque a lógica de qualquer organização é a oligarquia dos chefes e a burocracia funcional. Que tendem sempre a uma centralização. Por isso o socialismo democrático é uma contradição em termos. Ele é impossível de ser realizado. E, se ele é impossível de ser realizado e se eu defendo a liberdade e a democracia, eu sou um não socialista. Isso não significa que eu adira ao capitalismo.

Acho que o problema fundamental da concepção do João Machado é não compreender isso. É não compreender que sem mercado e sem propriedade é impossível a liberdade.

Não podemos pensar uma forma única de economia. Evidentemente, vamos lutar contra o capitalismo, vamos lutar por aquilo que o Singer propõe. É um movimento, não é uma sociedade real, uma sociedade alcançada. É um movimento e, como movimento, o que isso implica? Uma luta pela equidade, pela democratização e pela republicanização. São esses três termos que estão em jogo e não uma luta pelo igualitarismo.

Qual é a forma que essa economia vai adquirir? Vai ser uma forma necessariamente plural. Vão existir várias formas de organização econômica: socialista, não socialista, capitalista, cooperativada e assim por diante. A forma da economia pela qual nós lutamos não é uma forma definida, é uma forma plural de economia.

## *Eduardo Suplicy*

No diálogo entre João Machado e Paul Singer, surge a questão do mercado. Fiquei pensando numa observação feita por Amartya Sen, Prêmio Nobel de Economia, que dedicou a sua vida a questões tão caras aos que querem construir o socialismo. Quase toda a sua obra se dedica a estudar como superar a pobreza e como conseguir maior igualdade.

No seu livro *Desenvolvimento como liberdade*, ele faz uma observação sobre o mercado, que eu achei muito interessante e simples: uma pessoa dizer que é contra o mercado seria como alguém dizer que é contra algo que nós no PT fazemos até demasiadamente, que é conversar. Por acaso no PT alguém é contra a conversa? O que mais fazemos aqui é conversar, trocar ideias.

Em todos os sistemas econômicos havidos na história da humanidade, inclusive em todos os sistemas do socialismo real, nunca deixou de haver o encontro de pessoas que levam bens ao mercado. Seja em Cuba, hoje, seja na Coreia do Norte, seja na União Soviética, sempre houve o encontro das pessoas que levavam mercadorias ou serviços para mostrar a outras pessoas, que por sua vez estavam ali para comprar. E desse diálogo saía alguma negociação.

Mas é claro que uma coisa é o mercado que leva a uma situação de extraordinária desigualdade, concentração, alienação, não consideração dos problemas ecológicos e assim por diante, e outra coisa é instituir mecanismos tais como a participação dos trabalhadores, a democratização das relações de produção entre trabalhadores e empresários ou, idealmente, até fazer que as empresas tomem as formas de cooperativas de produção, o que Paul Singer vem defendendo de maneira tão entusiástica.

Mas, se quisermos viver num lugar onde haja democracia no nível dos meios de produção, e se quisermos fazer que no mercado exista liberdade para o ser humano escolher se desenvolver, ter opções e, ao mesmo tempo, ninguém estar numa situação tal que não tenha a liberdade de sobrevivência, então para isso será preciso instituir a garantia de todos terem essa liberdade de jamais ser alienados. E a liberdade de poderem escolher entre trabalhar e não trabalhar. Daí a importância de assegurar a todas as pessoas a garantia de uma renda. Isso foi expresso por Singer num programa nacional do Partido, já em 1986, e é um outro elemento importante na construção do socialismo e de uma sociedade justa.

## *Max Altman*

Já que todos estão se definindo, eu me defino como socialista. Pretendo lutar ao lado de um partido socialista e para que o PT seja um partido socialista de modelo inovador, diferente do que se assistiu até agora, que possa dar contribuição importante ao avanço da humanidade.

Feita essa definição, eu diria o seguinte: a Revolução de Outubro na Rússia se deu com base nos ensinamentos de Marx. Assumiu uma forma radical e conseguiu levar um país atrasado – ou pelo menos muito mais atrasado que os demais países capitalistas europeus – a uma posição de destaque. Sucessivos planos econômicos levaram a que a União Soviética se tornasse, logo após a Segunda Guerra Mundial, uma grande potência, bipolarizando o espaço mundial econômica, política e militarmente.

É evidente que na evolução do socialismo real ocorreram os problemas graves que Paul Singer mencionou. Lembrando que houve uma instauração do sistema socialista num único país, e essa foi a primeira grande discussão que houve entre os bolcheviques.

A história deste século, todos conhecem: a União Soviética, mesmo em meio a guerras sucessivas, surgiu como a única real competidora a se contrapor à principal potência capitalista internacional. E até superando-a em alguns aspectos. Por exemplo, na indústria do espaço cósmico e em alguns setores da indústria bélica. Mas se atrasou na indústria de consumo, e isso virou um fato.

O braço de ferro entre a principal potência capitalista, os Estados Unidos, e a União Soviética, potência socialista, estabelecia uma bipolaridade, um equilíbrio geopolítico que permitia aos demais países, capitalistas ou não, subdesenvolvidos ou não, levar adiante políticas próprias, fazer suas revoluções, porque tinham um respaldo internacional. Eu daria como exemplo o Vietnã, mesmo a China, e, um pouco diferente, Cuba.

Esse braço de ferro se rompeu quando o governo Reagan resolveu implantar a política de "guerra nas estrelas", com um investimento de 1,5 trilhão de dólares, para obrigar o seu oponente, a União Soviética, a realizar investimento correspondente nessa área para não perder a posição de equilíbrio industrial-militar da ocasião.

É verdade: a União Soviética não conseguiu acompanhar. Houve uma deterioração, inclusive da indústria de bens de consumo. Houve desvios gritantes, até catástrofe econômica. Por exemplo, os planos econômicos levados às empresas eram mistificados, eram fraudados.

Esse quadro fez que Gorbachev assumisse o poder e fosse implantada a política da perestroika no plano econômico. Lembre-se que Gorbachev era do grupo mais à esquerda da Comissão Executiva do PC Soviético.

Nós temos que lamentar, mesmo que critiquemos a fundo a política desenvolvida há dezenas de anos pela União Soviética e critiquemos o centralismo exacerbado no plano econômico, que o rompimento do equilíbrio geopolítico tenha trazido um prejuízo imenso à humanidade.

O socialismo havia levado as conquistas dos trabalhadores a posições nunca antes alcançadas. O rompimento desse equilíbrio leva a que o capitalismo seja não só hegemônico, mas que esteja ditando todas as regras. O que torna difícil, muito mais difícil, hoje, qualquer país pretender alterações de cunho socialista.

Então, digo que socialismo e as transformações econômicas socialistas num país requerem, exigem, poder. E não adianta conquistar só o governo. Para as alterações socialistas é necessário um equilíbrio de forças que permita avançar nesse terreno. Não basta eleger presidente, governadores, para essas transformações socialistas. Governo não basta. É preciso poder. E o poder se conquista. É ter poder para modificar as instituições e levar adiante uma política socialista inovadora. É preciso esclarecer bem isso.

Este simpósio está querendo produzir algo de inovador, propor algo de inovador para esse socialismo que se pretende. A pergunta para o debate é a seguinte: é necessário garantir um mínimo de centralização econômica e planificação econômica? As empresas gigantescas e até monopólios hoje estatais – eu cito o exemplo da Petrobras – devem ser mantidos como propriedade coletiva? Empresas estratégicas, concentradas nas mãos do Estado, geridas pelo interesse público, sem burocratismo?

Como garantia de permanente inovação tecnológica, dois fatores são absolutamente necessários: a presença do mercado – que não se pode excluir, visto que na União Soviética os aparelhos domésticos não funcionavam – e a competitividade das empresas estatais, geridas pelo Estado e de propriedade coletiva da sociedade. Podem ser competitivas? Podem ser competitivas! E a Vale do Rio Doce é um exemplo, a

Petrobras é um outro exemplo, de empresas altamente competitivas, não só no plano interno como internacionalmente. Essas são duas questões importantíssimas para examinarmos e construirmos um caminho socialista para a economia. É preciso ter uma análise sobre o mercado numa sociedade socialista e analisar também o problema da competitividade, para eliminar a burocracia, eliminar a preguiça e para estimular a inovação e criar uma verdadeira sociedade socialista. Politicamente socialista e economicamente socialista.

## *Arlindo Chinaglia*

O capitalismo é capaz de hegemonizar várias formas de produção, inclusive aquelas que Paul Singer caracterizou como não capitalistas, exatamente porque elas não ferem, não atingem e não disputam o grande poder que está concentrado no sistema financeiro hoje, nas chamadas empresas do conhecimento, de alta tecnologia, e nas grandes empresas de maneira geral.

Sempre tive como absolutamente natural que essas pequenas produções, de fato, nunca incomodaram, e portanto podem vicejar. Entretanto, em outras épocas se debatia o que seriam os setores estratégicos. Por exemplo, sempre se defendeu a estatização do comércio exterior, a estatização do sistema financeiro e, evidentemente, o planejamento dos grandes rumos econômicos.

Sinceramente, não consigo vislumbrar qualquer possibilidade de crescimento num grau que de fato faça jus a uma estratégia socialista, daquilo que você definiu como "implante socialista" e com o que o João Machado concordou. É muito generoso de nossa parte caracterizar como "implante socialista" experiências como o Orçamento Participativo, mas é um risco gravíssimo, pois tende à mistificação.

Por que discutir 1% ou 2% de todos os recursos do município ou do estado, quando a maior parte está comprometida com o pagamento de juros de dívidas? Eu temo exatamente o contrário. Que isso acabe virando senso comum e que o pratiquemos com tal desenvoltura que cheguemos a acreditar que é algo naturalmente revolucionário.

No sentido da democratização do poder do Estado, o controle popular e o Orçamento Participativo são armas eficazes. Mas, como peso na economia, me preocupa.

Nunca gostei do termo "socialismo real", porque prefiro dizer que não era socialismo. É uma atitude mais coerente com princípios e valores sempre defendidos pelos socialistas. Nesse sentido, como analisar o processo chinês, que hoje ameaça o Japão e é uma economia planificada, centralizada? Não consigo entender que a centralização seja algo necessariamente ruim. Exemplos são as megafusões, os grandes conglomerados. Eles são centralizados, têm poder, planejam. Então, não consigo vislumbrar a estratégia que vai nos levar naturalmente ao socialismo. E não estou defendendo nada daquilo que é burocracia e ineficiência. Aliás, eu rechaço a ideia de que o mercado seja livre. Ao contrário, o mercado é a lei do mais forte, com todos os crimes que levaram à concentração e ao poder dos atuais mais fortes.

## *Fernando Haddad*

Como todos estão dizendo por que estão no PT, eu gostaria de dizer que me sinto muito confortável no PT justamente porque ele aparentemente contempla mais de uma visão. E o que me seduz no partido é que ele tenha uma ala socialista importante, comprometida com os ideais socialistas; uma ala republicana importante, comprometida com os ideais republicanos; e um centro hegemônico social-desenvolvimentista, o que é absolutamente fundamental no caso de um país periférico como o Brasil. Ao contrário do que possa parecer à primeira vista, longe de existir uma incompatibilidade entre republicanismo e socialismo, na minha visão eles são compatíveis e não vejo a realização de um sem a realização do outro.

Essa ideia do que eu poderia chamar de socialismo republicano permeia de alguma forma a obra recente de Paul Singer. A tentativa de mostrar aquilo que ele chama de socialismo vindo da base é justamente a ideia de se construir republicanamente uma nova forma de organização econômica e social. Não vejo incompatibilidade. Quando o companheiro que primeiro interveio disse que sem propriedade não há liberdade, acho que estamos todos de acordo. Por isso é que somos socialistas. Porque ninguém é proprietário de nada. A não ser 10% da população, ou menos.

A única forma de todos terem propriedade é lutar pelo socialismo. Isso é clássico no socialismo, desde a sua emergência logo após a Revolução Francesa. Paul Singer está absolutamente sintonizado com os ideais de construção republicana de uma nova forma de organização social, que visa a generalizar a propriedade por meio da sua socialização, sem que com isso se comprometa nenhuma das conquistas do liberalismo. Conquistas que, aliás, Marx era o primeiro a apreciar, como a liberdade individual, que só se consumaria com a extinção das classes sociais, com o fim da sociedade dividida em classes.

A observação que eu faria após este comentário é que eventualmente a gente possa estar fazendo uma pequena confusão entre republicanismo e mercado. Muitas vezes, na ânsia de tentar construir uma sociedade libertária, podemos estar fazendo uma confusão entre uma construção republicana dessa nova forma de organização social e a ideia de que o mercado deve permear todas as relações sociais. Gostaria de lembrar que existem dezenas de formas de planejamento sob o capitalismo. O sistema de crédito é um sistema absolutamente centralizado no Conselho Monetário Nacional, aqui no Brasil.

O sistema tributário é centralizado e completamente opaco, principalmente no nível federal. Na órbita das administrações municipais, estamos conseguindo torná-lo mais transparente, mas no nível federal ninguém tem noção do que paga, para onde vai o dinheiro, nada disso é visível. Então, é uma falsa polêmica essa questão do plano estatal e do mercado. Caberia tanto ao Estado como ao mercado um planejamento social, porque é este que está faltando e tem que ser necessariamente democrático.

Hoje nós não temos controle sobre o destino do crédito, que está acumulado no sistema financeiro, seja no Banco Nacional de Desenvolvimento Econômico e Social (BNDES), seja nos fundos de pensão, seja nos bancos estaduais ainda públicos. Não temos absolutamente controle sobre o destino desse dinheiro. Este é o problema.

Temos de pensar formas de planejamento social. Uma questão que não foi abordada, mas que é imprescindível na direção da construção de uma sociedade socialista, é a da propriedade dos meios de comunicação e das formas de gestão dessa propriedade. É impossível se pensar em socialismo hoje sem democratizar os meios de comunicação.

Outra questão fundamental, que ganhou importância no pós-guerra, é a questão da propriedade intelectual. Hoje, boa parte dos lucros não advém da propriedade dos meios de produção, mas da propriedade privada das patentes, da propriedade privada da gestão do desenvolvimento científico e tecnológico. Há empresas que têm lucros extraordinários sem possuir uma única máquina, só possuindo uma marca, um logotipo qualquer e subcontratando, se valendo de um processo de terceirização internacional e subcontratando no mundo inteiro. Fazem isso detendo o controle de uma marca e expropriando os trabalhadores por meio desse expediente.

Em resumo, o que importa é a questão do crédito, a questão da propriedade intelectual, a questão dos meios de comunicação, a questão de formas de planejamento não burocráticas. O maior problema das cooperativas é a escala, o fato de ela ser uma graminha no meio de uma selva. Nós temos de romper com preconceitos, romper com dogmas do passado, inclusive com teorias que às vezes são muito sedutoras, mas que são velhas teorias, inclusive com teorias antissocialistas, que também estão velhas. Não nos vale nada resgatar essas teorias. Temos de ir para a frente, à luz do que aconteceu, e tentar botar a imaginação socialista para funcionar.

## *Luiz Inácio Lula da Silva*

Uma coisa boa no nosso partido é exatamente podermos discutir este tema com a tranquilidade com que o estamos discutindo. Às vezes, no PT, todos nos dotamos de sabedoria infinita e passamos a não ter ouvidos para escutar coisas com as quais não concordamos. Se não concordamos, ou o cidadão é esquerdista ou o cidadão é direitista, não tem meio-termo para discutir. E a tranquilidade com que estes debates estão sendo feitos, mesmo dentro do espaço do PT, mostra um amadurecimento do partido.

É muito importante que estejamos discutindo a economia socialista, pois é uma questão polêmica. Eu acho que o socialismo real – estamos falando aqui do real e não da utopia – não resolveu um problema crucial na sua relação com a sociedade, com a produção, que é o modo de tratar os desiguais.

O ser humano é eminentemente competitivo. Na medida em que se bloqueia a capacidade competitiva do ser humano e se coloca todos para ganhar a mesma coisa dentro de uma fábrica, cortam-se as possibilidades de sucesso daquela fábrica. As pessoas são niveladas por baixo e não niveladas por cima. O socialismo não conseguiu resolver este problema.

Sou amante da Revolução Cubana. Acho que no PT quase todo mundo é. Agora, eles não resolveram o problema crucial da democracia e de algumas liberdades sem as quais não há socialismo. Sou o maior entregador de medalha para operário cubano. Toda vez que vou lá eu sou convidado para um ato da Central dos Trabalhadores Cubanos. Tem trabalhador com umas trinta medalhas no peito. Aquilo é prêmio de produção. Se fosse alguma melhoria na qualidade de vida dele, ele ficaria mais agradecido.

Acho que o Paul Singer exagerou na questão da valorização do mercado, porque o mercado só funciona se houver um Estado muito forte regulando esse mercado e o obrigando a cumprir algumas cláusulas sociais. Só o mercado não resolve. Compatibilizar o mercado com um Estado regulador, capaz de garantir que o mercado atenda a todas as necessidades das pessoas, seria o ideal. Como fazer isso é o desafio que está colocado para o PT.

Somos um partido político. Um partido político tem que se apresentar para a sociedade não apenas com capacidade de debate teórico, mas como um partido político que na sua prática cotidiana transmita exemplos de coisas novas que podem ser colocadas em prática.

A partir de tudo que foi dito, quero fazer uma pergunta: o PT, como partido político, não poderia colocar em prática algumas coisas que estão ao seu alcance? Nas suas prefeituras? Por exemplo, Orçamento Participativo não é pouca coisa. É a primeira oportunidade que o povo brasileiro tem de discutir como é gasto o dinheiro público, mesmo que seja apenas uma parte do dinheiro que a cidade arrecada. Mas discutir como aplicar e definir prioridades é muita coisa para o nosso país, que tem uma elite que não foi capaz de permitir um ato público com 3 mil índios em Porto Seguro. Os índios inquietaram tanto que eles colocaram três policiais para cada índio.

Esse é um exemplo. Como partido político, muitas vezes deixamos de fazer o que deveríamos fazer para discutir o que não deveríamos discutir. O velho Partido Comunista Italiano, no começo, fazia o seguinte: tinha uma vila, um bairro qualquer onde se precisava fazer uma ponte; o PCI muitas vezes fazia a ponte com o dinheiro arrecadado pelos trabalhadores e depois que estava pronta a ponte ia brigar para que o poder público pagasse aquilo lá.

No PT falta um pouco disso. Não é só fazer a ponte. Mas muitas vezes nós adotamos uma cultura que está estabelecida e disseminada na cabeça da sociedade, que é esperar que o Estado faça tudo. Se o Estado não faz, ninguém faz. E se ninguém faz, ninguém tem nada. Quais são os passos que o PT pode dar, como partido político, para mudar isso?

O que podemos colocar em prática nas nossas prefeituras, na nossa ação cotidiana, para que se vá criando uma cultura de que alguma coisa diferente pode ser feita?

Vou dar alguns exemplos que podem parecer banais, mas acho que os exemplos falam mais forte que os discursos. Quantos médicos tem o PT? Quantos dentistas tem o PT? Quantos advogados tem o PT? Quantos engenheiros tem o PT? Imagine se toda essa gente se dotasse de espírito de solidariedade e resolvesse fazer coisas que o Estado não consegue fazer ou não quer fazer, como medicina preventiva, odontologia preventiva, defender a população na Justiça.

Será que o PT, com essa vontade que tem de induzir a sociedade a ter uma compreensão socialista, não deveria, ele, o partido, colocar em prática ações que podem conduzir a sociedade a sentir que há outro jeito de se fazer as coisas? Ou será que vamos ficar esperando que mude o Estado, que o Estado seja o dos nossos sonhos, que ele faça tudo?

A União Soviética durou setenta anos e quando se perguntava para alguém, ele dizia: “O socialismo é um processo”. Um processo que durou setenta anos. Cuba, você vai lá e pergunta: mas quando vai melhorar? Eles dizem: "Isso é um processo". Um processo que está lá há quarenta anos! Nós não vamos demorar quarenta anos para chegar ao poder. A minha opinião é que chegaremos antes. Mas o que podemos então fazer de prático? Como ação de governo e como ação de partido? Eu penso que o PT pode fazer infinitamente muito mais do que faz.

Isso seria possível se, primeiro, nos preocupássemos menos com a disputa e o debate internos, e se nos preocupássemos em ter uma prática diferente da que os outros têm. Segundo, muitas vezes somos induzidos a pensar que somente o Estado pode fazer as coisas e que a sociedade não pode fazer nada. Eu penso que o PT precisa urgentemente mudar de comportamento, para tentar atender a essa expectativa que a sociedade tem a nosso respeito, que não é apenas eleitoral. Ela é moral, é ética e também é, do ponto de vista social, muito maior do que em relação a qualquer outro partido político.

## *José Genoíno*

O professor Antonio Candido já disse várias vezes que o Brasil necessita de uma corrente política radical. Concordo com isso, e acrescentaria: radical do ponto de vista da democracia e do social. É por aí que temos de começar esse debate. Porque algumas coisas que foram abordadas aqui, algumas bandeiras identificadas com o socialismo, são bandeiras que precisamos radicalizar, por exemplo o Orçamento Participativo, que é uma experiência de democracia direta.

Qual o problema central, na minha visão? É que, dentro de um programa anticapitalista, se não enfrentamos o problema da renda e da propriedade, não estamos viabilizando o pensamento democrático radical, principalmente nas condições concretas do Brasil.

Quais as formas que essa democratização da renda, do capital, da terra, da riqueza, assumirá? É interessante a exposição de Paul Singer: a luta por certos valores é uma luta que se equilibra num processo de construção que não tem um fim, que não tem um modelo perfeito de sociedade.

Quando discutimos a questão do socialismo nesse patamar, como conjunto de valores, como democratização da economia, do mercado, da propriedade, eu acho interessante. Mas nós compreendemos – e isso é necessário até porque estamos aqui diante de um público acadêmico – que o marxismo se realiza na prática, houve uma experiência prática de socialismo e essa experiência apresentava o socialismo como um meio de transição para uma sociedade de abundância e de seres perfeitos. Essa questão nós temos que discutir, porque ela é o nó que amarra a questão do planejamento centralizado, feito por um Estado e por um partido. Porque foi essa a experiência realizada e, inclusive, escrita por Marx e Engels, mas também com toda a clareza por Lênin.

Prefiro trabalhar com a ideia de que há uma luta contínua e que essa luta se dá no plano da conquista política e no plano da hegemonia. O problema da hegemonia não é só na política. Assume também a questão das formas variadas de propriedade, e até das formas diferenciadas de meios de produção.

Se nós compreendemos que esses valores sinalizam para uma luta permanente e que essa luta é sempre por mais direitos; e que essa luta por mais direitos leva a um choque com o capitalismo e ela é anticapitalista, esse conceito de hegemonia na economia é fundamental para que estejamos atentos a estas formas diferenciadas de meios de produção e de propriedade privada.

Esta é a contribuição que eu gostaria de apresentar aqui para deixar bem claro que certas bandeiras são realmente democráticas, num país que não realizou até hoje a democracia republicana, apesar de viver numa república.

# 4

# Comentários finais

## *Planejamento e mercado*

*Paul Singer*

No seminário anterior, "Socialismo no ano 2000: uma visão panorâmica", Marilena Chaui lembrou que não há socialismo sem a socialização dos meios de produção. Penso que esta é a questão central. Os clássicos definiam a economia socialista como constituída "pela livre associação dos produtores", o que implica o fim de toda e qualquer subordinação dos trabalhadores. Se formos levar isso a sério, parece-me evidente que "socializar os meios de produção" não poderá ser submetê-los a uma vontade única, a um plano concebido e implementado a partir de um único centro de poder.

Por isso, o planejamento centralizado, que foi a marca registrada do "socialismo" soviético, nada tem a ver com a socialização dos meios de produção. Se todos eles pertencem ao Estado, em tese cada cidadão é proprietário de meios de produção. Mas isso não passa de uma ficção jurídica. Na prática, o controle sobre a economia era exercido pela cúpula do partido, que também era a cúpula do Estado. E os trabalhadores continuaram tão subordinados quanto no capitalismo.

A experiência do socialismo "realmente existente" constitui uma grande lição histórica, que nos ensina que socializar tem que necessariamente significar descentralizar o poder, ou seja, o controle dos meios de produção tem que ser exercido diretamente pelos trabalhadores sobre cada unidade produtiva. Além disso, é preciso que os consumidores também participem desse controle, sobretudo se quisermos abrir mão dos mercados.

Na economia de mercado – capitalista ou não – os interesses dos consumidores são sustentados pela concorrência entre os produtores, pela possibilidade de cada consumidor *escolher* de quem deseja comprar. E para que isso funcione é preciso que haja certa superprodução, ou seja, que a oferta de bens e serviços seja *sempre maior do que a demanda*. O que impõe certa margem de desperdício, já que o excesso de produção não é aproveitado. Se a demanda fosse maior que a oferta de produtos, o interesse dos produtores prevaleceria, o que levaria novamente a uma "economia de escassez".

Uma alternativa seria organizar grandes cooperativas de consumo que, a partir das necessidades, desejos, anseios e preferências de seus sócios, criariam cooperativas de produção. O capital destas últimas seria investido, uma metade por seus membros, a outra metade pela cooperativa de consumo. Dessa maneira, a direção das cooperativas de produção seria partilhada por seus trabalhadores e seus clientes. O que poderia conciliar os interesses contraditórios de vendedores e compradores dos produtos.

É importante lembrar que na economia socialista todos são ao mesmo tempo produtores e consumidores e, portanto, interessados em exercer controle numa condição e noutra. Poderia haver planejamento da produção no âmbito de cada cooperativa de consumo e deveria haver liberdade de as pessoas se associarem e se desassociarem dessas cooperativas, com as restrições inevitáveis para que a movimentação para dentro e para fora não perturbasse o funcionamento dos planos. Deveria ser livre a formação de novas cooperativas de consumo.

## *A luta pelo socialismo*

Outro ponto que quero abordar é o de que a luta pelo socialismo tem que ser travada no presente, dentro do capitalismo, e não ser adiada para um futuro hipotético "depois da tomada do poder". Essa luta já está sendo travada, embora seu objetivo socialista nem sempre seja consciente. É o caso, por exemplo, da renda mínima ou bolsa-escola, uma instituição que temos conquistado já em dezenas de municípios. Do ponto de vista capitalista, não tem sentido transferir parte da receita fiscal para pessoas que não trabalham ou que não ganham o suficiente para sustentar os filhos. Para os capitalistas, isso estimula trabalhadores a se furtar a vender sua força de trabalho no mercado. Para socialistas, é assegurar direitos humanos, o de ter um padrão de vida mínimo decente, inclusive o direito à instrução para as crianças.

A luta contra a pobreza e o desemprego mediante a constituição de cooperativas e outras formas associativas de produção, que põem em prática os princípios do cooperativismo – participação por igual na propriedade da empresa, um voto por cabeça, exercício democrático de controle etc. –, é uma das mais importantes modalidades de luta pelo socialismo a partir da contradição central do capitalismo: a de marginalizar grande parte dos trabalhadores da produção social.

O governo de Olivio Dutra contratou a Associação Nacional de Trabalhadores de Empresas de Autogestão e de Participação Acionária (Anteag) para ajudar trabalhadores de empresas falidas ou em via de falência a se apoderar do patrimônio produtivo e passar a operá-lo de forma autogestionária. Em poucos meses, dezenas de novas cooperativas de produção foram formadas. A Central Única dos Trabalhadores (CUT) criou a Agência de Desenvolvimento Solidário (ADS), que está dando apoio a sindicatos que se engajam nessa luta. Um dos principais projetos da ADS é criar uma rede nacional de crédito cooperativo, formada por grande número de cooperativas de crédito, que criarão um grande banco cooperativo, capaz de financiar a capitalização de inúmeras cooperativas de produção.

O MST está criando cooperativas agrícolas de diferentes tipos nos assentamentos de reforma agrária sob sua influência. Essas cooperativas são essenciais para manter unidos os pequenos agricultores e possibilitar sua sobrevivência e progresso em direção a uma produção agroindustrial tecnicamente avançada e competitiva. O MST, ao lado da Anteag e da ADS, luta contra a resistência do Banco Central às cooperativas de crédito. Ao que parece, o Banco Central defende o monopólio dos bancos da prestação de serviços financeiros às pessoas físicas. Nesse caso, a luta pela implantação de formas socialistas de organização da produção no Brasil passa pelo plano político.

É importante entender que a reforma agrária tem seu êxito e sua continuidade condicionados ao sucesso do desenvolvimento de formas de economia solidária nas comunidades criadas a partir da repartição das terras de latifúndios improdutivos.

Em suma, a luta pelo socialismo hoje se trava em diversas frentes: na política, em que vitórias eleitorais de candidaturas de esquerda abrem possibilidades de multiplicar formas de democracia participativa, por exemplo o Orçamento Participativo; na econômica, em que a consolidação de setores cooperativos de produção e de consumo contribui para a eliminação da pobreza e o combate ao desemprego; e na frente social, mediante a instituição de programas de bolsa-escola, renda cidadã e análogos.

## *A conversa do mercado*

*João Machado*

Quero fazer menção a duas intervenções feitas no debate: a do Lula e a do senador Eduardo Suplicy.

Certamente, o Orçamento Participativo é um “implante socialista” importante. Como defendi antes, creio que é útil adotar esse conceito e incluir nele todas as experiências que já são realidade hoje e que vão na direção de ampliar as condições de a população poder decidir sobre suas condições de vida. Embora o Orçamento Participativo diga respeito a uma pequena parcela do orçamento municipal, é algo fundamental.

Também concordo que, para tentar conseguir hegemonia política em uma sociedade como a nossa, o PT tem de colocar em prática coisas que melhorem as condições de vida da população. Por isso, é bastante útil chamar a atenção para várias iniciativas que já vêm sendo feitas a partir das administrações estaduais ou municipais do PT. Acho, como disse antes, que devemos desenvolver uma concepção de luta pelo socialismo que incorpore ao máximo essas iniciativas.

## *Mercado*

Por outro lado, estou convencido de que deve fazer parte do nosso horizonte a tentativa de descobrir formas de organização social, formas de descentralização econômicas distintas do mercado, pelo menos entendendo o mercado como o que ele realmente é. E nisto quero discordar da intervenção do senador Suplicy. Não é correto dizer que não podemos ser contra o mercado, porque o mercado é simplesmente uma maneira de as pessoas conversarem. De forma alguma! É justamente porque sou favorável a que as pessoas *realmente conversem* umas com as outras, para decidir o que lhes diz respeito, que vejo o mercado de maneira muito negativa. O mercado é uma maneira de as pessoas se relacionarem de forma impessoal. Se se quiser dizer que a relação que se estabelece por intermédio do mercado é uma forma de conversar, vá lá, mas é preciso deixar claro que é uma forma muitíssimo restrita de conversar. No mercado, o trabalhador que procura emprego não pode dizer que tem dez filhos, que sua família está passando fome, que precisa disto e daquilo. Só pode dizer qual é sua capacidade de trabalho, que é o que tem para vender.

Se chegarmos a uma situação em que as pessoas que se encontrarem para tratar de questões econômicas realmente conversem, discutam o que precisam, perguntem pela família do outro etc., isto não poderá ser chamado de mercado.

**SOBRE O LIVRO**

**FORMATO**
13,5 x 21 cm

**MANCHA**
24,9 x 41,5 paicas

**TIPOLOGIA**
Coranto 10/14

**PAPEL**
Off-white 80 $g/m^2$ (miolo)
Cartão Supremo 250 $g/m^2$ (capa)

1ª Edição Editora Unesp: 2022

**EQUIPE DE REALIZAÇÃO**

**EDIÇÃO DE TEXTO**
Tulio Kawata (Copidesque)
Carmen T. S. Costa (Revisão)

**PROJETO GRÁFICO**
Marcos Keith Takahashi (Quadratim)

**CAPA**
Quadratim

**EDITORAÇÃO ELETRÔNICA**
Eduardo Seiji Seki

**ASSISTÊNCIA EDITORIAL**
Alberto Bononi
Gabriel Joppert

Rua Xavier Curado, 388 • Ipiranga - SP • 04210 100
Tel.: (11) 2063 7000 • Fax: (11) 2061 8709
rettec@rettec.com.br • www.rettec.com.br